NEXOS

Capítulo 1 - 9

2nd EDITION

Sheri Spaine Long | María Carreira |
Sylvia Madrigal Velasco | Kristin Swanson

CENGAGE
Learning™

Australia • Brazil • Japan • Korea • Mexico • Singapore • Spain • United Kingdom • United States

CENGAGE
Learning™

**NEXOS: Capítulo 1- 9,
2nd Edition**

NEXOS, Capítulo 1 - 9, 2nd Edition
Spaine Long | Carreira | Madrigal Velasco | Swanson

BIND IN STDT TXT-NEXOS
LONG

AUD CD-NEXOS
LONG

Executive Editors:
 Maureen Staudt
 Michael Stranz

Senior Project Development Manager:
 Linda deStefano

Marketing Specialist:
 Courtney Sheldon

Senior Production/Manufacturing
Manager:
 Donna M. Brown

PreMedia Manager:
 Joel Brennecke

Sr. Rights Acquisition Account Manager:
 Todd Osborne

Cover Image:
Getty Images*

*Unless otherwise noted, all cover images used by
Custom Solutions, a part of Cengage Learning,
have been supplied courtesy of Getty Images with
the exception of the Earthview cover image, which
has been supplied by the National Aeronautics and
Space Administration (NASA).

For product information and technology assistance, contact us at
Cengage Learning Customer & Sales Support, 1-800-354-9706

For permission to use material from this text or product,
submit all requests online at **cengage.com/permissions**
Further permissions questions can be emailed to
permissionrequest@cengage.com

This book contains select works from existing Cengage Learning resources and
was produced by Cengage Learning Custom Solutions for collegiate use. As such,
those adopting and/or contributing to this work are responsible for editorial
content accuracy, continuity and completeness.

Compilation © 2011 Cengage Learning

ISBN-13: 978-1-133-15490-7

ISBN-10: 1-133-15490-5

Cengage Learning
5191 Natorp Boulevard
Mason, Ohio 45040
USA

Cengage Learning is a leading provider of customized learning solutions with
office locations around the globe, including Singapore, the United Kingdom,
Australia, Mexico, Brazil, and Japan. Locate your local office at:
international.cengage.com/region.

Cengage Learning products are represented in Canada by Nelson Education, Ltd.
For your lifelong learning solutions, visit **www.cengage.com /custom.**
Visit our corporate website at **www.cengage.com.**

Printed in the United States of America

Scope and Sequence

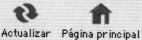

¡Bienvenidos a la

The purpose of these pages is to introduce you to some of the "nuts and bolts" of Spanish you'll need right away. Familiarize yourself with these words and expressions and do the activities described. Don't worry about memorizing it all—you'll have many more opportunities to work with these words as you progress through *Nexos*.   **Optional:** Play Hangman or Scrabble to provide spelling practice.

El alfabeto

 Flashcards

The Spanish alphabet has 29 characters—the same as the English alphabet, plus the extra letters **ch**, **ll**, and **ñ**. When using a Spanish dictionary to look up words that begin with **ch** and **ll**, note that they do not have a separate listing, but are instead listed alphabetically under the letters **c** and **l**.

Go to the *Lab Manual* in the *Student Activities Manual* and practice the sounds of the alphabet.

a	*a*	**A**rgentina
b	*be*	**B**olivia
c	*ce*	**C**osta Ri**c**a
ch	*che*	**Chich**én Itzá
d	*de*	República **D**ominicana
e	*e*	**E**cuador
f	*efe*	las **F**ilipinas
g	*ge*	**G**uatemala
h	*hache*	**H**onduras
i	*i*	**I**nglaterra
j	*jota*	**J**alisco
k	*ka*	**K**enya
l	*ele*	**L**os Ángeles
ll	*elle*	Va**ll**adolid
m	*eme*	**M**arruecos

n	*ene*	**N**icaragua
ñ	*eñe*	Espa**ñ**a
o	*o*	**O**taval**o**
p	*pe*	**P**araguay
q	*cu*	**Q**uito
r	*ere*	**P**erú
s	*ese*	**S**antiago de Compo**s**tela
t	*te*	**T**oledo
u	*u*	**C**uba
v	*ve*	**V**enezuela
w	*doble ve*	Bots**w**ana
x	*equis*	Mé**x**ico
y	*i griega*	**Y**ucatán
z	*zeta*	**Z**acatecas

Standards: Throughout *Nexos*, there are many activities based on the *Standards for Foreign Language Learning*. The *Instructor's Guide* for this program contains helpful information about the standards and describes how they are implemented in *Nexos*. In addition, icons and annotations are used to point out the standard or standards addressed in the various chapter sections and activities.

Suggestion: Model the pronunciation of vowels (**a, e, i, o, u**). Demonstrate the **g**, the silent **h**, **ñ** like *ny* (*canyon* from English), the trilled **rr**, and **v**. Point out that **p, t,** and **c** (with the "k" sound) are aspirated or pronounced with a puff of air in English, unlike Spanish. Demonstrate this with **pan, tan, con. Optional:** In Castillian Spanish the **z** (**z, ci, ce**) is pronounced like the *th* in English.

Suggestion: For alphabet practice, model the question and act out the answer by writing letters on the blackboard: **¿Cómo se deletrea su/tu/mi nombre?** For example, **Mi nombre es J, u, a, n, a, B, e, n, í, t, e, z.** Ask students to spell their names. To review the alphabet, have students spell words letter by letter throughout the course.

clase de español!

Los números 1–100

0	*cero*	**20**	*veinte*	**40**	*cuarenta*
1	*uno*	21	*veintiuno*	41	*cuarenta y uno*
2	*dos*	22	*veintidós*	42	*cuarenta y dos*
3	*tres*	23	*veintitrés*	43	*cuarenta y tres*
4	*cuatro*	24	*veinticuatro*	44	*cuarenta y cuatro*
5	*cinco*	25	*veinticinco*	45	*cuarenta y cinco*
6	*seis*	26	*veintiséis*	46	*cuarenta y seis*
7	*siete*	27	*veintisiete*	47	*cuarenta y siete*
8	*ocho*	28	*veintiocho*	48	*cuarenta y ocho*
9	*nueve*	29	*veintinueve*	49	*cuarenta y nueve*
10	*diez*	**30**	*treinta*	**50**	*cincuenta*
11	*once*	31	*treinta y uno*	51	*cincuenta y uno*
12	*doce*	32	*treinta y dos*	52	*cincuenta y dos*
13	*trece*	33	*treinta y tres*	53	*cincuenta y tres*
14	*catorce*	34	*treinta y cuatro*	54	*cincuenta y cuatro*
15	*quince*	35	*treinta y cinco*	55	*cincuenta y cinco*
16	*dieciséis*	36	*treinta y seis*	56	*cincuenta y seis*
17	*diecisiete*	37	*treinta y siete*	57	*cincuenta y siete*
18	*dieciocho*	38	*treinta y ocho*	58	*cincuenta y ocho*
19	*diecinueve*	39	*treinta y nueve*	59	*cincuenta y nueve*
				60	*sesenta*
				70	*setenta*
				80	*ochenta*
				90	*noventa*
				100	*cien*

Memorize the numbers 1–15.

Notice the pattern for the numbers from 16 to 29: **diez** + **seis** = **dieciséis; veinte** + **uno** = **veintiuno**. Notice that 11–15 do not follow that pattern.

Notice the pattern for the numbers over 30: **treinta** + **uno** = **treinta y uno; cuarenta** + **dos** = **cuarenta y dos; cincuenta** + **tres** = **cincuenta y tres;** etc.

Do not confuse sixty and seventy. Notice that **sesenta** is formed from **seiS**, with an s and **setenta** is formed from **sieTe**, with a **t**.

With a partner, practice counting in Spanish by taking turns (Student 1: **uno**; Student 2: **dos**, etc.). Or, practice a sequence; for example, multiples of three (Student 1: **tres, seis, nueve**; Student 2: **doce, quince, dieciocho**, etc.).

Las personas

With a partner, name ten people you know. Take turns identifying them first by age and gender, and then by their relationship to you: **Marcos Martínez—20 años, hombre, amigo.**

el hombre　la mujer　　el muchacho/
el chico　　la muchacha/
la chica　　　el niño　la niña

el estudiante　el profesor　la instructora　el instructor

la estudiante

la profesora

el compañero
de cuarto

la compañera
de cuarto

la amiga

el amigo

En el salón de clase

En el libro de texto

la actividad	*activity*
el capítulo	*chapter*
el dibujo	*drawing*
la foto	*photo*
la lección	*lesson*
la página	*page*

Mandatos comunes

Abran los libros.	*Open your books.*
Adivina. / Adivinen.	*Guess.*
Cierren los libros.	*Close your books.*
Contesten.	*Answer.*
Entreguen la tarea.	*Turn in your homework.*
Escriban en sus cuadernos.	*Write in your notebooks.*
Escuchen la cinta / el CD.	*Listen to the tape / CD.*
Estudien las páginas... a...	*Study pages . . . to . . .*
Hagan la tarea para mañana.	*Do the homework for tomorrow.*
Lean el Capítulo 1.	*Read Chapter 1.*
Repitan.	*Repeat.*

La pregunta *The question*

¿Cómo se dice... ?	*How do you say . . . ?*
¿Qué significa... ?	*What does . . . mean?*

La respuesta *The answer*

Se dice...	*It's said . . .*
Significa...	*It means . . .*

Labels on illustration:
el cuarto · el salón de clase · la pizarra · la puerta · la pared · la ventana · la silla · el escritorio · la tiza · el marcador · el diccionario · la computadora portátil · el lector de CD-ROM/DVD · la hoja de papel · la mochila · los apuntes · el CD · el lápiz · el cuaderno · la nota · el bolígrafo · la calculadora · la cinta · la tarea · el libro · la mesa

Flashcards

With a partner, take turns pointing out objects shown in the illustration that you can see in your classroom.

Your professor will practice the most common classroom commands with the entire class and before you know it, you will know them by heart! Do not worry about memorizing them.

¡Bienvenidos a la clase de español! **5**

¿Cómo te llamas?

La identidad personal

As individuals we value our uniqueness while drawing strength from the similarities and experiences we share with others. How do you define yourself, both as an individual and as a member of various groups, in your daily interactions with other people?

Unos estudiantes conversan y tocan la guitarra después de las clases. Students in Spanish-speaking countries socialize before and after class in many different places: on campus, in cafés, at the mall, in the plaza, or at home. Where do students at your school socialize?

Communication

By the end of this chapter you will be able to

- exchange addresses, phone numbers, and e-mail addresses
- introduce yourself and others, greet, and say good-bye
- make a phone call
- tell your and others' ages
- address friends informally and acquaintances politely
- write a personal letter

Cultures

By the end of this chapter you will have learned about

- Spanish around the world
- Hispanics and Spanish in the United States and Canada
- Spanish-language telephone conventions
- formal and informal ways to address people

> Los datos

Spanish is spoken in many countries around the world. Try to guess the answers to the following questions.

❶ El español es la lengua oficial en _____ países (*countries*).
a. 22
b. 19
c. 21

❷ El _____ es la lengua extranjera (*foreign*) más popular entre los estudiantes de Estados Unidos y Canadá.
a. español
b. francés
c. chino

❸ El español es una lengua oficial ¿de qué país en África?
a. Kenya
b. Tanzania
c. Guinea Ecuatorial

> ¡Adivina!

How much do you know about the Spanish-speaking world? Match the information on the left with the correct country. Check your answers on page 30.

❶ ___ el país con la mayor (+) área

❷ ___ el país con la menor (-) área

❸ ___ el país con la mayor población (*population*)

❹ ___ el país con la menor población

❺ ___ un país sudamericano (*South American*) que produce mucho petróleo

❻ ___ el país con la costa más larga

❼ ___ dos países sin (*without*) costa

a. México
b. Chile
c. Venezuela
d. Argentina
e. Guinea Ecuatorial
f. Bolivia
g. Puerto Rico
h. Paraguay

¡Imagínate!

Vocabulario útil ①

JAVIER: **¡Hola!**
ANILÚ: Hola, Beto. **¿Cómo te va?**
JAVIER: **Bastante bien,** pero… ¿Beto? Yo no soy Beto.

`00:00:00`

Spanish has formal and informal means of address: singular formal (*s. form.*), singular familiar (*s. fam.*), and plural (*pl.*) for more than one person, formal or informal. You will learn more about how to address people on pages 22–23.

Para saludar *To greet*

Hola.	*Hello.*
¿Qué tal?	*How are things going?*
¿Cómo estás (tú)?	*How are you? (s. fam.)*
¿Cómo está (usted)?	*How are you? (s. form.)*
¿Cómo están (ustedes)?	*How are you? (pl.)*
¿Cómo te va?	*How's it going with you? (s. fam.)*
¿Cómo le va?	*How's it going with you? (s. form.)*
¿Cómo les va?	*How's it going with you? (pl.)*
¿Qué hay de nuevo?	*What's new?*
Buenos días.	*Good morning.*
Buenas tardes.	*Good afternoon.*
Buenas noches.	*Good night. Good evening.*

Para responder *To respond*

Bien, gracias.	*Fine, thank you.*
Bastante bien.	*Quite well.*
(No) Muy bien.	*(Not) Very well.*
Regular.	*So-so.*
¡Terrible! / ¡Fatal!	*Terrible! / Awful!*
No mucho.	*Not much.*
Nada.	*Nothing.*
¿Y tú?	*And you? (s. fam.)*
¿Y usted?	*And you? (s. form.)*

 Flashcards

>> Actividades

1 **Conversaciones** With a classmate, take turns greeting each other and responding. Choose an appropriate response from those provided.

1. Hola, ¿qué tal?
   a. Buenos días.
   b. Muy bien, gracias.
   c. ¿Y tú?

2. Buenas tardes. ¿Qué hay de nuevo?
   a. No mucho.
   b. Bastante bien.
   c. Terrible.

3. Buenas noches. ¿Cómo le va?
   a. Nada.
   b. ¿Y usted?
   c. Fatal.

4. Buenos días. ¿Cómo están?
   a. Regular.
   b. Buenas noches.
   c. No mucho.

5. Hola, ¿cómo está?
   a. ¿Cómo te va?
   b. Bien, gracias, ¿y usted?
   c. Nada.

6. Buenas tardes.
   a. Terrible.
   b. Buenas tardes. ¿Qué hay de nuevo?
   c. No muy bien. ¿Y tú?

2 **Saludos** Exchange greetings with a classmate. Follow the cues.

1. **Greeting:** It is morning, and you want to know how your classmate is doing.
   Response: You had a terrible night and don't feel well.

2. **Greeting:** It is evening, and you run into two classmates; you want to know if anything new has come up.
   Response: Not much has happened since you last saw your friend.

3. **Greeting:** You run into a professor in the afternoon; you want to know how things are going.
   Response: You're doing quite well and want to know how your student is doing.

3 **¿Qué tal?** Have a conversation with one of your friends when you first see him or her that day.

MODELO: Tú: *¡Hola, Adriana! ¿Cómo te va?*
Compañero(a): *Bien, gracias, Rosa. Y tú, ¿cómo estás?*
Tú: *Regular.*

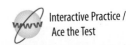
Interactive Practice /
Ace the Test

In Spain, a cell phone is called a **móvil**. Can you guess what it means?

>> ¡Fíjate! >>

Web Links / Web Search

Los celulares

Cellular phone technology has revolutionized telecommunications throughout the Spanish-speaking world. Cell phones are just as popular in Latin America and Spain as they are in the United States, and not just for phoning—they are used for photos, video, text messaging, and Internet access in Spanish, too!

Although customs for speaking on the phone vary from one Spanish-speaking country to another, here are some useful phrases to get you started.

Unas chicas usan sus celulares para recibir mensajes de texto.

Note that most Spanish speakers give their phone number by using pairs after the first digit. For example: **Mi número es el dos, treinta y seis, diez, dieciocho.**

Familiar Conversation

—¡Hola!	*Hello?*
—¿Está...?	*Is . . . there?*
—Sí. Aquí está. / No, no está.	*Yes. Here he / she is. / No, he's / she's not here.*
—Soy... Mi número es el...	*I'm . . . My number is . . .*
—Muy bien. Hasta luego.	*OK. See you later.*
—Chau.	*Bye.*

Formal Conversation

—¡Hola! / ¿Aló?	*Hello?*
—Hola. ¿Puedo hablar con...?	*Hi, may I speak with . . . ?*
—Sí. / Lo siento. No está.	*Yes. / I'm sorry. He's / She's not here.*
—Por favor, dígale que llamó (nombre). Mi número es el...	*Please tell him / her that (name) called. My number is . . .*
—Muy bien.	*OK.*
—Muchas gracias.	*Thank you very much.*
—De nada. Adiós.	*You're welcome. Good-bye.*
—Adiós.	*Good-bye.*

●●**Práctica** With a partner, role-play two different phone calls, using the expressions provided. In the first call, you dial a friend's apartment and speak to his roommate. In the second call, you dial a friend's home and speak to his grandmother. In both cases, the person you are trying to reach is not in and you need to leave a message. Don't forget to use the correct level of address (familiar or formal).

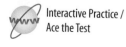

Interactive Practice / Ace the Test

Vocabulario útil ②

ANILÚ: Pues, **¿cómo te llamas?**

JAVIER: ¿Yo? **Soy** Javier de la Cruz. Y yo, ¿con quién hablo?

ANILÚ: **Me llamo** Anilú. Ana Luisa Guzmán. ... Pero, **¿cuál es tu número de teléfono?** Yo marqué el 3-39-71-94.

JAVIER: No, ése no es mi número de teléfono. **Mi número es el 3-71-28-12.**

Spanish speakers now often ask **¿Cuál es tu / su e-mail?**, using the English term rather than **dirección electrónica.**

In an e-mail address in Spanish, @ is pronounced **arroba** and **.com** is pronounced **punto com.**

⏹ ▶ ▮▮▮▮▮▮▮▮▮▮▮▮▮▮▮▮▮▮▮▮ 00:00:00

Para pedir y dar información personal *To exchange personal information*

¿Cómo te llamas?	*What's your name? (s. fam.)*
¿Cómo se llama?	*What's your name? (s. form.)*
Me llamo...	*My name is . . .*
(Yo) soy...	*I am . . .*
¿Cuál es tu número de teléfono?	*What is your phone number? (s. fam.)*
¿Cuál es su número de teléfono?	*What is your phone number? (s. form.)*
Mi número de teléfono es el 3-71-28-12.	*My telephone number is 371-2812.*
Es el 3-71-28-12.	*It's 371-2812.*
¿Dónde vives?	*Where do you live? (s. fam.)*
¿Dónde vive?	*Where do you live? (s. form.)*
Vivo en...	*I live in / at / on . . .*
la avenida...	*avenue*
la calle...	*street*
el barrio... / la colonia...	*neighborhood*
¿Cuál es tu dirección?	*What is your address? (s. fam.)*
¿Cuál es su dirección?	*What is your address? (s. form.)*
Mi dirección es...	*My address is . . .*
¿Cuál es tu dirección electrónica?	*What's your e-mail address? (s. fam.)*
¿Cuál es su dirección electrónica?	*What's your e-mail address? (s. form.)*
Aquí tienes mi dirección electrónica.	*Here's my e-mail address. (s. fam.)*
Aquí tiene mi dirección electrónica.	*Here's my e-mail address. (s. form.)*

Flashcards

>> Actividades

4 **Respuestas** Pick the correct response from the second column to the questions in the first column.

1. ¿Dónde vives?
2. ¿Cuál es su dirección electrónica?
3. ¿Cómo se llama?
4. ¿Cuál es tu número de teléfono?

a. Yo soy Rita Rivera.
b. Es el 4-87-26-91.
c. Es Irene29@yahoo.com.mx
d. En la colonia Villanueva.

5 **En la reunión** You are at the first meeting of the Spanish International Students' Association at your college. You have been elected secretary and must record the name, address, and phone number of every member. With a male and female classmate playing the parts of the members, ask for the information you need. Without looking at the book, listen to their responses and record their personal information on your computer or in writing. Then ask your partners for their real personal information and record that.

MODELO: Jorge Salinas, avenida B 23, 2-91-66-45
            Tú: *¿Cómo te llamas?*
            Compañero(a): *Me llamo Jorge Salinas.*
            Tú: *¿Dónde vives?*
            Compañero(a): *Vivo en la avenida B, veintitrés.*
            Tú: *¿Cuál es tu número de teléfono?*
            Compañero(a): *Es el dos, noventa y uno, sesenta y seis, cuarenta y cinco.*

> Notice in the example how Spanish telephone numbers are given in pairs.

> Notice that unlike English, the street name precedes the number in Spanish addresses: **Calle Iturbide 12** vs. *12 Iturbide Street.*

1. Amanda Villarreal, calle Montemayor 10, 8-13-02-55
2. Diego Ruiz, colonia del Valle, Calle Iturbide 89, 7-94-71-30
3. Irma Santiago, avenida Flores Verdes 12, 9-52-35-27
4. Baldemar Huerta, calle Otero 39, 7-62-81-03
5. Ingrid Lehmann, avenida Aguas Blancas 62, 4-56-72-93
6. ¿...?
7. ¿...?

6 **¡Mucho gusto!** With a classmate, role-play a cell phone conversation in which one of you has dialed the wrong number. You are curious about the person you have accidentally reached. Try to get as much information from each other as possible.

MODELO: —Hola. ¿Marcos?
            —No, yo no soy Marcos.
            —Bueno, ¿cómo se llama usted?
            —...

Interactive Practice /
Ace the Test

Vocabulario útil ③

ANILÚ:	Beto, **quiero presentarte a** Javier de la Cruz.
BETO:	**Mucho gusto,** Javier.
JAVIER:	**Encantado,** Beto.
BETO:	Aquí está tu celular.
JAVIER:	Gracias, Beto. Y aquí está tu celular.
BETO:	**Bueno, ¡tengo que irme! Muchas gracias,** Javier. Y gracias a ti también, Anilú.
ANILÚ:	Pues, Javier, **mucho gusto en conocerte.**
JAVIER:	**El gusto es mío.**
ANILÚ:	Pues, entonces, **¡nos vemos!**
JAVIER:	**¡Hasta luego! Chau.**

00:00:00

Para presentar a alguien *To introduce someone*

Soy…	*I am . . .*
Me llamo… / Mi nombre es…	*My name is . . .*
Quiero presentarte a…	*I'd like to introduce you (s. fam.) to . . .*
Quiero presentarle a…	*I'd like to introduce you (s. form.) to . . .*
Quiero presentarles a…	*I'd like to introduce you (pl.) to . . .*

Para responder *To respond*

Mucho gusto.	*My pleasure.*
Mucho gusto en conocerte.	*A pleasure to meet you (s. fam.).*
Encantado(a).	*Delighted to meet you.*
Igualmente.	*Likewise.*
El gusto es mío.	*The pleasure is mine.*
Un placer.	*My pleasure.*

Para despedirse *To say good-bye*

Adiós.	*Good-bye.*
Hasta luego.	*See you later.*
Hasta mañana.	*See you tomorrow.*
Hasta pronto.	*See you soon.*
Nos vemos.	*See you later.*
Chau.	*Bye.*
Bueno, tengo que irme.	*Well / OK, I have to go.*

> The word **chau** comes from the Italian word **ciao**, which means *good-bye*. The spelling is changed to reflect Spanish pronunciation.

 Flashcards

>> Actividades

7 **Quiero presentarte a...** Introductions are a normal part of everyday life. Study the drawing and, with a partner, create four short conversations in which one person introduces another person to a third party. In each conversation, pick one of the characters in the group and play that role. The labels show the four groups.

Grupo 1

Grupo 2

Grupo 3

Grupo 4

8 E-mail You're on the Internet and you meet someone you really like in a chat room for Spanish speakers. Write out the conversation you might have with that person. Include the following.

greeting
response
introduction
exchange of phone numbers
exchange of addresses
good-byes

9 Otro e-mail Write an e-mail to your Spanish professor introducing yourself. In it, give your name, address, e-mail address, phone number, and any other personal information you think it is important for your Spanish professor to have. Send it!

Web Search /
Interactive Practice /
Ace the Test

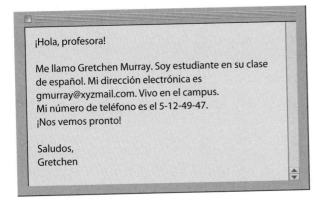

¡Hola, profesora!

Me llamo Gretchen Murray. Soy estudiante en su clase de español. Mi dirección electrónica es gmurray@xyzmail.com. Vivo en el campus. Mi número de teléfono es el 5-12-49-47. ¡Nos vemos pronto!

Saludos,
Gretchen

Antes de ver el video

1 In this video segment, you will meet some of the main characters in the video. How many do you already know? Go back to pages 8, 11, and 13 in the **Vocabulario útil** sections and identify the people you see in the photos.

2 The following is a list of key new vocabulary used in the video. Quickly review this list and the video dialog segments on pages 8, 11, and 13 before watching the video segment.

Ha sido un placer.	*It's been a pleasure.*
marqué	*I dialed*
¡Tengo prisa!	*I'm in a hurry!*
voy a marcar	*I'm going to dial*

Based on the list of words above, which of the following topics do you think might play a role in this video segment?

- una conversación en clase
- una conversación por teléfono
- una conversación entre dos personas que no se conocen (*don't know each other*)
- una conversación entre amigos

3 Before you watch the video segment, look at the following pieces of information you'll need to identify as you watch. Then, as you watch the video, listen for this specific information.

1. Las personas que hablan por celular: ¿Cómo se llaman?
2. Las personas al final: ¿Cómo se llaman?
3. _____ tiene (*has*) el celular de_____ .

Estrategia

Viewing a segment several times

When you first hear authentic Spanish, it may sound very fast to you. Stay calm! Remember that you don't have to understand absolutely everything and that with video, unlike real life, you have the opportunity to replay it! The first time you view the segment, listen for a general idea of what it is about. The second time, listen for more details.

El video

Now watch the video segment for **Chapter 1.** View it as many times as you need to in order to answer the questions in **Activity 3.**

Después de ver el video

4 Now say whether the following statements about the video segment are true (**cierto**) or false (**falso**). Correct the false statements to provide correct information.

1. Javier tiene el celular de Anilú.
2. Anilú es una amiga de Javier.
3. Beto es un amigo de Anilú.
4. El número del teléfono celular que tiene Javier es el 3-39-71-94.
5. El número de teléfono de Beto es el 3-39-71-94.
6. Anilú le presenta Javier a Beto.

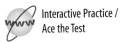

Interactive Practice /
Ace the Test

¿Por qué estudias español? What are your reasons for studying Spanish? Do you want to use it for professional or personal reasons?

Voces de la comunidad

Web Links

In 1787, Thomas Jefferson had this advice for his nephew, Peter Carr:

66 Apply yourself to the study of the Spanish language with all of the assiduity you can. It and the English covering nearly the whole of America, they should be well known to every inhabitant who means to look beyond the limits of his farm. 99

En Florida, una familia cubanoamericana celebra en una reunión.

Time has proven these words to be remarkably prescient. Today, the U.S. is the fourth largest Spanish-speaking country in the world. The 44 million Hispanics (or Latinos) that make their home in this country represent the fastest-growing segment of the U.S. population. They are also the nation's largest minority group, comprising nearly 14% of the total population. For its part, Canada is also home to a thriving community of over 300,000 Hispanics, with significant Spanish-speaking populations located in Toronto, Quebec, and Vancouver.

U.S. Hispanics are enjoying a period of unprecedented prosperity. They have an estimated buying power of $800 billion a year, a number which more than doubles the combined buying power of all other Spanish-speaking countries in the world. American companies have taken notice of the lucrative Hispanic market. From launching Spanish-language websites to creating new Spanish-language publications, they are striving to understand, entice, and better serve Latino consumers.

In this favorable social and economic climate, U.S. Hispanics are making their mark in all areas of American life, including the arts and entertainment, politics, the media, and the business sector. The **Voces de la comunidad** section of Chapters 2–14 of *Nexos* features an outstanding North American Hispanic from these and other areas, people whose contributions have direct relevance to the theme of the chapter.

¡Prepárate!

Gramática útil ①
Identifying people and objects: Nouns and articles

Cómo usarlo

Nouns identify people, places, and things: **señora Velasco, calle,** and **teléfono** are all nouns. *Articles* supply additional information about the noun.

1. *Definite* articles refer to a specific person, place, or thing.

> **La** Avenida Central es **la** calle más importante de **la** universidad.
> *(You already know which avenue and university you are talking about.)*

> *Central Avenue is **the** most important street in **the** university.*

2. *Indefinite* articles refer to a noun without identifying a specific person, place, or thing.

> **Un** amigo es **una** persona que te gusta mucho. *(You are making a generalization, true of any friend.)*

> ***A** friend is **a** person you like a lot.*

 Video Tutorial

 Flashcards

> The idea of gender for non-person nouns and for articles does not exist in English, although it is a feature of Spanish and many other languages. When learning new Spanish words, try to memorize the article with the noun so that you can remember the gender.

Cómo formarlo

> #### Lo básico
>
> - *Number* indicates whether a word is singular or plural:
>   **la calle** *(sing.)*, **las calles** *(pl.)*, **un escritorio** *(sing.)*, **unos escritorios** *(pl.)*
>
> - *Gender* indicates whether a word is masculine or feminine:
>   **una avenida** *(fem.)*, **el teléfono** *(masc.)*

3. Noun gender and number

- **Gender:** Often you can tell the gender of a Spanish noun by looking at its ending. Here are some general guidelines.

Masculine	Feminine
1. Nouns ending in **-o**: **el amigo, el muchacho**	Exception to rule #1: **la mano** *(hand)*

Exceptions to rule #2:
words ending in **-ma: el sistema,
el problema, el tema, el programa;**
also **el día, el mapa**
	2. Nouns ending in **-a**:
	  **la compañera de cuarto,
	  una chica**

Exceptions to rule #3: **el avión, el camión**	3. Nouns ending in **-ión, -dad, -tad,** and **-umbre** are usually feminine: **la información, una universidad, la libertad, una costumbre** *(custom)*

> When nouns ending in **-ión** become plural, they lose the accent on the **-o: la corporación,** but **las corpo-raciones.**

Nouns referring to people often reflect gender by changing a final **-o** to **-a** (**chico / chica, amigo / amiga**) or adding **-a** to a final consonant (**profesor / profesora**). For nouns ending in **-e, -ista,** or **-a** that refer to people, the article or context indicates gender (**el estudiante / la estudiante, el guitarrista / la guitarrista, Juan / Juanita es atleta**).

- **Number:** Spanish nouns form their plurals in several ways.

Singular	Plural
1. Ends in vowel: **calle**	1. Add **-s: calles**
2. Ends in consonant: **universidad**	2. Add **-es: universidades**
3. Ends in **-z: lápiz**	3. Change **z** to **c** and add **-es: lápices**

How many plural nouns can you find in this advertisement from Ecuador? Can you find the definite article?

4. Definite and indefinite articles

- Here are the Spanish definite articles, which correspond to the English article *the.*

	Singular		Plural	
masculine	**el**	**el amigo**	**los**	**los amigos**
		the friend (male)		*the friends (male or mixed group)*
feminine	**la**	**la amiga**	**las**	**las amigas**
		the friend (female)		*the friends (female)*

In the past, **los** and **unos**, rather than **las** and **unas**, were used to refer to groups containing one or more males. The **Real Academia de la Lengua Española** recently ruled that the feminine forms should be used for groups with more females than males, but usage is changing slowly.

¿Cómo te llamas?   **19**

- Here are the Spanish indefinite articles, which correspond to the English articles *a*, *an*, and *some*.

	Singular	Plural
masculine	**un**　**un amigo** *a friend (male)*	**unos**　**unos amigos** *some friends (male or mixed group)*
feminine	**una**　**una amiga** *a friend (female)*	**unas**　**unas amigas** *some friends (female)*

- Remember that you use masculine articles with masculine nouns and feminine articles with feminine nouns. When a noun is in the plural, the corresponding plural article (masculine or feminine) is used: **el hombre, los hombres.**

- When referring to a person's *profession*, the article is omitted: **Liana es profesora y Ricardo es dentista.**

- However, when you use a *title* to refer to someone, the article is used: **Es el profesor Gómez.** When you address that person directly, using their title, the article is not used: **Buenos días, profesor Gómez.**

The following titles are typically used with the article when referring to the person, and without the article when addressing the person directly.

señor (Sr.)	*Mr.*	**señorita (Srta.)**	*Miss / Ms.*
señora (Sra.)	*Mrs. / Ms.*	**profesor / profesora**	*professor*

>> Actividades

1 **¿Femenino o masculino?** Listen to the speaker name a series of items and people. First, write down if the item or person is masculine (**M**) or feminine (**F**), or both (**M/F**). Then write the singular noun with its correct definite article. Lastly, write the plural noun with its correct definite article.

MODELO: *M*
el libro
los libros

2 **¿Definido o indefinido?** Work with a partner. Try to guess from the context whether it makes more sense to use the definite article, the indefinite article, or no article in each of the following pairs of sentences.

1. Es _____ calle en mi colonia.

   Es _____ calle central de mi colonia.

2. Es _____ profesor en mi universidad.

   Es _____ profesor de español.

3. Es _____ estudiante más (*most*) inteligente de mi clase.

   Es _____ en mi clase.

4. Es _____ avenida más importante de mi colonia.

Es _____ avenida en mi colonia.

5. Es _____ universidad en mi estado (*state*).

Es _____ universidad más importante de mi estado.

3 **Presentaciones** With a partner, complete the following introductions with the correct definite or indefinite articles where needed.

1. —Sra. Oliveros, quiero presentarle a _____ Srta. Martínez.

—Un placer. ¿Dónde vive usted?

—Vivo en _____ calle Colón, en _____ colonia Robles.

2. —Oye, Ricardo, quiero presentarte a mi amiga Rebeca. Ella es

_____ dentista.

—¡Mucho gusto, Rebeca! Yo soy _____ profesor de matemáticas.

—¿De veras? Yo tengo (*I have*) _____ amigo que es profesor también.

3. —Buenas tardes. Yo soy _____ Sr. Bustelo.

—Sr. Bustelo, ¿cuál es su número de teléfono?

—Es _____ 8-21-98-32.

4. —¡Hola!

—Buenos días. ¿Puedo hablar con _____ Sr. Lezama?

—Lo siento. No está.

—Por favor, dígale que llamó _____ Sra. Barlovento. Tenemos (*We have*) clase de administración mañana y necesito darle (*I need to give him*) _____ apuntes.

4 **Más presentaciones** Introduce yourself to another classmate. Exchange information about where you live, phone numbers, and e-mail addresses. Then prepare to introduce your classmate to the entire class.

Interactive Practice / Ace the Test

...mática útil ②

...tifying and describing: Subject pronouns ...d the present indicative of the verb **ser**

> **Estar,** which you have already used in the expression **¿Cómo estás?,** also means *to be*. You will learn other ways to use **estar** in Ch. 4.

Cómo usarlo

The Spanish verb **ser** can be used to identify people and objects, to describe them, to make introductions, and to say when something will take place. It is one of two Spanish verbs that are the equivalents of the English verb *to be*.

Mi teléfono **es** el 2-39-71-49.	*My telephone number **is** 2-39-71-49.*
Yo **soy** Mariela y ella **es** Elena.	*I **am** Mariela and this **is** Elena.*
La fiesta **es** el miércoles.	*The party **is** on Wednesday.*

 Video Tutorial

 Flashcards

Cómo formarlo

Lo básico

- *Pronouns* are words used to replace nouns. (Some English pronouns are *it, she, you, him,* etc.)

- Verbs change form to reflect *number* and *person. Number* refers to singular versus plural. *Person* refers to different subjects.

- A verb's *tense* indicates the time frame in which an event takes place (for example, *talk, talked, will talk*). The *present indicative tense* refers to present-time events or conditions (*I talk, I am talking*).

1. Subject pronouns

    - Subject pronouns are pronouns that are used as the subject of a sentence. Here are the subject pronouns in Spanish.

¿**Tú** eres Javier?

Singular		Plural	
yo	*I*	**nosotros / nosotras**	*we*
tú	*you (fam.)*	**vosotros / vosotras**	*you (fam.)*
usted (Ud.)	*you (form.)*	**ustedes (Uds.)**	*you (fam., form.)*
él, ella	*he, she*	**ellos, ellas**	*they*

- The **vosotros / vosotras** forms are primarily used in Spain. They allow Spaniards to address more than one person informally. These forms are not generally used in the rest of the Spanish-speaking world. Instead, in most other places **ustedes** is used to address several people, regardless of the formality of the relationship. The **vosotros** forms of verbs are provided in *Nexos* so that you can recognize them, but they are not included for practice in activities.

2. Formal vs. familiar

English has a single word—*you*—to address people directly, regardless of how well you know them. As you have already seen, Spanish has two basic forms of address: the **tú** form and the **usted** form.

- **Tú** is used to address a family member, a close friend, a child, or a pet.

- **Usted** (often abbreviated **Ud.**) is a more formal means of address used with older people, strangers, acquaintances, and sometimes with colleagues.

Levels of formality vary throughout the Spanish-speaking world, so it's important when traveling to listen to how **tú** and **usted** are used. Then follow the local practice.

3. The present tense of the verb **ser**

The present indicative forms of the verb **ser** are as follows. Note the subject pronouns associated with each form.

In some countries, you will hear the form **vos** (Argentina and parts of Uruguay, Chile, and Central America). This is a variation of **tú** that is used only in these regions.

To show respect, you sometimes hear the titles **don** and **doña** used with people you address as **usted**. **Don** and **doña** are used with the person's first name: **don Roberto, doña Carmen.**

ser *(to be)*	
Singular	
yo soy	*I am*
tú eres	*you (s. fam.) are*
usted es	*you (s. form.) are*
él es	*he is*
ella es	*she is*
Plural	
nosotros / nosotras somos	*we are*
vosotros / vosotras sois	*you (pl. fam.) are*
ustedes son	*you (pl. form. or fam.) are*
ellos son	*they (masc. or mixed) are*
ellas son	*they (fem.) are*

plural
eres = are
single: es = is

>> Actividades

5 **Descripciones** With a partner, match each of the following descriptions with the correct group of individuals.

_____ **1.** two teens   a. Son compañeras de cuarto.

_____ **2.** one professor   b. Es profesor de periodismo.

_____ **3.** two roommates   c. Somos profesores en la universidad.

_____ **4.** two professors   d. Son estudiantes.

6 **Manuel** Manuel writes an e-mail to a new Internet friend describing himself and his two best friends. Complete his e-mail with the correct forms of **ser**.

¡Hola! Yo (1) _____ Manuel Ybarra. (2) _____ estudiante en la Universidad Nacional Autónoma de México, que (3) _____ una de las universidades más importantes de las Américas. ¡La población estudiantil (4) _____ de más de 250.000 estudiantes!

Tengo dos amigos íntimos. Mi amiga Susana (5) _____ una persona muy sincera. Ella y yo (6) _____ inseparables. Mi amigo Hernán (7) _____ muy cómico. Hernán y yo (8) _____ compañeros de cuarto. Susana y Hernán (9) _____ buenos amigos también. Y tú, ¿cómo (10) _____ ?

7 **¿Quiénes son?** Use **ser** to say who the following people are.

1. [Nombre] _____ mi compañero(a) de clase.

2. [Nombre] _____ el profesor (la profesora) de español.

3. [Nombre] _____ el instructor (la instructora) en la clase de español.

4. Nosotros _____ estudiantes de español.

5. Tú…

6. Usted…

7. Ustedes…

8. Ellos…

8 **Le presento a…** In groups of three or four, act out an introduction in front of the class. Decide beforehand the ages and the social standing of the people you are role-playing, as well as how informal or formal the situation is. The class must guess whether the introduction is formal or informal. Follow the model.

MODELO: —*Buenos días, profesora García.*
          —*Buenos días, Susana.*
          —*Profesora García, le presento a mi amigo Paul. Es estudiante.*
          —*Encantada, Paul.*
          —*¿Es usted profesora de español?*
          —*Sí, Paul. Soy profesora de español.*

Interactive Practice /
Ace the Test

Gramática útil ③
Expressing quantity: **Hay** + nouns

Cómo usarlo

1. **Hay** is the Spanish equivalent of *there is* or *there are* in English.

    Hay una reunión en la cafetería.
    Hay tres estudiantes en la clase.
    Hay unos libros en la mesa.
    Hay una fiesta el viernes.

    There is *a meeting in the cafeteria.*
    There are *three students in the class.*
    There are *some books on the table.*
    There is *a party on Friday.*

    Aquí **hay** un problema.

2. **Hay** is used with both singular and plural nouns, and in both affirmative and negative contexts.

    Hay un bolígrafo, pero no **hay** lápices en la mesa.

3. **Hay** can be used with numbers or with indefinite articles (**un, una, unos, unas**), but it is never used with definite articles (**el, la, los, las**).

    ¡**Hay** tres profesores en la clase, pero sólo **hay** una estudiante!

    There are three professors in the class, but there is only one student!

4. With a plural noun or negative, typically no article is used with **hay** unless you are providing extra information: "some people" as opposed to just "people."

    Hay papeles en la mesa.
    No hay libros en el escritorio.
    Hay quince personas en la clase.

    There are papers *on the table.*
    There aren't (any) books *on the desk.*
    There are fifteen people *in the class.*

    BUT:

    Hay unas personas en el cuarto.

    There are some people *in the room.*

Cómo formarlo

Hay is an *invariable verb form* because it never changes to reflect number or person. This means **hay** can be used with both singular and plural nouns.

 Flashcards

>> Actividades

9 **Hay...** Say how many of the following things are in the places mentioned.

MODELO: ventana (5): salón de clase
Hay cinco ventanas en el salón de clase.

1. computadora (15): laboratorio
2. policía (2): calle
3. libro (5): escritorio
4. profesor (3): reunión
5. estudiante (40): cafetería
6. persona (20): fiesta
7. verbo (35): pizarra
8. celular (1): mochila

10 **¿Cuántos *(How many)* hay?** In groups of four or five, find out how many of the following objects there are in your group.

MODELO: *Hay tres teléfonos celulares en el grupo.*

1. teléfonos celulares
2. calculadoras
3. diccionarios
4. asistentes electrónicos
5. estéreos personales
6. ¿...?

11 **¿Hay o no hay...?** You are looking for something you need for class. Tell a classmate what you're looking for, and he or she will tell you if that item is or is not in the classroom. If what you ask for is there, he or she will tell you where to find it.

MODELO: Tú: *¿Hay un diccionario en la clase?*
Compañero(a): *Sí, hay un diccionario en la mesa. (No, no hay diccionario en la clase.)*
Tú: *¡Muchas gracias!*

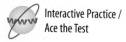
Interactive Practice /
Ace the Test

:) Sonrisas

Comprensión Answer the following questions about the cartoon.

1. Según (*According to*) Dieguito, ¿qué hay en su cuarto?
2. En realidad, ¿qué hay en el cuarto de Dieguito?
3. Según el papá de Dieguito, ¿qué hay en el jardín (*garden*)?
4. En realidad, ¿hay un elefante en el jardín?

Gramática útil ④

Expressing possession, obligation, and age:
Tener, tener que, tener + años

Tienes el celular de
mi amigo Beto.

Cómo usarlo

1. The verb **tener** means *to have*. It is used in Spanish to express possession and to give someone's age. You may also use it with **que** and another verb to say what you have to do: **Tengo que irme.** *(I have to go.)*

Ya **tienes** mi dirección.	You already **have** my address.
Tengo dos teléfonos en casa.	I **have** two telephones in my house.
Elena **tiene** veinte años. ¿Cuántos años **tienen** Sergio y Dulce?	Elena **is** twenty years old. How old **are** Sergio and Dulce?
Tengo que irme porque **tengo** clase.	I **have to** go because I **have** class.

2. When **tener** is used to express possession, the article is usually omitted, unless number is emphasized or you are referring to a specific object.

3. Note that where Spanish uses **tener... años** to express age, the English equivalent is *to be . . . years old.*

4. Remember, it's better to use the verb without a subject pronoun unless the subject is unclear or you want to emphasize it.

 Video Tutorial

 Flashcards

Cómo formarlo

1. Here are the forms of the verb **tener** in the present indicative tense.

tener *(to have)*					
yo ~~I~~	**tengo**	~~we~~	nosotros / nosotras		**tenemos**
tú ~~yo~~	**tienes**	~~you~~	vosotros / vosotras		**tenéis**
Ud., él, ella ~~he/she~~	**tiene**	~~they~~	Uds., ellos, ellas		**tienen**

2. When talking about age, it's helpful to know the months of the year so that you can say when people's birthdays are celebrated.

¿Cuándo es tu cumpleaños? *When is your birthday?*

enero	**julio**
febrero	**agosto**
marzo	**septiembre**
abril	**octubre**
mayo	**noviembre**
junio	**diciembre**

In Spanish the word for birthday is **cumpleaños**, which literally means "completes (**cumple**) years (**años**)." Many Spanish speakers celebrate their saint's day (**el día de su santo**), which is the birthday of the saint whose name is the same as or similar to their own. For example: **El 19 de marzo es el día de San José.**

3. When giving dates in Spanish, the day of the month comes first: **el quince de abril** = *April 15th*. When writing the date with numbers, the day always comes before the month: 15/4/10 = **el quince de abril de 2010.**

>> Actividades

12 **¿Qué tienen?** Say what each person has.

MODELO: Yo _____ un cuaderno en el escritorio.
          Yo tengo un cuaderno en el escritorio.

1. Yo _____ un celular en la mochila.

2. Nosotros _____ tres computadoras en casa.

3. Ellos _____ unos apuntes en el cuaderno.

4. Tú _____ dos libros en la mochila.

5. El profesor _____ cinco lápices en el escritorio.

6. Ustedes _____ dos calculadoras en la mesa.

13 **¿Cuántos años tienen?** Tell a friend the birthdays and ages of the following people.

MODELO: Arturo (28/3; 25 años)
          El cumpleaños de Arturo es el veintiocho de marzo. Tiene veinticinco años.

> The number **veintiuno** shortens to **veintiún** when it's used with a noun: **veintiún años.**

1. Martín (12/4; 21 años)

2. Sandra y Susana (14/7; 24 años)

3. mamá (16/6; 45 años)

4. papá (22/2; 47 años)

5. Gustavo (7/9; 17 años)

6. Irma y Daniel (19/1; 19 años)

14 **La fiesta** Listen to the conversation between Marta and Juan. They are talking about the birthdays and ages of various friends. Write down the age and the birthday of each person.

	Edad	Cumpleaños
1. Miguel		
2. Arturo		
3. Enrique		
4. Isabel		

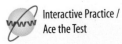

Interactive Practice /
Ace the Test

¡Explora y exprésate!

Exploraciones culturales

¿Adivinaste? *(Did you guess correctly?)* Answers to the questions on page 7: 1. d 2. g 3. a 4. e 5. c 6. b 7. f, h

El español: ¡una lengua global!

With almost 500 million native and second-language speakers internationally, Spanish is one of the most widely spoken languages in the world. Here are some additional facts about the Spanish language.

- Spanish is the official language of 21 countries and is spoken by large groups of people in numerous others.
- Spanish is one of the six official languages used by the United Nations.
- Spanish is spoken by more than 40 million people in the United States and by approximately 300,000 people in Canada. It is one of the most widely studied and fastest-growing languages in both countries.
- Like all languages, Spanish exhibits some regional variations which are mostly limited to vocabulary and pronunciation. In spite of these variations, Spanish speakers from all over the world communicate without difficulty.

●● **Los beneficios de hablar el español** With a partner, discuss your reasons for studying Spanish. What professional or personal benefits do you expect to get out of your study of this language?

Países de habla hispana

●● **El mundo hispanohablante** With a partner, look at the maps on the inside covers of your textbook. Take turns naming each country and pointing it out on the map. If you need help, use the categories in the chart to help you locate individual countries.

África	Guinea Ecuatorial
El Caribe	Cuba, Puerto Rico*, la República Dominicana
Centroamérica	Costa Rica, El Salvador, Guatemala, Honduras, Nicaragua, Panamá
Europa	España
Norteamérica	Canadá y Estados Unidos**, México
Sudamérica	Argentina, Bolivia, Chile, Colombia, Ecuador, Paraguay, Perú, Uruguay, Venezuela

*Es un Estado Libre Asociado (*Commonwealth*), no un país independiente.
**Se habla español pero no es la lengua oficial.

El mapa In future chapters, you'll be studying these countries in greater detail. To help you learn about maps and geography, look at the map of South America with a partner and locate the following places.

1. cordillera: los Andes
2. volcán: Ojos del Salado
3. monte: Aconcagua
4. isla: Malvinas
5. río: Orinoco
6. lago: Maracaibo
7. catarata: Salto Ángel
8. cabo: Cabo de Hornos
9. océano: Atlántico
10. país: Chile
11. mar: Caribe

Now use the terms above to identify each of the following as **una catarata, una cordillera, una isla, un lago, un mar, un monte, un océano, un río,** or **un volcán.**

1. the Colorado
2. McKinley
3. Superior
4. Mediterranean
5. Oahu
6. Mount St. Helens
7. Niagara Falls
8. the Rockies

>> ¡Conéctate! 🪐 Web Links

Práctica Choose one of the 23 places listed in the chart on page 30. Find out the following information about it and prepare a brief profile. Follow the links on the *Nexos* website to see a list of suggested websites.

1. population and area
2. capital and major cities
3. major indigenous groups
4. official language
5. major industries
6. major geographic features

Interactive Practice

A leer

Antes de leer

Estrategia

Identifying cognates to aid comprehension

You have already learned a number of *cognates*. These are words that look similar in both Spanish and English, although they are pronounced differently. Some cognates you have already learned in this chapter are **regular, terrible, teléfono,** and **avenida.** Looking for cognates in a passage you are reading helps you get the general idea of the content, even if you don't know many of the other words and structures.

¡OJO! Occasionally you will come across *false cognates*, words that look similar in English and Spanish, but that mean two different things. For example, as you have learned, the Spanish word **dirección** usually means *address*, not *direction*, in English. If a word that looks like a cognate doesn't make sense in the context of what you are reading, it could be a false cognate, and you may need to look it up in a dictionary to discover its true meaning.

> **¡Ojo!** (literally, *Eye!*) is used in Spanish to direct a person's attention to something. It is similar to saying "Watch out!" or "Be careful!" in English.

1 Look at the headline and the four sections of the following article. See if you can get the main idea of the article by relying on cognates and words you already know.

1. Put a check mark by the words that you already know in the title and the four bulleted sections.

2. Underline the cognates that appear in these sections. Can you guess their general meaning, based on context and where they appear in the sentence?

2 Now read the article, concentrating on the cognates and words you already know. Then answer the following questions, based on what you have read.

1. Según (*According to*) el artículo, las personas que tienen una dirección electrónica con su nombre son...

   a. misteriosas
   b. honestas
   c. emocionales
   d. introvertidas

2. Las personas que son lógicas y poco emocionales tienen una dirección electrónica...

   a. con números
   b. con su nombre
   c. de fantasía
   d. descriptiva

3. Las personas que se describen con su dirección electrónica son...

   a. un poco inocentes
   b. aventureras
   c. agresivas
   d. introvertidas

4. ¿Cuál es el nombre de fantasía que usan en el artículo?

5. En tu opinión, ¿es correcta o falsa la información sobre tu personalidad?

Lectura

¡Tu dirección electrónica revela tu personalidad!

¿Es simbólica la dirección electrónica que usas? Muchas personas creen[1] que no, pero en realidad, los "nombres de computadora" que usamos revelan información importante sobre nuestras características más secretas. ¿Revela todo[2] tu dirección electrónica? ¡Vamos a ver!

Escoge[3] el tipo de dirección electrónica más similar a la tuya[4]…

▶ Nombre
ejemplo: lucidíaz@woohoo.org

En este caso, la dirección electrónica puede[5] representar a una persona directa y honesta. Prefiere la realidad y es práctica y realista. No le interesa el misterio o la fantasía. Estas personas son muy aptas para los negocios[6] a causa de su estilo directo.

▶ Números
ejemplo: 1078892@compluservicio.com

Las personas con los números en las direcciones electrónicas no tienen mucho interés en las cortesías diarias o las interacciones sociales. ¡Prefieren el mundo[7] superracional de los números y las matemáticas puras! Otra explicación es que prefieren ser anónimos —quieren[8] mantener su misterio con un nombre que revela muy poco[9]!

▶ Autodescripción
ejemplo: romántico29@universidad.edu

Las personas que se describen con la dirección electrónica necesitan comprensión y cariño[10]. Pueden ser amables, afectuosas y un poco ingenuas o inocentes. Pero, ¡cuidado[11]! ¡Estos nombres pueden ser totalmente falsos! Los nombres que indican que una persona es honesta o responsable pueden distorsionar la realidad completamente…

▶ Fantasía
ejemplo: frodo4ever@ciberífico.net

Por lo general, estas personas consideran al ciberespacio como una oportunidad para reinventarse. Prefieren identificarse como un personaje imaginario para participar en lo que es, para ellos, ¡un drama cibernético! Pueden ser aventureras, emocionales y extrovertidas. Estos nombres también pueden atraer a las personas introvertidas que tienen la fantasía de presentarse completamente diferente de su realidad diaria.

[1]think [2]everything [3]Choose [4]yours [5]can [6]business [7]world
[8]they want to [9]very little [10]affection [11]careful

Después de leer

3 With a partner, try to invent as many names in each of the last two categories (**autodescripción** and **fantasía**) as you can. Try to use cognates from the reading when possible and be as creative as possible! You have five minutes.

4 Now take the list of e-mail names you created in **Activity 3** and add your own e-mail name to the list. (Or, if your e-mail name is simply your name or number, create one that you would like to use.) Then, you and your partner from **Activity 3** should form a group with two other pairs. Share your lists and see if you can guess each other's e-mail addresses.

> All of the reading passages in *Nexos* include translations of some words that you may not be able to guess from context. Try to get the gist of the passage before you look for the definitions. Saving them as a last resort allows you to read the passage more quickly and to concentrate on getting the main idea.

Interactive Practice

A escribir

Antes de escribir

As you use *Nexos,* you will learn to write as a *process* that moves from prewriting (identifying ideas and organizing them) through writing (creating a rough draft) and ends with revising (editing and commenting on writing). In each **A escribir** section (odd-numbered chapters only), you will learn strategies that help you improve your techniques in each of the three phases of the writing process. In addition, the even-numbered chapters of the *Student Activities Manual* contain extra **A escribir** sections not found in your student text.

1 You are going to write a letter or e-mail message to your new roommate. This person has been assigned to you, but you have not yet met. With a partner, create a list of the information you should include in your message and identify its tone—how you want it to sound.

2 Taking your list of information from **Activity 1**, study the following partial model and see if you have included everything you need.

Querido Roberto/Querida Susana,

(Greeting) Me llamo... . Soy tu nuevo(a) compañero(a) de cuarto. Vivo en... . *(Ask about him/her.)*

Aquí tienes mi dirección..., mi teléfono... y mi dirección electrónica... Mi cumpleaños es... . *(Ask for his/her personal information.)*

Tengo un estéreo, un refrigerador y un televisor para el cuarto. ¿Qué tienes tú?

Bueno, ya es todo por ahora. Nos vemos pronto. *(Say good-bye.)* Tu amigo(a),

...

Composición

3 Using the previous model, write a rough draft of your letter to your roommate. Try to write freely without worrying too much about mistakes or misspellings. You will have an opportunity to revise your work later. Here are some additional phrases that may be useful.

tu nuevo(a) compañero(a) de cuarto	*your new roommate*
para el cuarto	*for the room*
un estéreo	*stereo*
un microondas	*microwave oven*
un refrigerador	*refrigerator*
un televisor	*television set*
una lámpara	*lamp*
una videocasetera	*VCR*
un DVD	*DVD player*
Eso es todo por ahora.	*That's all for now.*

Después de escribir

4 Exchange your rough draft with a partner. Read each others' work and comment on its content and structure. For example, put a check mark next to places where you would like more information. Put a star by your favorite sentence. Put a question mark where meaning is not clear. Underline errors in spelling and grammar.

5 Now go back over your letter and revise it. Incorporate your partner's comments. Use the following checklist to check your final copy. Did you . . .

- make sure you included all the necessary information?
- match the tone of your writing to your audience?
- follow the model provided in **Activity 2?**
- look for misspellings?
- check to make sure you used the correct forms of **ser** and **tener?**
- watch to make sure articles and nouns agree?

 Interactive Practice

Vocabulario

Para saludar *To greet*

Hola.	*Hello.*
¿Qué tal?	*How are things going?*
¿Cómo estás (tú)?	*How are you? (s. fam.)*
¿Cómo está (usted)?	*How are you? (s. form.)*
¿Cómo están (ustedes)?	*How are you? (pl.)*
¿Cómo te va?	*How's it going with you? (s. fam.)*
¿Cómo le va?	*How's it going with you? (s. form.)*
¿Cómo les va?	*How's it going with you? (pl.)*
¿Qué hay de nuevo?	*What's new?*
Buenos días.	*Good morning.*
Buenas tardes.	*Good afternoon.*
Buenas noches.	*Good night. Good evening.*

Para responder *To respond*

Bien, gracias.	*Fine, thank you.*
Bastante bien.	*Quite well.*
(No) Muy bien.	*(Not) Very well.*
Regular.	*So-so.*
¡Terrible! / ¡Fatal!	*Terrible! / Awful!*
No mucho.	*Not much.*
Nada.	*Nothing.*
¿Y tú?	*And you? (s. fam.)*
¿Y usted?	*And you? (s. form.)*

Para pedir y dar información personal *To exchange personal information*

¿Cómo te llamas?	*What's your name? (s. fam.)*
¿Cómo se llama?	*What's your name? (s. form.)*
Me llamo…	*My name is . . .*
(Yo) soy…	*I am . . .*
¿Cuál es tu número de teléfono?	*What is your phone number? (s. fam.)*
¿Cuál es su número de teléfono?	*What is your phone number? (s. form.)*
Mi número de teléfono es el 3-71-28-12.	*My telephone number is 371-2812.*
Es el 3-71-28-12.	*It's 371-2812.*
¿Dónde vives?	*Where do you live? (s. fam.)*
¿Dónde vive?	*Where do you live? (s. form.)*
Vivo en…	*I live at . . .*
la avenida…	*avenue . . .*
la calle…	*street . . .*
el barrio… / la colonia…	*neighborhood . . .*

¿Cuál es tu dirección?	*What is your address? (s. fam.)*
¿Cuál es su dirección?	*What is your address? (s. form.)*
Mi dirección es…	*My address is . . .*
¿Cuál es tu dirección electrónica?	*What's your e-mail address? (s. fam.)*
¿Cuál es su dirección electrónica?	*What's your e-mail address? (s. form.)*
Aquí tienes mi dirección electrónica.	*Here's my e-mail address. (s. fam.)*
Aquí tiene mi dirección electrónica.	*Here's my e-mail address. (s. form.)*
arroba	*@*
punto com	*.com*

Para presentar a alguien *To introduce someone*

Soy…	*I am . . .*
Me llamo… / Mi nombre es…	*My name is . . .*
Quiero presentarte a…	*I'd like to introduce you (s. fam.) to . . .*
Quiero presentarle a…	*I'd like to introduce you (s. form.) to . . .*
Quiero presentarles a…	*I'd like to introduce you (pl.) to . . .*

Para responder *To respond*

Mucho gusto.	*My pleasure.*
Mucho gusto en conocerte.	*A pleasure to meet you.*
Encantado(a).	*Delighted to meet you.*
Igualmente.	*Likewise.*
El gusto es mío.	*The pleasure is mine.*
Un placer.	*My pleasure.*

Para despedirse *To say good-bye*

Adiós.	*Good-bye.*
Hasta luego.	*See you later.*
Hasta mañana.	*See you tomorrow.*
Hasta pronto.	*See you soon.*
Nos vemos.	*See you later.*
Chau.	*Bye.*
Bueno, tengo que irme.	*Well / OK, I have to go.*

Para hablar por teléfono
To talk on the telephone

Familiar

—¡Hola! / ¿Aló?	*Hello?*
—¿Está…?	*Is . . . there?*
—Sí. Aquí está. / No, no está.	*Yes. Here he / she is. / No, he's / she's not here.*
—Soy… Mi número es el…	*I'm . . . My number is . . .*
—Muy bien. Hasta luego.	*OK. See you later.*
—Chau.	*Bye.*

Formal

—¡Hola! / ¿Aló?	*Hello?*
—Hola. ¿Puedo hablar con…?	*Hi, may I speak with . . . ?*
—Sí. / Lo siento. No está.	*Yes. / I'm sorry. He's / She's not here.*
—Por favor, dígale que llamó (nombre). Mi número es el…	*Please tell him / her that (name) called. My number is . . .*
—Muy bien.	*OK.*
—Muchas gracias.	*Thank you very much.*
—De nada. Adiós.	*You're welcome. Good-bye.*
—Adiós.	*Good-bye.*

¿Cuándo es tu cumpleaños?
When is your birthday?

enero	*January*
febrero	*February*
marzo	*March*
abril	*April*
mayo	*May*
junio	*June*
julio	*July*
agosto	*August*
septiembre	*September*
octubre	*October*
noviembre	*November*
diciembre	*December*

Palabras útiles *Useful words*

Títulos

don	*title of respect used with male first name*
doña	*title of respect used with female first name*
señor / Sr.	*Mr.*
señora / Sra.	*Mrs., Ms.*
señorita / Srta.	*Miss, Ms.*

Los artículos definidos

el, la, los, las	*the*

Los artículos indefinidos

un, una	*a*
unos, unas	*some*

Los pronombres personales

yo	*I*
tú	*you (fam.)*
usted (Ud.)	*you (form.)*
él	*he*
ella	*she*
nosotros / nosotras	*we*
vosotros / vosotras	*you (fam. pl.)*
ustedes (Uds.)	*you (fam. or form. pl.)*
ellos / ellas	*they*

Los verbos

estar	*to be*
hay	*there is, there are*
ser	*to be*
tener	*to have*
tener… años	*to be . . . years old*
tener que	*to have to (+ verb)*

Expresiones

Tengo prisa.	*I'm in a hurry.*

Capítulo 2

¿Qué te gusta hacer?

> Gustos y preferencias

We express aspects of our personalities through our likes and dislikes. In this chapter, we explore the relationship between personalities and preferences. Do you have any strong likes or dislikes? How do you think that the activities you like and dislike define who you are?

A ella le gusta patinar.

> Communication

By the end of this chapter you will be able to
- express likes and dislikes
- compare yourself to other people and describe personality traits
- ask and answer questions
- talk about leisure-time activities
- indicate nationality

> Cultures

By the end of this chapter you will have learned about
- Hispanics in the United States
- world nationalities
- Mother's Day celebrations
- bilingual culture in the U.S. and Canada
- Spanish-language media in the U.S. and Canada

¿Qué te gusta hacer los domingos?

Generalmen... estudio en la biblioteca...

▶ Los datos

Analiza el gráfico y luego contesta las preguntas.

❶ ¿Qué grupo de hispanos es el más grande (+)?

❷ ¿Qué grupo de hispanos representa el 10% de la población hispana en Estados Unidos?

❸ ¿Cuáles son los tres grupos que cada uno representan un 3% de la población hispana en Estados Unidos?

❹ ¿Puedes nombrar por lo menos otros tres grupos hispanos en Estados Unidos?

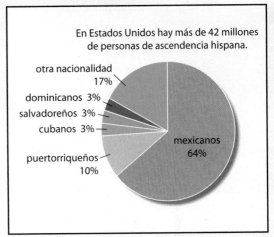

En Estados Unidos hay más de 42 millones de personas de ascendencia hispana.

otra nacionalidad 17%
dominicanos 3%
salvadoreños 3%
cubanos 3%
puertorriqueños 10%
mexicanos 64%

▶ ¡Adivina!

¿Qué sabes (do you know) sobre el español en Estados Unidos? (Las respuestas están en la página 64.)

❶ Hay 13 estados (states) que tienen una población hispana de por lo menos (at least) 500,000. ¿Cuál de los siguientes estados **no** forma parte de este grupo?
  a. Georgia
  b. North Carolina
  c. Massachusetts

❷ ¿Cuál de estas ciudades (cities) no tiene una población hispana significativa?
  a. Toronto
  b. Omaha
  c. Denver

❸ Un 49% de la población hispana total de Estados Unidos vive (lives) en _____.
  a. Nueva York y Nueva Jersey
  b. California y Texas
  c. Texas y Nuevo México

ínate!

rio útil ①

BETO: Autora14, ¿**qué te gusta hacer** los domingos?
DULCE: Los domingos generalmente **estudio** en la biblioteca.
ANILÚ: ¡Qué aburrida!
BETO: **¡Estudias!**
ANILÚ: Dile que **bailas** y **cantas** y **escuchas** música.
BETO: ¿No te gusta hacer otras cosas?
DULCE: Pues sí. A veces mis amigos y yo **tomamos un refresco** en el Jazz Café o **alquilamos un video.**

00:00:00

Las actividades *Activities*

A ti, ¿qué te gusta hacer los fines de semana (los viernes, los sábados y los domingos)?

What do you like to do on the weekends (Fridays, Saturdays, and Sundays)?

A mí me gusta ...

alquilar videos

estudiar en la biblioteca/ en casa

conversar

escuchar música

bailar

cocinar

caminar

cantar

A mi amiga le gusta ...

practicar deportes

pintar

navegar por Internet

patinar

mirar televisión

hablar por teléfono

levantar pesas

A mis amigos les gusta ...

tocar un instrumento

el piano

la trompeta

visitar a amigos

la guitarra

el violín

sacar fotos

tomar el sol

tomar un refresco

trabajar

Flashcards

¿Qué te gusta hacer? **41**

>> Actividades

1 **Los verbos** What Spanish verbs do you associate with the following? Choose from the list. (Some items can have more than one answer.)

1. _____ los murales	a. preparar
2. _____ la música	b. pintar
3. _____ los deportes	c. tocar
4. _____ una presentación oral	d. visitar
5. _____ un instrumento musical	e. escuchar
6. _____ la familia	f. practicar
	g. conversar
	h. estudiar
	i. mirar

2 **Le gusta...** Your friends like to participate in certain activities. Say what they like to do, based on the information provided.

MODELOS: Ernestina: murales
Le gusta pintar.
Leo: orquesta de música clásica
Le gusta tocar un instrumento musical.

1. Neti: ballet
2. Antonio: himnos y ópera
3. Javier: paella y enchiladas
4. Clara: cámara
5. Ernesto: estéreo
6. Beti: programas de comedia, noticias
7. Susana: celular
8. Luis: páginas web

3 **Mis actividades favoritas**

1. Make a list of five activities you like to do.

MODELO: *Me gusta patinar en el parque.*

2. Now ask three other students what their favorite activities are and record their responses.

MODELO: —*¿Qué te gusta hacer?*
—*Me gusta caminar.*
You write: *A Heather le gusta caminar.*

3. Compare responses to see who, if anyone, has similar favorite activities, and share this list with the class.

MODELO: *A Marta y a Juan les gusta sacar fotos.*

4. Make a list of the most frequent activities mentioned by your classmates. Write a short paragraph about what students like to do and what activities they don't like to do.

Interactive Practice /
Ace the Test

Vocabulario útil ②

SERGIO: ¿Con quién hablas?

BETO: No sé. Es una estudiante de la Universidad. Su nombre electrónico es Autora14.

SERGIO: Dile que tienes un amigo muy **guapo**.

Características físicas *Physical traits*

Notice that you say **Tiene el pelo negro / rubio / castaño,** etc., but when someone is a redhead, you say **Es pelirrojo(a).** You can also say **Es rubio(a)** to indicate that someone is a blond. **Es moreno(a)** may indicate that someone is either a brunette or has dark skin.

Flashcards

>> Actividades

4 **Sergio, Beto, Anilú y Dulce** Complete the following descriptions of the video characters.

1. Sergio...
    a. es rubio.
    b. es muy, muy pequeño.
    c. es guapo.

2. Anilú...
    a. es pelirroja.
    b. tiene el pelo castaño.
    c. es gorda.

3. Beto...
    a. es viejo.
    b. es gordo.
    c. es delgado.

4. Dulce...
    a. tiene el pelo negro.
    b. tiene el pelo rubio.
    c. es baja.

5 **Descripciones** Describe the people in the illustrations below. Use as many physical descriptions as you can.

1. Eduardo

2. el señor Bernal

3. Sofía

4. Roque

6 **¿Cómo soy yo?** Describe yourself in a paragraph for your Internet blog. You can also include activities that you like to do. Read your description to your partner. Then have him or her read their description to you.

MODELO: *Soy alta y tengo el pelo negro. Me gusta tomar el sol y escuchar música.*

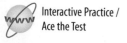
Interactive Practice /
Ace the Test

Vocabulario útil ③

ANILÚ:	Y tú, Experto10, ¿qué te gusta hacer los domingos?
SERGIO:	Autora14, soy un hombre **activo.** Bailo, canto, toco la guitarra, cocino...
BETO:	¡Sergio! **¡Mentiroso!** ¡No me gusta bailar, no me gusta cantar, no toco la guitarra y no cocino!
SERGIO:	¡Qué **aburrido** eres, hombre!

00:00:00

Características de la personalidad *Personality traits*

aburrido(a)	/divertido(a); interesante	*boring / fun; interesting*
activo(a)	perezoso(a)	*active / lazy*
antipático(a)	⇽simpático(a)	*unpleasant / pleasant*
extrovertido(a)	introvertido(a); tímido(a)	*extroverted / introverted; timid, shy*
generoso(a)	egoísta	*generous / selfish, egotistic*
impaciente	paciente	*impatient / patient*
impulsivo(a)	cuidadoso(a)	*impulsive / cautious*
inteligente	tonto(a)	*intelligent / silly, stupid*
mentiroso(a)	⇽sincero(a)	*liar / sincere*
responsable	irresponsable	*responsible / irresponsible*
serio(a)	cómico(a)	*serious / funny*
trabajador(a)	perezoso(a)	*hard-working / lazy*

Flashcards

>> Actividades

7 **¿Cómo son?** Benjamín describes himself and several of his friends and relatives. Which adjectives best describe each person?

1. No me gusta mirar televisión. Prefiero practicar deportes o levantar pesas.
   a. serio
   b. activo
   c. impulsivo

2. A mi amiga Marta le gusta ayudar *(to help)* a sus amigos.
   a. antipática
   b. mentirosa
   c. generosa

3. Mi profesora es una maestra muy buena. Explica la lección y repite todas las instrucciones.
   a. paciente
   b. impaciente
   c. interesante

4. Mi amigo Joaquín tiene una imaginación muy buena. Le gusta inventar historias falsas.
   a. tímido
   b. tonto
   c. mentiroso

5. Mi amigo Alberto habla y habla y habla... ¡pero no es muy interesante!
   a. aburrido
   b. serio
   c. divertido

6. Mi amiga Linda tiene muchas ideas buenas sobre qué hacer los fines de semana. Además es una persona muy cómica.
   a. inteligente
   b. tonta
   c. divertida

8 **La clase de psicología** What personality traits does it take to succeed in various professions? Choose characteristics on the right that you think best fit the professions on the left. Follow the model.

MODELO: *Los políticos tienen que ser honestos,...*

Profesiones	Características	
los políticos	sistemáticos	serios
los artistas	deshonestos	estudiosos
los criminales	honestos	sinceros
los actores	inteligentes	pacientes
los científicos	creativos	talentosos
los doctores	simpáticos	impulsivos
los policías	extrovertidos	egoístas
los estudiantes	trabajadores	mentirosos
	curiosos	cuidadosos
	temperamentales	¿...?
	responsables	

> Notice that you use the -a form of all the adjectives in this activity. You will learn more about adjective endings later in this chapter.

9 **Mis amigos** Describe two people from your family to your partner. Provide both physical and personality traits in your descriptions. Then have your partner describe two people from his or her family.

MODELO: —*Es una persona alta y delgada. Tiene el pelo castaño. También (Also) es una persona cómica y divertida...*

Interactive Practice /
Ace the Test

:) Sonrisas

Comprensión Answer the following questions about the cartoon.

1. Según el gato *(cat)*, ¿cómo es?
2. Según el perro, ¿cómo es?
3. En realidad, ¿cómo es el gato? ¿Y el perro?
4. ¿Tienen consecuencias serias las mentiras del gato? En tu opinión, ¿son sinceras o mentirosas las personas cuando se comunican por Internet?

Again, notice that you use the
-a form of all the adjectives in
Activity 1. You will learn more
about adjective endings later in
this chapter.

Antes de ver el video

1 Look back at the photos in the **Vocabulario útil** sections on pages 40 and 43. Give a short description of each person shown in the photos.

MODELO: *Anilú es una persona baja y guapa. Tiene el pelo negro.*

2 Before watching the video, quickly review the following list of unknown words that are used in the video. The video also uses many words you have already learned so far in this chapter.

apagar	*to turn off*
Dile que...	*Tell him / her that...*
No sé.	*I don't know.*

Estrategia

Using questions as an advance organizer

One way to prepare yourself for the content of the video segment you are about to view is to familiarize yourself thoroughly with the questions you will be expected to answer. Knowing what information to listen for helps you focus on the key sections of the video.

For example, look at the questions in **Activities 3** and **4** on the next page. Before you watch the video, use these questions to create for yourself a short list of information you need to find.

Example: **la dirección electrónica de Beto, la dirección electrónica de Dulce, el amigo de Beto,** etc.

Once you have completed your list, make sure you have it at hand as you watch the video so that you can jot down the answers as you hear them.

El video

Now watch the video segment for **Chapter 2.** As you watch, pay special attention to locating the information you need to complete **Activities 3** and **4.**

Después de ver el video

3 Answer in Spanish the following questions about the video.

1. ¿Cuál es la dirección electrónica de Beto? ¿Y la de Dulce?
2. ¿Cómo se llama el amigo de Beto? ¿Y la amiga de Dulce?
3. ¿Cuáles son las actividades preferidas de Dulce?
4. Según *(According to)* Sergio, ¿cuáles son las actividades preferidas de Experto10?

4 Now say whether the following statements about the video segment are true **(cierto)** or false **(falso).**

1. Según Anilú, Dulce es una persona muy aburrida.
2. Sergio es una persona muy sincera.
3. Dulce generalmente estudia en casa los domingos.
4. A Beto le gusta bailar, cantar y tocar la guitarra.
5. Según Anilú, un hombre que cocina y canta y baila es el hombre ideal.
6. Sergio apaga la computadora porque Anilú quiere *(wants)* su número de teléfono.

> Try to get the main idea of these sentences from your knowledge of the basic vocabulary. Don't worry about understanding every single word.

 Interactive Practice / Ace the Test

> **Los gustos y preferencias de los hispanos, ¿son diferentes o similares a los de los americanos?**
> What are your interests? Do you identify yourself as part of a market segment? If so, which one(s)?

Voces de la comunidad

 Web Links

NAME Isabel Valdés

❝Hispanics are becoming more and more entrenched in American society. Their participation is reflected in the growing number of Hispanic associations, libraries, research centers, and businesses throughout the United States. Furthermore, Hispanics are increasingly active in government at the federal, state, county, and city levels. They have also made significant contributions to American art, theater, literature, film, music, and sports.❞

Isabel Valdés es la persona responsable de muchas campañas publicitarias en español en Estados Unidos y Latinoamérica. Sus clientes incluyen firmas tales como Johnson & Johnson, American Airlines, Kraft, Nike y Colgate. Esta chilena-estadounidense es autora de dos volúmenes (tomos) sobre el mercado hispano en Estados Unidos, *Marketing to American Latinos, A Guide to the In-Culture Approach, Part I,* y *Marketing to American Latinos, A Guide to the In-Culture Approach, Part II.* También es cofundadora de una firma publicitaria especializada en los mercados *(markets)* de Estados Unidos, España y América Latina.

Gramática útil ①

Describing what you do or are doing: The present indicative of -ar verbs

Cómo usarlo

In English we use a variety of structures to express different present-tense concepts. In Spanish many of these are communicated with the same grammatical form. The present indicative tense in Spanish can be used . . .

■ to describe routine actions:

¡Estudias mucho!	***You study** a lot!*

■ to say what you are doing now:

Estudias matemáticas hoy.	***You are studying** mathematics today.*

■ to ask questions about present events:

¿**Estudias** con Enrique todas las semanas?	***Do you study** with Enrique every week?*

■ to indicate plans in the immediate future:

Estudias con Enrique el viernes, ¿no?	***You're going to study** with Enrique on Friday, right?*

> The use of the present tense to talk about future plans is used more in some regions of the Spanish-speaking world than others.

Notice how the same form in Spanish, **estudias,** can be translated four different ways in English.

 Video Tutorial

 Flashcards

Cómo formarlo

Lo básico

■ An *infinitive* is a verb before it has been conjugated to reflect person and tense. **Bailar** *(To dance)* is an infinitive.

■ A *verb stem* is what is left after you remove the **-ar, -er,** or **-ir** ending from the infinitive. **Bail-** is the verb stem of **bailar.**

■ A *conjugated verb* is a verb whose endings reflect person *(I, you, he/she, we, you, they)* and tense *(present, past, future, etc.).* **Bailas** *(You dance)* is a conjugated verb (person: *you familiar singular;* tense: *present*).

Bailo, canto, toco la guitarra, **cocino...**

1. Spanish infinitives end in **-ar, -er,** or **-ir.** For now, you will learn to form the present indicative tense of verbs ending in **-ar.** To form the present indicative tense of a regular **-ar** verb, simply remove the **-ar** and add the following endings.

bailar *(to dance)*			
yo	bail**o**	nosotros / nosotras	bail**amos**
tú	bail**as**	vosotros / vosotras	bail**áis**
Ud., él, ella	bail**a**	Uds., ellos, ellas	bail**an**

2. Remember, as you learned in **Chapter 1,** you do not need to use the subject pronouns (**yo, tú, él, ella,** etc.) unless the meaning is not clear from the context of the sentence, or you wish to clarify, add emphasis, or make a contrast.

   Camino en el parque todos los días.   *I walk in the park every day.*

   But:

   Yo camino en el parque, pero Lidia   *I walk in the park, but Lidia walks*
   camina en el gimnasio.   *in the gymnasium.*

3. You may use certain conjugated present-tense verbs with infinitives. However, do not use two verbs conjugated in the present tense together unless they are separated by a comma or the words **y** *(and)* or **o** *(or).*

   Necesitamos trabajar el viernes.   *We have to work on Friday.*

   Los sábados, **trabajo, practico**   *On Saturdays I work, play sports, and*
   deportes y **visito** a amigos.   *visit friends.*

   Los domingos, **dejo de trabajar.**   *On Sundays I stop working. I dance,*
   ¡**Bailo, canto** o **escucho** música!   *sing, or listen to music!*

   > Notice that in this usage, Spanish infinitives are often translated into English as *-ing* forms: *I stop working.*

4. To say what you don't do or aren't planning to do, use **no** before the conjugated verb.

   ¡**No estudio** los fines de semana!   *I don't study on the weekends!*

5. Add question marks to turn a present-tense sentence into a *yes / no* question.

   ¿**No estudias** los fines de semana?   *Don't you study on the weekends?*

   ¿**Tienes que estudiar** este fin de   *Do you have to study this weekend?*
   semana?

6. Other regular **-ar** verbs:

apagar	*to turn off*	**llegar**	*to arrive*
acabar de	*to have just*	**necesitar**	*to need (to do*
(+ *infinitive*)	*done something*	(+ *infinitive*)	*something)*
buscar	*to look for*	**pasar**	*to pass (by),*
cenar	*to eat dinner*		*to happen*
comprar	*to buy*	**preparar**	*to prepare*
dejar de	*to leave, to stop*	**regresar**	*to return*
(+ *infinitive*)	*(doing something)*	**usar**	*to use*
descansar	*to rest*		
llamar	*to call*		

> The expression **acabar de** can be used with any infinitive to say what activity you and others have just completed: **Acabo de llegar.** *(I just arrived.)* **Acabamos de cenar.** *(We just ate dinner.)*

>> Actividades

1 **Beto** Beto describes his day in an e-mail to a friend. Complete his description with the correct form of the verb in parentheses.

A las siete de la mañana, (1. caminar) a la universidad. (2. Llegar) a las siete y media. Si tengo tiempo, (3. estudiar) un poco antes de las clases.

A veces (4. necesitar) comprar unos libros. (5. Comprar) los libros en la librería. Generalmente (6. cenar) en la cafetería. A veces (7. pasar) por la tienda de videos y (8. alquilar) un DVD. (9. Regresar) al dormitorio a las siete de la noche. (10. Hablar) con mis amigos por teléfono o (11. navegar) por Internet. Todas las noches, (12. apagar) la computadora a las diez y (13. descansar).

2 **Anilú y Sergio** Anilú and Sergio do different things. Say what each of them does. Use **pero** *(but)* to contrast what they do. Follow the model.

MODELO: Anilú: cenar en un restaurante; Sergio: cocinar en casa
Anilú cena en un restaurante, pero Sergio cocina en casa.

1. Anilú: bailar; Sergio: levantar pesas
2. Anilú: trabajar; Sergio: descansar
3. Anilú: tomar un refresco; Sergio: tomar café
4. Anilú: estudiar; Sergio: navegar por Internet
5. Anilú: alquilar un DVD; Sergio: mirar televisión
6. Anilú: escuchar música rap; Sergio: tocar la guitarra

3 **Tú** Interview a partner about his or her activities.

MODELO: estudiar en la biblioteca o en casa
Tú: *¿Estudias en la biblioteca o en casa?*
Compañero(a): *Estudio en la biblioteca. / Estudio en casa.*

1. caminar a la universidad todos los días
2. tocar la guitarra
3. visitar a la familia los fines de semana
4. trabajar los fines de semana
5. cenar en la cafetería o en casa
6. necesitar una computadora
7. escuchar música clásica o música moderna

4 **Ellos y nosotros** Work in pairs to compare the activities of you and your friends **(nosotros)** and someone else's friends **(ellos)**.

MODELO: estudiar
Nosotros estudiamos en la biblioteca. Ellos estudian en casa.

1. estudiar
2. cenar
3. trabajar
4. visitar a la familia

5. necesitar
6. llegar a la universidad
7. navegar por Internet
8. ¿...?

5 **Los fines de semana** What do you generally do on the weekends? First, make a chart like the one below and fill in the **Yo** column. Compare your list with that of two classmates. Then write a paragraph comparing your typical weekend to theirs. (**¡OJO!: por la mañana / tarde / noche** *in the morning / afternoon / night*)

¿Cuándo?	Yo	Amigo(a) #1	Amigo(a) #2
viernes por la noche:	descansar en casa		
sábado por la mañana:			
sábado por la tarde:			
sábado por la noche:			
domingo por la mañana:			
domingo por la tarde:			
domingo por la noche:			

MODELO: *Los viernes por la noche generalmente descanso en casa. Mi amigo Eduardo generalmente...*

6 **¿Quién?** You work at a dating service and you have to decide who to introduce to whom. You have some descriptions in writing and some on audio. First read the following descriptions. Then listen to the audio descriptions. For each description you hear, write the person's name next to the description below that is most compatible with that person.

Personas en el CD: Andrés, Marta, Jorge, Ángela, Rudy, Sara

Rosa: «Me gusta escuchar música de todo tipo. ¡Soy muy divertida!»
Sugerencia para Rosa: _____
Isidro: «Levanto pesas tres veces por semana. Soy muy atlético.»
Sugerencia para Isidro: _____
Roberta: «Me gusta alquilar videos. No practico deportes.»
Sugerencia para Roberta: _____
Carmen: «Uso Internet mucho en mis estudios. Soy introvertida.»
Sugerencia para Carmen: _____
José Luis: «Estudio mucho. Soy un poco serio.»
Sugerencia para José Luis: _____
Antonio: «Todos los días hablo por teléfono con mis amigos. Mis amigos son muy divertidos.»
Sugerencia para Antonio: _____

Now use the information above to find the best match for you and your classmates, based on the information you provided in **Activity 5.**

MODELO: *Antonio es la persona más compatible con (with) Katie.*

Interactive Practice / Ace the Test

...útil ②

...ou and others like to do:
...itive

Cómo usarlo

The Spanish verb **gustar** can be used with an infinitive to say what you and your friends like to do. Note that **gustar,** although often translated as *to like,* is really more similar to the English *to please.* **Gustar** is always used with pronouns that indicate *who is pleased* by the activity mentioned.

—**Me gusta bailar** salsa.

I like to dance salsa. (Dancing salsa pleases me.)

—¿**Te gusta bailar** también?

Do you like to dance, too? (Does dancing please you, too?)

—No, pero a **Luis le gusta** mucho.

*No, but **Luis likes it** a lot. (No, but **it** pleases Luis a lot.)*

Un hombre que cocina... y también **¡le gusta bailar** y **cantar!**

Cómo formarlo

Lo básico

The pronouns used with **gustar** are *indirect object pronouns.* They show the person who is being pleased or who likes something. You will learn more about them in **Chapter 8.**

Video Tutorial

Flashcards

1. When **gustar** is used with one or more infinitives, it is always used in its third-person singular form **gusta.** Sentences with **gusta** + *infinitive* can take –the form of statements or questions without a change in word order.

—**Nos gusta cocinar** y **cenar** en restaurantes.

We like to cook and to eat out in restaurants.

—¿**Te gusta cocinar** también?

Do you like to cook also?

2. **Gusta** + *infinitive* is used with the following pronouns.

¡OJO! Do not confuse **me, te, le, nos, os,** and **les** with the subject pronouns **yo, tú, él, ella, Ud., nosotros, vosotros, ellos, ellas,** and **Uds.** that you have already learned.

gusta + *infinitive*	
Me gusta cantar. *I like to sing.*	**Nos** gusta cantar. *We like to sing.*
Te gusta cantar. *You like to sing.*	**Os** gusta cantar. *You (fam. pl.) like to sing.*
Le gusta cantar. *You (form.) / He / She like(s) to sing.*	**Les** gusta cantar. *You (pl.) / They like to sing.*

3. When you use **gusta**, you can also use **a** *person* to emphasize or clarify *who* it is who likes the activity mentioned. Clarification is particularly important with **le** and **les**, because they can refer to several people.

Le gusta navegar por Internet.　　*He / She likes to surf the Internet.*
　　　　　　　　　　　　　　　　　　　　(Who does?)
A Beto / A él le gusta navegar por　　*Beto / He likes to surf the Internet.*
　Internet.
A ellos les gusta cantar.　　　　　　*They like to sing.*
A nosotros nos gusta conversar.　　　*We like to talk.*
A Sergio y a Anilú les gusta bailar.　*Sergio and Anilú like to dance.*

4. If you want to emphasize or clarify what you or a close friend like, use **a mí** (with **me gusta**) and **a ti** (with **te gusta**).

A mí me gusta alquilar videos,　　　*I like to rent videos, but you like to*
　pero **a ti te gusta** mirar televisión.　*watch television.*

> Notice that **mí** has an accent, but **ti** does not.

5. To create negative sentences with **gusta** + *infinitive*, place **no** before the *pronoun* + **gusta**.

No nos gusta trabajar.　　　　　　　*We don't like to work.*
A Roberto **no le gusta cocinar.**　　　*Roberto doesn't like to cook.*

6. To express agreement with someone's opinion, use **también**. If you want to disagree, use **no** or **tampoco**. If you want to ask a friend if they like an activity you've already mentioned, ask **¿Y a ti?**

—¿Te gusta cocinar?　　　　　　　　　*Do you like to cook?*
—**A mí, no.** No me gusta. Me gusta　*No, not me. I don't like it. I like to eat*
　cenar en restaurantes. **¿Y a ti?**　　*in restaurants. And you?*
—**A mí también.** Pero no me gusta　*Me too. But I don't like to eat in fancy*
　cenar en restaurantes elegantes.　　*restaurants.*
—**¡A mí tampoco!**　　　　　　　　　*Me neither!*

>> Actividades

7 **Atleta 23** Can you tell what the following people like to do, based on their electronic names? Pick their preferred activities from the column to the right.

MODELO: Cantante29
A Cantante29 le gusta cantar.

1. Pianista18
2. Atleta23
3. Artista12
4. Estudiante31
5. Fotógrafo11
6. Cocinero13
7. Bailarina39

a. estudiar
b. cocinar
c. cantar
d. tocar el piano
e. sacar fotos
f. bailar
g. practicar deportes
h. pintar

●● **8** **En el parque** With a partner, describe what everyone in the illustration likes to do.

Las personas: Ana, David, Miguel y Natalia, Carlos, Elena y Francisco, Héctor, Melinda y Celia

9 **Les gusta** Susana and Alberto like to participate in certain activities together, but prefer to do other things alone. First listen to what they say and decide who likes to do the activity mentioned. After you listen, use the verbs indicated to create a sentence saying who likes to do what. Follow the models.

MODELOS: *(A Susana y a Alberto) Les gusta bailar.*

	Susana	Alberto	Susana y Alberto
bailar			x

(A Susana) Le gusta caminar en el parque.

	Susana	Alberto	Susana y Alberto
caminar en el parque	x		

	Susana	Alberto	Susana y Alberto
1. hablar por teléfono			
2. cocinar comida mexicana			
3. sacar fotos			
4. navegar por Internet			
5. tocar la guitarra			

10 **Mi amigo hispanohablante** You have a Spanish-speaking friend who is coming to visit you today. You want to let him know what activities you and your friends like to do so he can think about which activities he'd like to do with you. Write a note to post on your door that tells your friend what you and your friends typically like to do and where, so that when he arrives, he can decide what he wants to do with you.

1. First fill out the following chart to help you organize the information. Here are some possible locations: **el parque, el gimnasio, el restaurante, la cafetería, la residencia estudiantil, la biblioteca, la discoteca, el café, la oficina** *(office)*.

Me gusta...	Nos gusta...	¿Dónde?

2. Once you complete the chart, use the information to write a note to your friend, telling what you and your friends like to do and where, so that he can make plans to join you or not.

Interactive Practice / Ace the Test

Gramática útil ③
Describing yourself and others:
Adjective agreement

Cómo usarlo

Find at least three adjectives in this advertisement from a Spanish magazine. What nouns do they modify?

¿una revista sobre libros... y divertida?

¡intolerable!

Un contenido aún más ameno y divertido

As you learned in **Chapter 1,** Spanish nouns must agree with definite and indefinite articles in both gender and number. This agreement is also necessary when using Spanish adjectives. Their endings change to reflect the number and gender of the nouns they modify.

Anilú es **delgada.**	*Anilú is **thin.***
Sergio y Beto son **inteligentes.**	*Sergio and Beto are **intelligent.***
Sergio es un hombre **alto.**	*Sergio is a **tall** man.*
Dulce y Anilú son mujeres **jóvenes.**	*Dulce and Anilú are **young** women.*

Notice that in these cases the adjectives go *after* the noun, rather than before, as in English.

Cómo formarlo

 Video Tutorial

 Flashcards

Lo básico

- *A descriptive adjective* is a word that describes a noun. It answers the question *What is . . . like?*

- *To modify* is to limit or qualify the meaning of another word. A descriptive adjective *modifies* a noun by specifying characteristics that apply to that noun: **un estudiante** vs. **un estudiante inteligente.**

1. If an adjective is used to modify a masculine noun, the adjective must have a masculine ending. If it is used to modify a feminine noun, it must have a feminine ending.

    - The masculine ending for adjectives ending in **-o** is the **o** form.
    - The feminine ending for adjectives ending in **-o** is the **a** form.
    - Adjectives ending in **-e** or most consonants don't change to reflect gender.
    - Adjectives ending in **-or** add **-a** to the ending for the feminine form.

Un profesor	Una profesora
simpátic**o**	simpátic**a**
interesant**e**	interesant**e**
trabajad**or**	trabajad**ora**

2. If an adjective is used to modify a plural noun or more than one noun, it must be used in its plural form.

    - To create the plural of an adjective ending in a vowel, add **-s**.
    - To create the plural of an adjective ending in a consonant, add **-es**.
    - To create the plural of an adjective ending in **-or,** add **-es** to the masculine form and **-as** to the feminine form.

El profesor	Los profesores	Las profesoras
simpátic**o**	simpátic**os**	simpátic**as**
interesant**e**	interesant**es**	interesant**es**
trabajad**or**	trabajador**es**	trabajad**oras**

3. As with articles and subject pronouns, adjectives that apply to mixed groups of males and females use the masculine form.

Remember that Puerto Ricans are U.S. citizens.

4. Adjectives of nationality follow slightly different rules. These adjectives add **-a / -as** feminine endings for nationalities whose names end in **-l, -s,** and **-n.** See the nationalities in the following group for examples.

Nacionalidades		
África		
guineano(a) Guinea Ecuatorial		
Asia		
chino(a) China	**indio(a)** India	
coreano(a) Corea	**japonés, japonesa** Japón	
Australia		
australiano(a) Australia		
Centroamérica y el Caribe		
costarricense Costa Rica	**guatemalteco(a)** Guatemala	**panameño(a)** Panamá
cubano(a) Cuba	**hondureño** Honduras	**puertorriqueño(a)** Puerto Rico
dominicano(a) República Dominicana	**nicaragüense** Nicaragua	**salvadoreño(a)** El Salvador
Europa		
alemán, alemana Alemania	**francés, francesa** Francia	**italiano(a)** Italia
español, española España	**inglés, inglesa** Inglaterra	**portugués, portuguesa** Portugal
Norteamérica		
canadiense Canadá	**estadounidense** Estados Unidos	**mexicano(a)** México
Sudamérica		
argentino(a) Argentina	**colombiano(a)** Colombia	**peruano(a)** Perú
boliviano(a) Bolivia	**ecuatoriano(a)** Ecuador	**uruguayo(a)** Uruguay
chileno(a) Chile	**paraguayo(a)** Paraguay	**venezolano(a)** Venezuela

Estados Unidos is often abbreviated as **EEUU** or **EE.UU.** in Spanish. Some native speakers do not use the article **los** with **EEUU: en Estados Unidos** or **en EEUU.**

Notice the umlaut on the **ü** in **nicaragüense.** It is called a **diéresis** in Spanish. The **diéresis** is placed on the **u** in the syllables **gue** and **gui** to indicate that the **u** needs to be pronounced. Compare: **bilingüe, pingüino** and **guerra, Guillermo.**

Grande has different meanings when used *before* the noun (*great, famous*) and *after* the noun (*big, large*).

5. The descriptive adjectives you have learned so far in this chapter are almost always used *after the noun*, rather than before. Adjectives of nationality are always used after the noun.

6. Several adjectives in Spanish may be used *before* or *after* the noun they modify. Three common adjectives of this type are **bueno** (*good*), **malo** (*bad*), and **grande** (*big, large*). When **bueno** and **malo** are used before a singular masculine noun, they have a special shortened form. Whenever **grande** is used before any singular masculine or feminine noun, its shortened form **gran** is used.

un estudiante bueno	BUT:	un **buen** estudiante
una estudiante buena		una buena estudiante
un día malo	BUT:	un **mal** día
una semana mala		una mala semana
un hotel grande	BUT:	un **gran** hotel
una universidad grande	BUT:	una **gran** universidad

>> Actividades

11 **El profesor y la profesora** Say whether the description refers to **la profesora, el profesor** or if it could refer to both of them.

MODELO: Es trabajadora.
la profesora

1. Es serio.
2. Es activo.
3. Es extrovertida.
4. Es responsable.
5. Es inteligente.

6. Es cuidadosa.
7. Es paciente.
8. Es interesante.
9. Es sincera.
10. Es generoso.

12 **Marcos y María** Marcos and María are two of your best friends. They are not at all similar. Describe what they are like. Follow the model.

MODELO: Marcos es divertido.
María no es divertida. Es aburrida.

1. Marcos es paciente.
2. María es responsable.
3. Marcos es extrovertido.
4. María es perezosa.

5. Marcos es sincero.
6. María es antipática.
7. Marcos es rubio.
8. María es delgada.

 13 **También** Your partner tells you that a person you both know has a certain personality or physical trait. Say that two of your friends are just like that person.

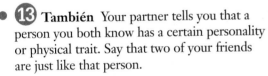
Rocío

MODELO: Compañero(a): *Rocío es alta.*
Tú: *Tomás y Marcelo también son altos.*

1. Gerardo
2. Ángela
3. Miguel

4. Carmela
5. Pablo
6. Jimena

14 Las nacionalidades With your partner, take turns asking the nationalities of the following people. Then mention another person of the same nationality.

MODELO: Rosario Dawson (Puerto Rico)
Tú: *¿De qué nacionalidad es Rosario Dawson?*
Compañero(a): *Es puertorriqueña.*
Tú: *¿De veras? Rosie Pérez es puertorriqueña también.*

1. Penélope Cruz y Pedro Almodóvar (España)
2. Venus y Serena Williams (Estados Unidos)
3. David Ortiz (República Dominicana)
4. Hugh Laurie (Inglaterra)
5. Gabriel García Márquez (Colombia)
6. Rigoberta Menchú (Guatemala)
7. Steffi Graf y Boris Becker (Alemania)
8. Gloria y Emilio Estefan (Cuba)

15 Personas famosas In groups of four or five, each person takes a turn describing a famous person. The rest of the group tries to guess who is being described.

Palabras útiles: actor (actriz), atleta, cantante, músico(a), político(a)

MODELO: Tú: *Es actriz. Es estadounidense. Es alta, delgada y rubia. Es muy inteligente y simpática. Habla inglés, francés y español. ¿Quién es?*
Grupo: *Es Gwyneth Paltrow.*

16 Los anuncios personales

1. Look at the Spanish-language personal ads on the next page. Don't worry if you can't understand every word; just focus on getting the main idea.
2. Discuss the ads with a classmate. Play matchmaker. Who would you pair up? Why?

MODELO: *(Nombre 1) es bueno(a) para... (Nombre 2), porque* (because)...

Palabras útiles: soltero(a): *single;* **estatura:** *height;* **fines:** *intentions;* **cajón:** *mailbox;* **tez:** *skin, complexion;* **casarme:** *to get married;* **hogar:** *home;* **desear:** *to want;* **conocer:** *to meet;* **disfrutar la vida:** *to enjoy life*

Encuentros

Las mujeres

- **Ana Lilla Flores Ramírez.** Educadora, soltera, 23 años, de estatura mediana, delgada, cubana, de tipo polinesio. Me gustan los hombres altos y delgados de Estados Unidos, Canadá o Europa, con profesión estable y fines matrimoniales. **Cajón M2398-1.**
- **Marisa Fernández.** Médica, divorciada, 26 años, guapa, de tez castaña. Soy una chica de sentimiento positivo. Me gusta el estudio y el trabajo, pero también me gusta hacer deportes. Corro en maratones. Busco hombre francés, canadiense, alemán o norteamericano para casarme y formar un hogar feliz. **Cajón M2258-0.**
- **Gladiz Torres.** Intérprete, soltera, 20 años, atractiva, sincera. Deseo correspondencia con un hombre de buen carácter y de 20 a 40 años, atractivo, con fines serios y posición estable. **Cajón M2291-3.**

Encuentros

Los hombres

- **Guillermo Bustamante.** Soltero, 24 años, atractivo, sincero, busco mujer con fines matrimoniales. No importa si es divorciada o tiene hijos. No soy machista ni egoísta. Tengo una posición buena y muy económica. Me gusta sacar fotos, hacer deporte, caminar y conversar. **Cajón M3294-2.**
- **Selim Quintero.** Divorciado. Tengo dos hijos. 23 años. Deseo conocer a una mujer seria para casarme y formar un hogar. Soy serio y responsable, de nacionalidad hispano-árabe. Me gusta escuchar música y tocar la guitarra y el violín. **Cajón M3629-1.**
- **Efraín Ramos.** Soy un hombre español, residente en Estados Unidos. Tengo 21 años. Soy estudiante. Busco una mujer activa para hacer deportes, patinar, bailar y disfrutar la vida. Ella tiene que ser delgada, alta y muy atlética. **Cajón M2029-9.**

●● **17 Tus cualidades** You want to write your own personal ad for an online matchmaking site or for a newspaper or magazine. First, make a list of the qualities you wish to include. If you want to, include a physical description. Then make a list of all of your favorite activities. Exchange your lists with a classmate and suggest changes you think would be helpful.

❖❖ **18 Tu anuncio personal** Now, using the information you listed in **Activity 17,** write your own personal ad. Present yourself as positively as possible. In groups of three or four, exchange your ads and see if you can guess whose ad is whose. If possible, as a follow-up, post your ad on the class website under a false name and see if others can guess who it is.

Web Search /
Interactive Practice /
Ace the Test

¡Explora y exprésate!

Exploraciones culturales

Hispanos en Norteamérica

La identidad bilingüe Look at the following article, divided into five lettered paragraphs. Try to get the gist of each, and don't worry about understanding every word.

¿Adivinaste? Answers to the questions on page 39: 1. c 2. b 3. b

Doble identidad: Los latinos en Estados Unidos y Canadá

A. Los cinco grupos de latinos de mayor número en Norteamérica son los mexicoamericanos (o los chicanos), los puertorriqueños, los cubanoamericanos, los dominicanos y los salvadoreños. Cada grupo tiene una historia larga y distinta. Sin embargo, tienen en común la doble identidad del bilingüe.

B. Nueva York es el hogar de más de un millón de puertorriqueños. El Museo del Barrio en la Quinta Avenida, La Marqueta en el Este de Harlem, el Desfile Puertorriqueño de Nueva York y el "Nuyorican Poets Café" son testimonios de la vida bicultural de los "Nuyoricans".

C. En Miami, la pequeña Habana es el centro cultural de la vida cubanoamericana. Un 50% de los cubanoamericanos de Estados Unidos vive en el condado de Miami-Dade. Aquí se escucha español en las tiendas, los restaurantes, los mercados y los cafés. En la pequeña Habana, la vida tiene un ritmo especial gracias a la influencia cubanoamericana.

D. Los mexicoamericanos (o los chicanos) son una parte integral de la vida norteamericana en el suroeste de EEUU. En las fronteras de Texas, en las ciudades de California y en las comunidades de Nuevo México, Arizona, Nevada y Colorado existe un ambiente bicultural y bilingüe en las áreas del arte, el teatro, la literatura, la televisión, la radio y la cocina, ¡por supuesto!

E. En el área metropolitana de Toronto viven más de 300.000 hispanos de varios países hispanohablantes. Aunque la población de hispanos en Canadá es más pequeña que la de EEUU, cada año la población va creciendo. Recientemente, el número de hispanos en Canadá ha aumentado un 6% cada año. Debido a este crecimiento dramático, una red televisiva mexicana, TV Azteca, ofrece programación en español en Canadá.

Datos del texto Now, read each sentence on the next page and decide which paragraph it relates to (A, B, C, D, or E).

El Desfile Puertorriqueño es causa de celebración para los puertorriqueños de Nueva York.

Unas personas toman café en la pequeña Habana.

En Los Ángeles, un niño chicano juega (plays) béisbol cerca de un mural del artista Óscar Zender.

Esta mujer hispana vive en Canadá y trabaja en un restaurante mexicano allí.

1. La existencia bicultural de los puertorriqueños es muy evidente en la ciudad de Nueva York.
2. Los cinco grupos más grandes de habla española en EEUU tienen en común la identidad bilingüe, pero no la historia nacional.
3. Hay un canal de televisión en español que transmite programas en Canadá.
4. Los **nuyoricans** son puertorriqueños que viven *(live)* en Nueva York.
5. Hay restaurantes cubanos en Miami.
6. La cultura mexicoamericana tiene mucha influencia en la parte suroeste de EEUU.
7. En la sección de Miami que se llama la pequeña Habana, hay una atmósfera cubanoamericana muy distinta.
8. **Chicano** es otro nombre para una persona mexicanoamericana.

Interactive Practice

>> Conexión cultural

👀 Watch the cultural segment that concludes this chapter's video. Then in groups of three or four, answer the following questions:

1. ¿Cómo saludas a tus amigos y a los miembros de tu familia? ¿Con un beso *(kiss)*? ¿Con un abrazo *(hug)*?
2. Cuando te reúnes *(you get together)* con ellos, ¿qué les gusta hacer?

>> ¡Conéctate! www Web Links

👀 **Práctica** In recent years, magazines and newspapers targeted at the Latino market in North America have proliferated. Spanish has also become a major force in the television industry.

1. Divide into groups of three. Choose one of the following to investigate: Spanish-language magazines, newspapers, or television stations in Canada and the U.S.
2. Follow the links on the *Nexos* website to see a list of suggested websites. Use the information there to answer the following questions about your chosen category.

- ¿Cuáles son los nombres de dos revistas *(magazines)*, periódicos *(newspapers)* o canales de televisión?
- ¿Cuántas personas leen *(read)* o miran cada uno? ¿Cómo es la audiencia principal?
- ¿Qué secciones o programas principales tiene cada uno?

3. Put together your group's findings and prepare a short presentation to give to the class.

>>Tú en el mundo hispano

To explore opportunities to use your Spanish to study, volunteer, or do internships in the U.S. and Canada, follow the links on the *Nexos* website.

♫ Ritmos del mundo hispano

To listen to Hispanic music popular in North America, follow the links on the *Nexos* website.

A leer

Antes de leer

> For more on using a bilingual dictionary, see the **A escribir** section of the *Student Activities Manual*.

1 *People en español* is a monthly magazine that focuses on famous Latinos in the U.S., as well as Spanish speakers from other countries. Its feature **"Dime la verdad"** (*"Tell me the truth"*) always poses a question to a number of well-known Spanish speakers and asks them to answer it. Here they ask, "How are you similar to your mother (**madre**)?"

1. Look at the quotes of the five people featured. Are there any words that you don't know? If so, what are they?

2. Can you guess from context any of the words you identified? For example, Chef Pepín has a television show called **"La cocina de Chef Pepín."** Based on the knowledge that he is a chef, and having learned the verb **cocinar**, what might the word **cocina** mean?

3. Of the remaining words, how many do you really need to know in order to understand the basic idea of what the person is saying—how he or she is like his or her mother? With a partner, decide if the words are necessary to get the main idea.

> If **era** is one of the words you have left, it will be hard to find in the dictionary. It is a past-tense form of **ser** meaning *I was, he / she was, you (form.) were.*

2 Now that you have narrowed your list of unknown but key words down to one or two, look them up in the dictionary. Be sure to read all the English definitions. Which one(s) fit(s) best in the context of the article?

Lectura

Dime la verdad
¿En qué crees que te pareces a tu madre?

DANIELA LUJÁN
actriz, *El diario de Daniela*
"Tenemos el mismo carácter. Como a ella, a mí me gusta mandar".

CHRIS ARMAS
futbolista, *Chicago Fire y Selección Nacional de Estados Unidos* "Los dos somos personas reservadas y generosas".

CHEF PEPÍN
La cocina del chef Pepín
"De mi mamá aprendí a cocinar y también a cultivar el amor por la cocina".

BOB VILA
Bob Vila's Home Again
"Soy muy franco como lo era ella".

LESLEY ANN MACHADO
presentadora, *Control*
"Yo soy super perfeccionista y ella también".

LUJÁN: LUZ MONTERO. ARMAS: ANDY LYONS/ALLSPORT. PEPÍN: CORTESÍA DEL CHEF PEPÍN; MACHADO: CORTESÍA DE UNIVISIÓN; VILA: BRIAN SMITH/OUTLINE

3 Now, as you read the entire article, complete the following chart with the information that says how each person is like his or her mother.

Chris Armas	Daniela Luján	Bob Vila	Chef Pepín	Lesley Ann Machado

Después de leer

4 Look at the drawing and, with a partner, describe how the mother and her children are similar and how they are different. Follow the model.

MODELO: *La madre es... y Mariela también es...*
La madre es..., pero Mario es...

5 With a partner, discuss how you are similar to and different from your mother or other family members. Follow the models and use the list of family members as necessary.

MODELO: with **ser**:   *Mi madre y yo...*
                Mi madre..., pero (but) *yo...*
        with **gustar**:   *Nos...*
                A mí..., pero a mi madre...

> You will learn more names for family members in **Chapter 5.**

Otros parientes: padre: *father;* **hermano:** *brother;* **hermana:** *sister;* **primo(a):** *cousin;* **tío:** *uncle;* **tía:** *aunt;* **abuelo:** *grandfather;* **abuela:** *grandmother*

>> ¡Fíjate! >>

El Día de las Madres

In the United States, Mother's Day is usually a simple celebration marked by gifts and cards for Mom and perhaps breakfast in bed or dinner out. However, in many Spanish-speaking cultures, this holiday takes on a much greater importance. In Mexico, for example, **El Día de las Madres** is a much bigger celebration than the more internationally famous **Cinco de Mayo.**

Because Mexico has its religious origins in both indigenous religions and Catholicism, the idea of the Madonna or mother figure has particular resonance there.

In addition to giving cards and presents, many Mexican families also make pilgrimages to the Basilica of Guadalupe in Mexico City. Some hire **mariachi** bands to play mournful songs at their mother's graves or sing themselves. Traditional celebrations include closing offices and factories, presenting concerts and pageants in the schools, and enjoying lengthy lunch-time celebrations. Throughout Southern California, many immigrant families follow these traditions and even bring their mothers from Mexico for the occasion.

Some Mexican feminists and sociologists see a downside to the intensity of these celebrations: once the mother is put on a pedestal, she is no longer a real person with flaws, needs, and aspirations. The cult of motherhood places Mexican and Mexican-American women at a cultural crossroads, standing between the old-fashioned Mexican mother and the more liberated working woman who juggles motherhood and a career.

Regardless of one's viewpoint, as the Spanish saying goes: **Madre sólo hay una** and **El Día de las Madres** is the day to express your feelings, regardless of your nationality or the type of celebration you choose.

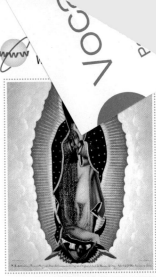

La Virgen de Guadalupe es la santa religiosa y figura de la madre más importante de todo México.

Práctica Discuss the following questions in groups of three or four.

1. ¿Qué diferencias hay entre las celebraciones de México y las de EEUU? Indica los aspectos de la celebración que se asocian con México (M), con EEUU (E) o con los dos (D).

_____ **más (+) importante**   _____ **menos (-) importante**

_____ **visita al cementerio**   _____ **regalos** (*gifts*)

_____ **tarjetas** (*cards*)   _____ **cenar en un restaurante**

_____ **mariachis u otra música**   _____ **no hay trabajo**

_____ **espectáculos en las escuelas** _____ **una celebración religiosa**
     (*schools*)

2. Miren el artículo en la página 67 (**Dime la verdad**). Según ustedes, ¿es común que los hombres de los EEUU se comparen con sus madres?

3. Según ustedes, ¿tiene la religión alguna influencia en la representación de la madre en la sociedad estadounidense?

> Notice the **u** in the phrase **mariachis u otra música.** In Spanish, the conjunction **o** (*or*) changes to a **u** when it precedes another word beginning with the letter **o**. This change occurs for pronunciation reasons: it avoids the repetition of the **o** sound.
>
> septiembre **u** octubre
>
> siete **u** ocho

abulario www

ara expresar preferencias
To express preferences

¿Qué te gusta hacer?	*What do you like to do?*
A mí me gusta...	*I like . . .*
A ti te gusta...	*You like . . .*
A... le gusta...	*You / He / She like(s) . . .*
A... les gusta...	*You (pl.) / They like . . .*
¿Y a ti?	*And you?*

alquilar videos	*to rent videos*
bailar	*to dance*
caminar	*to walk*
cantar	*to sing*
cocinar	*to cook*
escuchar música	*to listen to music*
estudiar en la biblioteca /	*to study at the library /*
en casa	*at home*
hablar por teléfono	*to talk on the phone*
levantar pesas	*to lift weights*
mirar televisión	*to watch television*
navegar por Internet	*to surf the Internet*
patinar	*to skate*
pintar	*to paint*
practicar deportes	*to play sports*
sacar fotos	*to take photos*
tocar un instrumento	*to play a musical*
musical	*instrument*
la guitarra	*the guitar*
el piano	*the piano*
la trompeta	*the trumpet*
el violín	*the violin*
tomar un refresco	*to have a soft drink*
tomar el sol	*to sunbathe*
trabajar	*to work*
visitar a amigos	*to visit friends*

Para describir *To describe*

¿Cómo es?	*What's he / she / it like?*
muy	*very*

Características de la personalidad
Personality traits

aburrido(a)	*boring*
activo(a)	*active*
antipático(a)	*unpleasant*
bueno(a)	*good*
cómico(a)	*funny*
cuidadoso(a)	*cautious*
divertido(a)	*fun, entertaining*
egoísta	*selfish, egotistic*
extrovertido(a)	*extroverted*
generoso(a)	*generous*
impaciente	*impatient*
impulsivo(a)	*impulsive*
inteligente	*intelligent*
interesante	*interesting*
introvertido(a)	*introverted*
irresponsable	*irresponsible*
malo(a)	*bad*
mentiroso(a)	*dishonest, lying*
paciente	*patient*
perezoso(a)	*lazy*
responsable	*responsible*
serio(a)	*serious*
simpático(a)	*nice*
sincero(a)	*sincere*
tímido(a)	*shy*
tonto(a)	*silly, stupid*
trabajador(a)	*hard-working*

Características físicas *Physical traits*

alto(a)	*tall*
bajo(a)	*short*
delgado(a)	*thin*
feo(a)	*ugly*
gordo(a)	*fat*
grande	*big, great*
guapo(a)	*handsome, attractive*
joven	*young*
lindo(a)	*pretty*
pequeño(a)	*small*
viejo(a)	*old*
Es pelirrojo(a) / rubio(a).	*He / She is redheaded / blond.*
Tiene el pelo negro /	*He / She has black / brown /*
castaño / rubio.	*blond hair.*

Nacionalidades *Nationalities*

alemán (alemana)	*German*
argentino(a)	*Argentinian*
australiano(a)	*Australian*
boliviano(a)	*Bolivian*
canadiense	*Canadian*
chileno(a)	*Chilean*
chino(a)	*Chinese*
colombiano(a)	*Colombian*
coreano(a)	*Korean*
costarricense	*Costa Rican*
cubano(a)	*Cuban*
dominicano(a)	*Dominican*
ecuatoriano(a)	*Ecuadoran*
español (española)	*Spanish*
estadounidense	*U.S. citizen*
francés (francesa)	*French*
guatemalteco(a)	*Guatemalan*
hondureño(a)	*Honduran*
indio(a)	*Indian*
inglés (inglesa)	*English*
italiano(a)	*Italian*
japonés (japonesa)	*Japanese*
mexicano(a)	*Mexican*
nicaragüense	*Nicaraguan*
panameño(a)	*Panamanian*
paraguayo(a)	*Paraguayan*
peruano(a)	*Peruvian*
portugués (portuguesa)	*Portuguese*
puertorriqueño(a)	*Puerto Rican*
salvadoreño(a)	*Salvadoran*
uruguayo(a)	*Uruguayan*
venezolano(a)	*Venezuelan*

Palabras útiles

Los verbos

acabar de (+ *inf.*)	*to have just done something*
apagar	*to turn off*
buscar	*to look for*
cenar	*to eat dinner*
comprar	*to buy*
dejar	*to leave*
dejar de (+ *inf.*)	*to stop (doing something)*
descansar	*to rest*
llamar	*to call*
llegar	*to arrive*
necesitar	*to need*
pasar	*to pass (by)*
preparar	*to prepare*
regresar	*to return*
usar	*to use*

Otras palabras

los fines de semana	*weekends*
los viernes	*Fridays*
los sábados	*Saturdays*
los domingos	*Sundays*
el gato	*cat*
el perro	*dog*
pero	*but*
también	*also*
tampoco	*neither*

¿Qué clases vas a tomar?

> Investigaciones

"Los campos *(fields)* de estudio más populares de un país *(country)* o región frecuentemente representan los valores *(values)* de esa sociedad".

En tu opinión, ¿es cierta o falsa esta idea? ¿Representa tus valores tu campo de estudio? Observa la tabla de la página 73. ¿Cuáles son los campos de estudio más populares de cada país? ¿Qué diferencias hay?

> Estos estudiantes conversan y trabajan en la computadora antes de ir a clase.

> Communication

By the end of this chapter you will be able to

- talk about courses and schedules and tell time
- talk about present activities and future plans
- talk about possessions
- ask and answer questions

> Cultures

By the end of this chapter you will have learned about

- Puerto Rico, the Dominican Republic, and Cuba
- the 24-hour clock
- three unusual schools in the Caribbean

¡Cuántas clases tienes?

¡Prefiero hablar de mi tiempo libre!

❯ Los datos

Indica si los siguientes comentarios son ciertos o falsos, según la información de la tabla.

Campos de estudio	Cuba (%)	República Dominicana (%)	Estados Unidos / Puerto Rico (%)
Educación	45,9	11,6	7,0
Humanidades	1,7	6,3	13,0
Ciencias sociales / Negocios	7,1	31,1	30,1
Ciencias naturales	17,2	10,0	17,2
Ciencias médicas	16,2	6,0	10,3
Otros	11,9	35,0	22,4

❶ La educación es el campo de estudio más popular en EEUU.

❷ El campo de estudio menos popular en Cuba es la educación.

❸ Las ciencias sociales y los negocios son los campos de estudio más populares en EEUU y la República Dominicana.

❯ ¡Adivina!

¿Qué sabes de Cuba, la República Dominicana y Puerto Rico? (Las respuestas están en la página 98.)

❶ ¿Cuál es el más pequeño? ¿Y el más grande?

❷ ¿Cuáles tienen una influencia africana muy importante?

❸ ¿Dónde se originó (originated) la música merengue? ¿la rumba y el mambo? ¿la bomba y la plena?

¡Imagínate!

Vocabulario útil ①

CHELA: Para empezar, dime, ¿cuántas clases tienes?

ANILÚ: Ay, ¡qué aburrido!, ¿no crees? Si voy a salir por Internet, quiero hacer más que recitar mis clases: **computación, diseño gráfico, psicología,** bla, bla, bla…

CHELA: Comprendo que no son las preguntas más interesantes del mundo, pero…

ANILÚ: Prefiero hablar de mi tiempo libre, los **sábados,** por ejemplo.

`00:00:00`

> Notice that many of the courses of study are cognates of their English equivalents. Be sure to notice the difference in spelling, accentuation, and pronunciation, for example: **geografía:** *geography*.

Campos de estudio

Los cursos básicos
la arquitectura
las ciencias políticas
la economía
la educación
la geografía
la historia
la ingeniería
la psicología

Las humanidades
la filosofía
las lenguas / los idiomas
la literatura

**Las lenguas /
Los idiomas**
el alemán
el chino
el español

el francés
el inglés
el japonés

Las matemáticas
el cálculo
la computación /
   la informática
la estadística

Las ciencias
la biología
la física
la medicina
la química *(chemistry)*
la salud *(health)*

Los negocios
la administración de
   empresas

la contabilidad
   (accounting)
el mercadeo *(marketing)*

**La comunicación
pública**
el periodismo
   (journalism)
la publicidad

Las artes
el arte
el baile
el diseño gráfico
la música
la pintura

Lugares en la universidad

¿Dónde tienes la clase de…?	*Where does your . . . class meet?*
En el centro de computación.	*In the computer center.*
…el centro de comunicaciones.	*. . . the media center.*
…el gimnasio.	*. . . the gymnasium.*
la cafetería	*the cafeteria*
la librería	*the bookstore*
la residencia estudiantil	*the dorm*

Notice that the week begins on Monday in most Spanish-speaking countries. Also notice that the days of the week are not capitalized in Spanish as they are in English.

To say that something happens *on* a certain day, use the singular article with the day of the week: **La fiesta va a ser *el* sábado.**

Los días de la semana

lunes	martes	miércoles	jueves	viernes	sábado	domingo
8	9	10	11	12	13	14

Flashcards

To say that something happens on the same day every week, use the plural article with the day of the week: *Los* **sábados visito a mi madre.**

>> Actividades

1 **Las carreras** Say what course you would take if you were interested in a certain career.

MODELO: journalist
el periodismo

1. psychologist
2. accountant
3. software programmer
4. architect
5. graphic designer
6. teacher

2 **Las clases de Mariana** With a partner, say on which days Mariana has each of her classes, based on her class schedule.

MODELO: economía
Mariana tiene economía los lunes, los miércoles y los viernes.

1. psicología
2. literatura
3. francés
4. contabilidad
5. pintura
6. música

	lunes	martes	miércoles	jueves	viernes
8:00	economía		economía		economía
10:00	psicología	literatura	psicología	literatura	
11:30	francés	francés	francés	francés	francés
3:00		contabilidad		contabilidad	
4:00	pintura		música	pintura	música

3 **Mis clases** Fill out a page from your agenda with your class schedule. Include days, times, and locations. Then, with a partner, ask each other questions about each day of the week. Be sure to save your schedule for later activities.

MODELO: Tú: *¿Qué clases tienes los lunes?*
Compañero(a): *Los lunes tengo psicología, arte y computación.*

4 **¿Dónde?** Ask your partner where he / she does certain activities.

MODELO: levantar pesas
Tú: *¿Dónde levantas pesas?*
Compañero(a): *En el gimnasio.*

1. visitar a tus amigos
2. navegar por Internet
3. escuchar los CDs de la clase de español
4. practicar deportes

5. comprar libros
6. vivir
7. tener clase de baile
8. estudiar

Interactive Practice /
Ace the Test

>> ¡Fíjate! >>  Web Links

El reloj de veinticuatro horas

The 24-hour clock is used globally, and in all Spanish-speaking countries, for schedules and official times. The system is based on counting the hours of the day from zero through twenty-four. The first twelve hours of the day (from midnight until noon) are represented by the numbers 0–12. Any time after noon is represented by that time + 12. The **h** after the time stands for **horas.**
For example:

1:00 P.M. = 1:00 + 12 = 13:00h
2:30 P.M. = 2:30 + 12 = 14:30h
5:45 P.M. = 5:45 + 12 = 17:45h

The 24-hour clock is almost always used in written form. In conversation, Spanish speakers use the 12-hour format, adding **de la mañana, de la tarde,** and **de la noche** for clarification.

Práctica With a partner, look at the schedules that you used in **Activity 3**. Convert the times on your schedules to hours on the twenty-four-hour clock. Follow the model.

MODELO: Tú: *Mi (My) clase de matemáticas es a las 3:00 de la tarde.*
Compañero(a): *Tu (Your) clase de matemáticas es a las 15:00 horas.*

Vocabulario útil ②

CHELA: ¿Qué haces los sábados?

ANILÚ: **Por la mañana,** corro por el parque. **A las dos de la tarde,** tengo clase de danza afrocaribeña.

CHELA: ¿Y **por la noche**?

ANILÚ: Por la noche escucho música con mis amigos o vamos al cine o a un restaurante.

CAMARÓGRAFO: Uy, **¿qué hora es**? ¡Tengo que irme!

CHELA: Pero, ¿adónde vas? ¡Necesito otra entrevista!

CAMARÓGRAFO: ¡Tengo clase **a las once**!

CHELA: **Son las once menos cuarto.** Espera un minuto, por favor.

Para pedir y dar la hora   *To ask for and give the time*

¿Qué hora es?	*What time is it?*

> Compare the following two questions and responses.
>
> **¿Qué hora es?** *(What time is it?)*
>
> **Es la una.** *(It's one o'clock.)*
>
> **¿A qué hora es la clase de español?** *([At] what time is Spanish class?)*
>
> **Es a la una.** *(It's at one o'clock.)*

Es la una.

Son las dos.

**Son las cinco y cuarto.
Son las cinco y quince.**

Son las cinco y media.

Son las cinco y diez.

Son las cinco menos cuarto. Faltan quince para las cinco.

—¿**Tienes tiempo** para tomar un café?

—**Sí, es temprano.** / —¡Ay, no, **ya es muy tarde**!

Mañana, tarde o noche   *Morning, afternoon, or night*

Mira **el reloj** para **decir la hora.**   *Look at the clock to tell the time.*

De la mañana is used for the morning hours between midnight and noon. **De la tarde** is used for daylight hours after noon. **De la noche** is used only for nighttime hours. These hours vary from country to country, given that in some countries it gets dark earlier or stays light later.

Compare the use of **de** and **por** in the following sentences.

La clase es a las diez **de la mañana.**

En general estudio **por la mañana.**

Note that you use **de la mañana / tarde / noche** to give a specific time of day. You use **por la mañana / tarde / noche** to give a more general time frame.

Son las ocho de la mañana.

Son las tres de la tarde.

Son las nueve de la noche.

Es mediodía.	*It's noontime*
Es medianoche.	*It's midnight.*
Es tarde.	*It's late.*
Es temprano.	*It's early.*

>> Actividades

5 **¿Qué hora es?** Ask your partner what time it is. He / She will tell you what time it is. Take turns asking the time.

MODELO: 1:00 P.M.
　　　　　Tú: *¿Qué hora es?*
　　　　　Compañero(a): *Es la una de la tarde.*

1. 3:15 P.M.　　　　**3.** 10:30 A.M.　　　　**5.** 6:55 A.M.

2. 2:45 P.M.　　　　**4.** 12:00 noon　　　　**6.** 9:25 P.M.

6 **Mi horario** Get out the agenda page that you completed for **Activity 3.** Ask your partner about his / her class schedule. You name a day and a time, and your partner tells you what class he / she has at that time. Talk about all five days of the week.

MODELO: Tú: *Es lunes y son las diez de la mañana.*
　　　　　Compañero(a): *Tengo clase de cálculo.*

7 **Tu horario** Exchange your agenda page with your partner. Your partner names a day and a time, and you tell him / her where he / she is at that time. Take turns with each other's schedules.

MODELO: Compañero(a): *Es viernes y son las dos de la tarde. ¿Dónde estoy?*
　　　　　Tú: *Estás en la clase de danza afrocaribeña.*

Vocabulario útil ③

00:00:00

CHELA: ¿Así que te gustan más los fines de semana que los días de **entresemana**?

ANILÚ: Pues sí, por supuesto. Los fines de semana son mucho más divertidos. Ay, **es tarde.** Yo también tengo clase a las once.

CHELA: Gracias por la entrevista....

ANILÚ: Oye, ¿cuándo sale la entrevista en la red?

CHELA: **Mañana.**

Para hablar de la fecha

¿Qué día es hoy?	*What day is today?*
Hoy es martes treinta.	*Today is Tuesday the 30th.*
¿A qué fecha estamos?	*What is today's date?*
Es el treinta de octubre.	*It's the 30th of October.*
Es el primero de noviembre.	*It's the first of November.*
¿Cuándo es el Día de las Madres?	*When is Mother's Day?*
Es el doce de mayo.	*It's May 12th.*
el día	*day*
la semana	*week*
el fin de semana	*weekend*
el mes	*month*
el año	*year*
todos los días	*every day*
entresemana	*during the week / on weekdays*
ayer	*yesterday*
hoy	*today*
mañana	*tomorrow*

 Flashcards

>> Actividades

8 **¿Qué es?** Say what each of the following time periods are.

MODELO: febrero
        el mes

1. enero
2. sábado y domingo
3. 2012
4. el 7 de septiembre
5. 7 de noviembre a 14 de noviembre
6. hoy

9 **Las fechas** Form pairs and look at a current yearly calendar. Your professor will give each team five minutes to answer the following questions. Write out your answers in Spanish. There are some words that you might not know. Try to guess at their meaning, but don't let it hold you up!

1. ¿Qué día de la semana es Navidad (25 de diciembre) este año?
2. ¿Qué día de la semana es el Día de la Independencia (4 de julio) este año?
3. ¿Qué día de la semana es el Día de los Enamorados (14 de febrero) este año?
4. ¿A qué fecha estamos? ¿Cuándo es el próximo *(next)* examen de español?
5. ¿Cuándo son las próximas vacaciones? ¿Qué día regresan los estudiantes de las próximas vacaciones?

10 **Fechas importantes** Write out in Spanish ten to fifteen dates that are important for you. Then transfer them to your calendar. The following are some examples of the dates you might include.

los cumpleaños de los miembros de mi familia
los cumpleaños de mis amigos
el Día de las Madres
el Día del Padre
las fechas de las vacaciones
el aniversario de...
las fechas de mis exámenes finales

Interactive Practice /
Ace the Test

Voces de la comunidad

Web Links

NAME Erick Carreira

❝ Though English is the international language of science, as a bilingual Hispanic, I take great pleasure and pride in my ability to communicate with my colleagues throughout Latin America and Spain, in my native language—Spanish. My Hispanic identity has enabled me to forge alliances with these colleagues that extend beyond the confines of science to encompass a long and rich array of shared cultural, social, and personal experiences. ❞

❝ Estudiar, aprender y explorar son actividades esenciales para mi felicidad y satisfacción personal. En mi opinión, estas actividades forman parte de un instinto exploratorio que define a los seres humanos. ❞

Erick José Carreira es investigador y profesor de química en el Instituto ETH, un centro de investigaciones científicas en Zurich, Suiza. Este cubanoamericano recibe fama internacional por su trabajo relacionado con el colesterol. Tiene un doctorado en química de la Universidad de Harvard. Sus honores académicos incluyen el Premio Nóbel Signature, el Premio Pecase de la Fundación Nacional de Ciencias (NSF) y el premio Thieme-IUPAC de la Unión Internacional de Química Pura y Aplicada. Entre sus últimas publicaciones figura el libro *Classics in Stereoselective Synthesis*, publicado en el 2007.

A Erick Carreira, ¿qué le gusta hacer? What do you like to do? How do your studies reflect your interests and career choice?

Antes de ver el video

1 Look at the **Vocabulario útil** sections on pages 74, 77, and 79 and identify the three main characters you see in the photographs. Then match the person on the left with their concern on the right.

1. ——— Chela
2. ——— camarógrafo
3. ——— Anilú

a. Tiene que ir a clase.
b. Busca información sobre la vida universitaria.
c. Prefiere hablar sobre los fines de semana.

2 The following is a list of key words that are used in the video. Quickly review this list.

la entrevista	*the interview*	**transmitir**	*to transmit*
la red	*the Web, the Internet*		

3 It is obvious from the list in **Activity 2** that the video segment will probably include an interview. Write a list of five questions that you might ask a university student in an interview for your university's web page.

MODELO: *¿Cómo te llamas?*   *¿Cuándo...?*
               ¿Qué...?

> As a previewing strategy to help guide your comprehension of the video segment, read the items in **Activity 4** on page 83 *before* you view the video.

Estrategia

Using body language to aid in comprehension

In video, as in life, you can gain insight by observing the body language of the person speaking. Even if you don't understand every word that you hear, you can get clues to a person's meaning by watching facial expressions, gestures, hand movements, and overall body motion. If you ask a woman a question and she shrugs and walks away, her meaning is clear even if she hasn't uttered a single word.

The deciphering of body language is an automatic habit all people use in their daily interactions. This skill, which you have already developed through your day-to-day interactions with other people, will come in handy as you try to understand the characters in the video.

El video

Now watch the video segment for **Chapter 3** without sound. Pay special attention to the body language of the characters as you watch.

1. What do you think Chela is asking the students that are walking by? Are they responding positively or negatively to her?
2. What do you think Anilú is like?
3. What does the cameraman's body language indicate?

Después de ver el video

4 Say whether or not the following statements are true **(cierto)** or false **(falso)**, based on your observation of the characters' body language in the segment.

1. Muchos estudiantes prefieren no participar en la entrevista con Chela.
2. Chela indica algo *(something)* al estudiante con la cámara.
3. El estudiante con la cámara no tiene prisa *(is not in a hurry)*.
4. Chela es una persona muy responsable y trabajadora.
5. Anilú observa a Javier (el estudiante que aparece al final del segmento) con mucho interés.

5 Now, watch the video again with sound. Use the information you gathered from observing body language, along with what you understood from listening to the video, to complete the following statements.

1. En la opinión del estudiante con la cámara y de Anilú, el tema del programa de Chela es _____.
2. Anilú tiene clases de computación, diseño gráfico y _____.
3. Los _____, Anilú corre en el parque.
4. Los sábados por la noche, Anilú escucha música con amigos o va al _____ o a un restaurante.
5. El estudiante con la cámara tiene clase a las _____.

6 Watch the video segment again. With a partner, make a list of the questions that Chela asks Anilú in her interview. Then interview two or three of your classmates, asking them those questions.

7 With a partner, dramatize one of the following situations.

- You are the reporter and you are attracted to the interviewee. Try to get the interviewee's phone number.
- You are the interviewee and you are attracted to the cameraman. Try to get the cameraman's phone number.
- You are the interviewee and you don't like the reporter's attitude. Try to evade the reporter's questions.

Interactive Practice /
Ace the Test

¡Prepárate!

Gramática útil ①

Asking questions: Interrogative words

Cómo usarlo

You have already seen, learned, and used a number of interrogative words to ask questions. **¿Cómo te llamas?**, **¿Cuál es tu dirección electrónica?**, **¿Dónde vives?**, and **¿Qué tal?** are all questions that begin with interrogatives: **cómo, cuál, dónde, qué.**

As in English, we use interrogatives in Spanish to ask for specific information. Here are the Spanish interrogatives.

¿Cuál(es)?	*What? Which one(s)?*	**¿Dónde?**	*Where?*
¿Qué?	*What? Which?*	**¿Adónde?**	*To where?*
¿A qué hora?	*(At) What time?*	**¿De dónde?**	*From where?*
¿De qué?	*About what? Of what?*	**¿Quién(es)?**	*Who?*
¿Cuándo?	*When?*	**¿De quién(es)?**	*Whose?*
¿Cuánto(a)?	*How much?*	**¿Cómo?**	*How?*
¿Cuántos(as)?	*How many?*	**¿Por qué?**	*Why?*

1. **¿Qué?** and **¿cuál?** may appear interchangeable at first sight, but they are used in very specific ways.

   ¿Qué? is . . .

   - used to ask for a definition: **¿Qué es el reloj de veinticuatro horas?**
   - used to ask for an explanation or further information: **¿Qué vas a estudiar este semestre?**
   - generally used when the next word is a noun: **¿Qué libros te gustan más? ¿Qué clase tienes a las ocho?**

   ¿Cuál? is . . .

   - used to express a choice between specified items: **¿Cuál de los libros prefieres? ¿Cuál prefieres, las matemáticas o las ciencias?**
   - used when the next word is a form of **ser** but the question is *not* asking for a definition: **¿Cuál es tu número de teléfono? ¿Cuáles son tus clases favoritas?**

2. **¿Dónde?** is used to ask where something is.

   ¿**Dónde** está la biblioteca?   ***Where** is the library?*

3. **¿Adónde?** is used to ask where someone is going.

   ¿Adónde vas ahora?   **Where** are you going now?

Notice that **dónde** and **adónde** are both translated the same way into English.

4. **¿De quién es?** and **¿De quiénes son?** are used to ask about possession. You answer using **de**.

   —**¿De quién** es la computadora? **Whose** computer is this?
   —**Es de** Miguel.   **It's** Miguel's.

   —**¿De quiénes** son los libros? **Whose** books are these?
   —**Son de** Anita y Manuel.   **They're** Anita's and Manuel's.

5. Questions using **¿por qué?** can be answered using **porque** (*because*).

   —**¿Por qué** tienes que trabajar? **Why** do you have to work?
   —**¡Porque** necesito el dinero! **Because** I need the money!

Note that the interrogative is two separate words with an accent on **qué**. **Porque** is one single word with no accent.

Cómo formarlo

Video Tutorial

Flashcards

1. Interrogatives are always preceded by an inverted question mark (**¿**). The question requires a regular question mark (**?**) at the end.

2. Notice that in a typical question the subject *follows* the verb.

   ¿Dónde estudia **Marcos**?   Where does **Marcos study?**
   ¿Qué instrumento **tocan Uds.**? What instrument do **you play?**

3. **¿Quién?** and **¿cuál?** change to reflect number.

   ¿Quién es el hombre alto? / **¿Quiénes** son los hombres altos?
   ¿Cuál de los libros tienes? / **¿Cuáles** son tus idiomas favoritos?

4. **¿Cuánto?** changes to reflect both number and gender.

   ¿Cuánto dinero tienes?   **How much** money do you have?
   ¿Cuánta comida compramos? **How much** food should we buy?
   ¿Cuántos años tienes?   **How many** years old are you? / How old are you?

   ¿Cuántas personas hay?   **How many** people are there?

¿Cuántas entrevistas tenemos que hacer?

5. When you want to ask "how much" in a general way, use **¿cuánto?**

   ¿Cuánto es?   **¿Cuánto necesitamos?**

6. Note that interrogatives always require an accent.

7. You have already learned how to form simple *yes / no* questions by adding **no** to a sentence.

   ¿No escribes e-mails hoy? **Aren't you writing** any e-mails today?

8. You can also form simple *yes / no* questions by adding a tag question, such as **¿verdad?** (*Isn't that right?*) and **¿no?** to the end of a statement.

   Cantas en el coro con Ana, **¿no?** *You sing in the chorus with Ana,* **right?**
   Enrique baila salsa muy bien, **¿verdad?** *Enrique dances salsa very well,* **right?**

When a Spanish speaker adds **¿verdad?** or **¿no?** to a question, he or she is expecting an affirmative answer.

>> Actividades

1 **Las preguntas** What question would you have to ask to produce the response shown? You will hear three questions. Choose the correct one.

1. La clase de informática es a las once de la mañana.
2. Tengo que ir al centro de computación para la clase de informática.
3. La computadora portátil es de mi compañero de cuarto.
4. Hay que comprar tres libros para la clase de informática.
5. Porque me gustan mucho las computadoras y quiero aprender a programarlas.
6. La señora Delgado es la profesora de informática.

2 **En la cafetería** You overhear a conversation between two students in the cafeteria. Fill in the correct form of the question words to complete their conversation.

—¿(1)_____ clases tienes este semestre?
—Tengo arte, literatura, cálculo, química y economía.

—¿(2)_____ son tus clases favoritas?
—El arte y la literatura.

—¿(3)_____ son tus autores favoritos?
—Gabriel García Márquez, Mario Vargas Llosa, Julia Álvarez e Isabel Allende.

—¿(4)_____ es tu profesor de literatura?
—El señor Banderas.

—¿(5)_____ libros necesitas para la clase de literatura?
—Diez, más o menos, pero son libros que puedo sacar de la biblioteca.

—¿A (6)_____ hora tienes la clase de literatura?
—A las diez de la mañana.

—¿(7)_____ vas ahora?
—Al centro de computación.

—¿(8)_____ vas allí?
—Porque necesito usar las computadoras para hacer mi tarea.

—Pero tienes computadora portátil. ¿(9)_____ es la computadora portátil?
—Es de mi compañero de cuarto. ¡Haces demasiadas (*You ask too many*) preguntas!

3 Más preguntas For each activity indicated, take turns asking and answering questions with a partner.

MODELO: bailar
Estudiante #1: *¿Cuándo bailas?*
Estudiante #2: *Bailo los viernes.*

1. estudiar

2. visitar a amigos

3. hablar con la profesora

4. caminar

5. mirar televisión

6. escuchar música

4 Encuesta #1 In the chapter activities labeled **"Encuesta"** you will gather information from your fellow students in order to write a description of life at your college or university in the **A escribir** section at the end of the chapter.

1. First prepare a questionnaire by creating two questions for each category, using the cues provided or coming up with your own.

El horario: clases por día / semana, lugar preferido para estudiar

El trabajo: lugar de trabajo, horas de trabajo

La computadora: tiempo que pasas en la computadora y por Internet, sitios interesantes en Internet

La universidad: clases difíciles y fáciles, las horas por semana que estudias, profesores buenos y malos

2. Now work with another group and ask the members to answer your questionnaire. Be sure to answer their questions as well. Keep track of your results. You will need them later in the chapter.

Interactive Practice / Ace the Test

Gramática útil ②
Talking about daily activities:
-er and -ir verbs in the present indicative

Cómo usarlo

In **Chapter 2,** you learned how to use the present indicative of regular **-ar** verbs to talk about daily activities. The present indicatives of **-er** and **-ir** verbs are used in the same contexts.

Remember:

1. The present indicative, depending on how it is used, can correspond to the following English usages: *I read* (in general), *I am reading, I am going to read, I do read,* and, if used as a question, *Do you read?*

2. You can often omit the subject pronoun when the subject is clear from the verb ending used or from the context of the sentence.

Leo en la biblioteca todos los días.	*I read in the library every day.*
Lees en la residencia estudiantil, ¿no?	*You read in the dorm, right?*

Por la mañana, **corro** en el parque.

3. You may use an infinitive after certain conjugated verbs.

¿**Tienes que imprimir** esto?	*Do you have to print this?*
¿**Necesitas leer** este libro?	*Do you need to read this book?*
¡**Dejo de leer** después de las nueve!	*I stop reading after nine!*

4. However, do not use two verbs conjugated in the present tense together unless they are separated by a comma or the words **y** *(and)* or **o** *(or).*

Leo, estudio y **escribo** composiciones en la biblioteca.	*I read, study, and write compositions in the library.*

5. Remember that you can negate sentences in the present indicative tense to say what you don't do or aren't planning to do.

No comemos en la cafetería hoy.	*We're not eating in the cafeteria today.*
No leo todos los días.	*I don't read every day.*

Video Tutorial

Flashcards

Cómo formarlo

To form the present indicative tense of **-er** and **-ir** verbs, simply remove the **-er** or **-ir** and add the following endings.

comer *(to eat)*			
yo	**como**	nosotros / nosotras	**comemos**
tú	**comes**	vosotros / vosotras	**coméis**
Ud. / él / ella	**come**	Uds. / ellos / ellas	**comen**

vivir (to live)			
yo	**vivo**	nosotros / nosotras	**vivimos**
tú	**vives**	vosotros / vosotras	**vivís**
Ud. / él / ella	**vive**	Uds. / ellos / ellas	**viven**

Notice that the present indicative endings for -er and -ir verbs are identical except for the **nosotros** and **vosotros** forms.

Here are some commonly used **-er** and **-ir** verbs.

-er verbs			
aprender a (+ inf.)	*to learn to (do something)*	**creer (en)**	*to believe (in)*
beber	*to drink*	**deber** (+ inf.)	*should, ought (to do something)*
comer	*to eat*	**leer**	*to read*
comprender	*to understand*	**vender**	*to sell*
correr	*to run*		

-ir verbs			
abrir	*to open*	**escribir**	*to write*
asistir a	*to attend*	**imprimir**	*to print*
compartir	*to share*	**recibir**	*to receive*
describir	*to describe*	**transmitir**	*to broadcast*
descubrir	*to discover*	**vivir**	*to live*

>> Actividades

5 **¿Qué hacen?** Based on the information provided, what do the people indicated do? Choose verbs from the list. Follow the model.

MODELOS: Carlos ya no necesita esa cámara digital.
Vende la cámara.

Tú y yo necesitamos hacer ejercicio.
Corremos en el parque.

Verbos posibles: vender / comer / compartir / asistir / correr / aprender

1. ¡Olivia tiene la clase de biología a las tres y ya son las tres y cinco! _____ a la universidad.
2. A Susana no le gusta esa bicicleta. _____ la bicicleta.
3. Raúl y Enrique tienen que viajar a Puerto Rico en dos meses. _____ español.
4. Elena y yo no comprendemos las lecturas del libro. _____ a una clase de estudio.
5. No me gustan los restaurantes aquí. _____ en la cafetería todos los días.
6. Susana vive con una compañera de cuarto. _____ el apartamento con ella.

6 La vida estudiantil Say what the people indicated are doing today on campus. The numbers indicate how many actions are going on for each person.

1. Juan Carlos e Isabel (1)

2. Marcos (2)

3. Cecilia y Marta (2)

4. Radio WBRU (1)

5. Y tú, ¿qué haces *(what are you doing)*?

7 **¿Qué hacemos?** Using an element from each of the three columns, create eight sentences describing what you and people you know do in and around campus.

MODELO: *Yo asisto a clases los lunes, los miércoles y los jueves.*

A	B	C
yo	aprender a hablar	café por la mañana
tú	español	en el centro de comunicaciones
compañero(s) de	asistir a	clases (*número*) días de la semana
cuarto	beber	correspondencia electrónica todos
profesor(es)	comprender	los días
estudiante(s)	correr	en el estadio
amigo(s)	creer (en)	la importancia de Internet
	escribir	clases los (*día de la semana*)
	leer	novelas latinoamericanas
	recibir	en el parque
		poemas para la clase de literatura
		las lecturas del libro
		mensajes instantáneos (*text messages*)
		¿...?

8 **Encuesta #2** Use the cues provided to create a questionnaire. Use the interrogatives you learned earlier in the chapter along with the cues provided. Once your group has completed the questionnaire, ask the questions to members of another group. Remember to save your responses for use later in the chapter.

1. leer libros / por semana
2. compartir cuarto / con compañero(a) de cuarto
3. asistir a clase / todos los días / todas las semanas
4. comer en la cafetería / por semana
5. vender / libros de texto

9 **La vida universitaria** Write an e-mail to a friend describing your university life. Mention the following things or anything else you might want to talk about. Save your work for use later in the chapter.

- cuántas clases tienes y los días que asistes a clase
- dónde y cuándo comes
- dónde vives
- qué libros lees
- qué actividades te gustan (correr, levantar pesas, mirar televisión, navegar por Internet, leer, escribir, etc.)

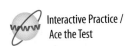
Interactive Practice /
Ace the Test

Gramática útil 3

Talking about possessions: Simple possessive adjectives

What possessive adjective is used three times in this advertisement for mineral water?

Cómo usarlo

1. You already have learned to express possession using **de** + a noun or name.

   Es la computadora portátil **de la profesora.**

   It's **the professor's** laptop computer.

2. You can also use possessive adjectives to describe your possessions, other people's possessions, or items that are associated with you. You are already familiar with some possessive adjectives from the phrases **¿Cuál es *tu* dirección?** and **Aquí tienes *mi* número de teléfono.**

   —¿Cuándo es **tu** clase de historia?
   —A las dos. Y **mi** clase de español es a las tres.

   When is **your** history class?
   At two. And **my** Spanish class is at three.

3. When you use **su** (which can mean *your, his, her, its,* or *theirs*), the context will usually clarify who is meant. If not, you can follow up with **de** + name.

   Es **su** libro. Es **de la profesora.**

   It's **her** book. It's **the professor's.**

Cómo formarlo

 Video Tutorial

 Flashcards

Lo básico

Possessive adjectives modify nouns in order to express possession. In other words, they tell who owns the item.

1. Here are the simple possessive adjectives in Spanish.

mi mis	*my*	nuestro / nuestra nuestros / nuestras	*our*
tu tus	*your (fam.)*	vuestro / vuestra vuestros / vuestras	*your (fam. pl.)*
su sus	*your (form.), his, her, its*	su sus	*your (pl.), their*

> The subject pronoun **tú** *(you)* has an accent on it to differentiate it from the possessive adjective **tu** *(your).*
>
> **Tú** trabajas los lunes, ¿verdad?
>
> **Tu** libro está en mi casa.

2. Notice that . . .

■ all possessive adjectives change to reflect number: **mi clase, mis clases; nuestro compañero de cuarto, nuestros compañeros de cuarto.**

■ **mi, tu,** and **su** do not change to reflect gender, but **nuestro** and **vuestro** do: **nuestro libro, nuestros amigos, nuestras clases,** but **mi libro, mi clase.**

■ unlike other adjectives, which often go after the noun they modify, simple possessive adjectives always go before the noun: **su profesora, nuestras amigas.**

>> Actividades

10 **¿De quién es?** Say who the following things belong to.

MODELO: computadora portátil (yo)
Es mi computadora portátil.

1. apuntes, tarea, CDs, silla (yo)

2. bolígrafos, lápiz, celular, examen (María)

3. calculadoras, cuadernos, dibujos, mochilas (nosotros)

4. diccionario, notas, escritorio, DVDs (tú)

5. libros, tiza, cuarto, papeles (la profesora Roldán)

6. computadora, fotos, salón de clase, apuntes (ustedes)

11 **¿Es de quién?** Look at the pictures and state whom these things belong to.

MODELO: *Marta tiene su guitarra.*

Marta

1.

Martín

2.

Felipe y Eusebio

3.

Sarita y Estela

4.

tú y yo

5.

tú

6.

ustedes

12 **Conversaciones** You just met someone from Cuba at the library. You want to learn more about that person. Write him or her an e-mail asking for more information. Use the following ideas for your e-mail if you want to, and if not, make up your own questions. Make sure to express possession correctly.

- dirección
- número de teléfono
- cumpleaños
- clases
- amigos / compañeros de cuarto
- actividades favoritas
- ¿...?

13 **Nuestros amigos** Make two semantic maps like the one below—one each for two of your friends. Put your name at the bottom of each map. In groups of four, one map gets circulated to each person. The person whose map it is has to start the conversation. Then, each of the others must say something about the friend using a possessive adjective. Notice who you're talking to!

Mi amigo(a) se llama _____ . ¿Cómo es?

¿nacionalidad?   ¿características físicas?   ¿características de personalidad?   ¿nacionalidad de sus papás?

_____   _____   _____   _____

MODELO:
Estudiante #1: *Mi amigo es puertorriqueño.*
Estudiante #2: *Tu amigo puertorriqueño es alto.* (talking to Estudiante #1)
Estudiante #3: *Su amigo puertorriqueño es responsable.* (talking to others)
Estudiante #4: *Su amigo se llama Carlos y sus padres son puertorriqueños también.* (talking to others)

Interactive Practice / Ace the Test

:) Sonrisas

Comprensión In your opinion, how would you describe the characters in the cartoon?

1. En tu opinión, ¿es generoso y romántico o manipulador el hombre? ¿Por qué?
2. En tu opinión, ¿es inocente y romántica o manipuladora la mujer? ¿Por qué?
3. ¿Crees que los contratos prenupciales son una buena idea o una mala idea?

Gramática útil 4

Indicating destination and future plans: The verb ir

Quiero hacerle una entrevista para un programa que **vamos a transmitir** en la página web de la Universidad.

You have already used similar expressions: **necesitar** + infinitive *(to need to do something)*, **tener que** + infinitive *(to have to do something)*, and **dejar de** + infinitive *(to stop doing something).*

 Video Tutorial

 Flashcards

Cómo usarlo

You can use the Spanish verb **ir** to say where you and others are going. You can also use it to say what you and others are going to do in the near future.

Vamos a la biblioteca mañana.   *We're going to the library tomorrow.*

Vamos a estudiar.   *We're going to study.*

Cómo formarlo

> **Lo básico**
>
> ■ An *irregular verb* is one that does not follow the normal rules, such as **tener**, which you learned in **Chapter 1.**
>
> ■ A *preposition* links nouns, pronouns, or noun phrases to the rest of the sentence. Prepositions can express location, time sequence, purpose, or direction. *In, to, after, under,* and *for* are all English prepositions.

1. Here is the verb **ir** in the present indicative tense. **Ir,** like the verbs **ser** and **tener** that you have already learned, is an irregular verb.

ir *(to go)*			
yo	**voy**	nosotros / nosotras	**vamos**
tú	**vas**	vosotros / vosotras	**vais**
Ud. / él / ella	**va**	Uds. / ellos / ellas	**van**

2. Use the preposition **a** with the verb **ir** to say where you are going.

Voy *a* la cafetería.   *I'm going to the cafeteria.*

3. When you want to use the verb **ir** to say what you are going to do, use this formula: **ir + a +** *infinitive.*

Vamos a comer a las cinco hoy.   *We're going to eat at 5:00 today.*
Después, **vamos a ir** al concierto.   *Afterward, we're going to go to the concert.*

4. When you use **a** together with **el,** it contracts to **al.** The same holds true for **de + el: del.**

> a + el = **al**   de + el = **del**

Voy **a la** biblioteca y luego **al** gimnasio. Después, **al** mediodía, voy a estudiar en la biblioteca **del** centro de comunicaciones.

>> Actividades

14 **Vamos a...** Say what the people indicated plan to do and where they are going to do it.

MODELO: yo (estudiar: biblioteca)
Voy a estudiar. Voy a la biblioteca.

1. Pedro y Rafael (levantar pesas: gimnasio)
2. mi compañero de cuarto y yo (correr: parque)
3. Fabiola (escuchar los CDs de español: centro de comunicaciones)
4. Tomás, Andrea y yo (tomar un refresco: cafetería)
5. tú (comprar libros: librería)
6. Lourdes (descansar: residencia estudiantil)
7. tú (leer libros: biblioteca)
8. David y Patricia (comer: restaurante argentino)

15 **¡Pobre Miguel!** Listen as Miguel describes his schedule to his best friend Cristina. As you listen, write down where he goes on each day of the week. Then use **ir + a** to create seven complete sentences that describe his schedule.

1. los lunes: _____
2. los martes: _____
3. los miércoles: _____
4. los jueves: _____
5. los viernes: _____
6. los sábados: _____
7. los domingos: _____

16 **Encuesta #3** You need to get more information about student life for the description you will be writing later in this chapter. Find out as much as you can about your partner's leisure activities. Ask questions such as the following and take notes. Then, as a class, tally the information you collected.

El tiempo libre

1. ¿Adónde vas los viernes y los sábados por la noche? ¿Con quién vas?
2. ¿Adónde vas entresemana cuando no estudias? ¿Con quién vas?
3. ¿...?

Vocabulario útil: un club, una discoteca, el cine *(movie theater)*, un restaurante, un centro comercial *(mall)*, un partido *(game)* de fútbol americano / de básquetbol / pasar tiempo en línea, ir a una fiesta, etc.

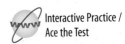
Interactive Practice /
Ace the Test

¡Explora y exprésate!

Exploraciones culturales

Puerto Rico, Cuba, la República Dominicana

Los países hispanohablantes del Caribe Can you guess which text is about which island or country? Don't try to understand every word; simply skim rapidly through each passage until you've gathered enough clues to make an identification.

¡Adivinaste? (Did you guess correctly?) Answers to the questions on page 73: 1. Puerto Rico; Cuba 2. Puerto Rico, Cuba y República Dominicana 3. el merengue: República Dominicana; la rumba y el mambo: Cuba; la bomba y la plena: Puerto Rico

———— el Estado Libre Asociado (*Commonwealth*) de Puerto Rico
———— la República Dominicana
———— la República de Cuba

Una visita a los países del Caribe

La música de la rumba es muy popular aquí.

Unos músicos tocan la plena durante una celebración callejera (street).

¡Aquí escuchamos la música de la rumba día y noche! La rumba tiene su origen en los ritmos folclóricos africanos y europeos y ha afectado mucho el estilo y el espíritu de la música tan famosa y popular de este país (country). Además de las influencias culturales africanas y europeas, también hay una población china significante, resultado de la inmigración china a Norteamérica y al Caribe durante los años 1800. Cada año, miles de turistas visitan la capital del país, La Habana. En 1982 la parte antigua de esta ciudad fue declarada Patrimonio de la Humanidad por la UNESCO.

En este país los ritmos más populares son la bomba y la plena, formas musicales que reflejan las culturas africanas e indígenas del país. Esta isla tropical es famosa por su arquitectura colonial, sus playas (beaches) tropicales y su naturaleza abundante. Tal vez la atracción natural más importante es el bosque (forest) tropical El Yunque. El Yunque es el único en su clase dentro del sistema nacional de parques de Estados Unidos y exhibe una exótica e increíble variedad de flora y fauna.

Santo Domingo es el centro urbano más vital de este país. La ciudad, famosa por sus clubes de salsa y merengue, es alegre, hospitalaria, moderna y antigua a la vez. Es la primera ciudad del Nuevo Mundo *(New World)* y, a causa de los ataques constantes de piratas, en 1503 se inicia la construcción de la Fortaleza de Santo Domingo. Como todos los países del Caribe, la influencia africana es evidente aquí, especialmente en la música y la cocina.

Una pareja *(couple)* baila el merengue.

>> ¡Conéctate!

Web Links
Web Search

Práctica Divide into three groups. Each group should choose one of the two countries mentioned (Cuba and the Dominican Republic) or the Commonwealth of Puerto Rico. Find the answers to the questions shown, and report back to the class with a brief summary. Follow links on the *Nexos* website to see a list of suggested websites.

Estado Libre Asociado de Puerto Rico (Group 1)

1. Why are Puerto Ricans U.S. citizens?
2. Do they have all of the same rights as the other citizens of this country?
3. How many Puerto Ricans live in the United States?

Cuba (Group 2)

1. How many Cuban Americans live in the United States? How does that number compare to the total population of Cuba?
2. When did Cuba gain its independence from Spain?
3. Who is Fidel Castro and when did he rise to power?

La República Dominicana (Group 3)

1. How did Haiti and the Dominican Republic come to share the same island?
2. Who is the current head of state in the Dominican Republic?
3. How many Dominicans live in the United States? Do they live in a particular area?

>>Tú en el mundo hispano

To explore opportunities to use your Spanish to study, volunteer, or do internships in Puerto Rico, Cuba, and the Dominican Republic, follow the links on the *Nexos* website.

♪ Ritmos del mundo hispano

To listen to the music of Puerto Rico, Cuba, and the Dominican Republic, follow the links on the *Nexos* website.

Interactive Practice /
Ace the Test

A leer

Antes de leer

1 Look at the following articles about three different schools (**escuelas**) in the Caribbean. Focus on the photos, captions, and headlines, then match the general information on the right with the photos on the left.

1. _____ Foto A   a. Aquí los estudiantes estudian técnicas para filmar programas de televisión y cine.

2. _____ Foto B   b. Los estudiantes de esta escuela toman clases de música.

3. _____ Foto C   c. Esta escuela ofrece cursos de bellas artes, ilustración, diseño gráfico y diseño digital.

2 The following are some unknown words and phrases you will encounter in the reading passages. Although not all the words are cognates, they are somewhat similar to their English counterparts. See if you can match them up.

1. _____ sin pagar nada   a. *was inaugurated*

2. _____ se han graduado   b. *village*

3. _____ está afiliada con   c. *without paying anything*

4. _____ se admiten   d. *editing*

5. _____ construyó   e. *are admitted*

6. _____ villa   f. *constructed*

7. _____ fue inaugurado   g. *have received*

8. _____ se ofrecen   h. *is affiliated with*

9. _____ edición   i. *have graduated*

10. _____ han recibido   j. *are offered*

3 Now, using the information you gained from looking at the visuals, read the article, and focus on getting the main idea. Don't forget to use cognates and active vocabulary to help you understand the content. Try not to worry about unknown words and just focus on getting the main information.

Lectura

Tres escuelas interesantes del Caribe

El saxofonista puertorriqueño David Sánchez, uno de los graduados famosos de "La Libre[1]"

La Escuela Libre[1] de Música Ernesto Ramos Antonini

En Puerto Rico muchos estudiantes de música toman cursos sin pagar nada, gracias a cinco escuelas públicas de educación musical. Establecidas a finales de los años 40 por un político local, estas escuelas han graduado a miles[2] de estudiantes. Entre los graduados famosos están el saxofonista de jazz David Sánchez y el cantante salsero Gilberto Santa Rosa.

La escuela más grande es la de San Juan, que está afiliada con el prestigioso Berklee College of Music en Boston. Los cursos de estudio incluyen la música clásica, rock, jazz, contemporánea y tradicional, y el currículum prepara a los estudiantes para estudiar cursos más avanzados en el Conservatorio de Música de Puerto Rico. En San Juan sólo se admiten 100 estudiantes al año, aunque se reciben solicitudes[3] de más de 600 personas, así que los estudiantes de la escuela son unos de los más talentosos de la isla.

Unos estudiantes de arte de La Escuela de Diseño

Un estudiante de la EICTV

La Escuela de Diseño Altos de Chavón

Esta escuela data de los años 70 cuando la República Dominicana construyó un centro cultural en la pequeña villa de Altos de Chavón. La Escuela de Diseño, que forma parte del centro, fue inaugurado por Frank Sinatra en 1982 y está afiliada con el famoso Parsons The New School for Design en la ciudad[4] de Nueva York.

Los 110 estudiantes de La Escuela de Diseño se especializan en campos de estudio como bellas artes e ilustración, diseño gráfico, diseño de modas[5], diseño digital y diseño de interiores. Más de 1.000 estudiantes dominicanos e internacionales se han graduado de la escuela. Los graduados de la escuela son elegibles para transferirse directatmente a Parsons en Nueva York o París.

La Escuela Internacional de Cine y Televisión

En la Escuela Internacional de Cine y Televisión (EICTV) de San Antonio de los Baños, Cuba, se ofrecen cursos de formación audiovisual para estudiantes cubanos e internacionales. La EICTV fue inaugurada en 1986 y es presidida por el famoso escritor colombiano Gabriel García Márquez. Los profesores, además de ser instructores, son cineastas profesionales que dirigen películas[6] y documentales a nivel mundial[7].

Los estudiantes de la EICTV estudian siete especialidades en el curso regular: guión[8], producción, dirección, fotografía, sonido[9], edición y documentales. También se presentan unos veinte talleres[10] especializados cada año. Más de 1.500 estudiantes de unos treinta países se han graduado de la EICTV desde su incepción y los graduados de la escuela han recibido más de 100 premios[11] en varios festivales nacionales e internacionales.

[1]Free; [2]thousands; [3]**aunque**...: although they receive applications; [4]city; [5]fashion; [6]**dirigen**...: they direct movies; [7]**a**...: worldwide; [8]script; [9]sound; [10]workshops; [11]prizes

Después de leer

4 Answer the following questions about the readings to see how well you understood them.

1. ¿Quiénes son dos graduados famosos de la Escuela Libre de la Música?
2. ¿Con qué institución estadounidense está afiliada la Escuela Libre de la Música?
3. ¿Cuáles son tres tipos de música que los estudiantes estudian en la Escuela Libre?
4. ¿Con qué institución estadounidense está afiliada la Escuela de Diseño Altos de Chavón?
5. ¿Cuáles son cuatro campos de estudio que se ofrecen en la Escuela de Diseño?
6. ¿Cuántos graduados de la Escuela de Diseño hay?
7. ¿Qué autor está afiliado con la EICTV?
8. ¿Cuáles son cuatro campos de estudio que se ofrecen en la EICTV?

5 With a partner, answer the following questions about the reading and about your own interests.

1. ¿Cuál de las tres escuelas les interesa *(interests you)* más?
2. ¿Cuál de los campos de estudio de esa escuela les interesa más?
3. ¿Conocen *(Are you familiar with)* unas escuelas similares en Estados Unidos? ¿Cómo se llaman?

Interactive Practice

A escribir

Antes de escribir

1 Retrieve the information from the three **Encuesta** activities (**Activity 4** on p. 87, **Activity 8** on p. 91, and **Activity 16** on p. 97). With a partner, study the results and brainstorm ideas to describe the life of a typical student at your university.

2 Look at the following partial diary entry, and organize your information into a similar format. Try to use only words you've already learned.

> It is important to try to brainstorm in Spanish. This will get you to start "thinking" in Spanish, which in turn will lead to increased comfort and ease with the language.

> viernes, 10 de octubre
>
> ¡Tengo muchas actividades hoy! A las ocho, tengo clase de química. Luego, voy a ir al café para estudiar para el examen de historia a las diez...
> Por la tarde, tengo que... Por la noche, voy a...

Composición

3 Using the previous model, work with your partner on a rough draft of your diary entry. For now, just write freely without worrying about mistakes. Here are some additional words and phrases that may be useful as you write.

primero	*first*	**finalmente**	*finally*
luego	*later*	**mucho que hacer**	*a lot to do*
entonces	*then*	**un día (muy) ocupado**	*a (very) busy day*
después	*after that*	**con**	*with*

Después de escribir

4 Now, with your partner, go back over your diary entry and revise it.

Did you . . .

- look for misspellings?
- check to make sure the verbs are conjugated correctly?
- watch to make sure articles, nouns, and adjectives agree?
- use possessive adjectives correctly?
- make sure you included all the necessary information?

Interactive Practice

Vocabulario

Campos de estudio *Fields of study*

Los cursos básicos *Basic courses*

la arquitectura	*architecture*
las ciencias políticas	*political science*
la economía	*economy*
la educación	*education*
la geografía	*geography*
la historia	*history*
la ingeniería	*engineering*
la psicología	*psychology*

Las humanidades *Humanities*

la filosofía	*philosophy*
las lenguas / los idiomas	*languages*
la literatura	*literature*

Las lenguas / Los idiomas

el alemán	*German*
el chino	*Chinese*
el español	*Spanish*
el francés	*French*
el inglés	*English*
el japonés	*Japanese*

Las matemáticas *Mathematics*

el cálculo	*calculus*
la computación	*computer science*
la estadística	*statistics*
la informática	*computer science*

Las ciencias *Sciences*

la biología	*biology*
la física	*physics*
la medicina	*medicine*
la química	*chemistry*
la salud	*health*

Los negocios *Business*

la administración de empresas	*business administration*
la contabilidad	*accounting*
el mercadeo	*marketing*

La comunicación pública *Public communications*

el periodismo	*journalism*
la publicidad	*public relations*

Las artes *The arts*

el arte	*art*
el baile	*dance*
el diseño gráfico	*graphic design*
la música	*music*
la pintura	*painting*

Lugares en la universidad *Places in the university*

¿Dónde tienes la clase de...?	*Where does your . . . class meet?*
En el centro de computación.	*In the computer center.*
...el centro de comunicaciones.	*. . . the media center.*
...el gimnasio.	*. . . the gymnasium.*
la cafetería	*the cafeteria*
la librería	*the bookstore*
la residencia estudiantil	*the dorm*

Los días de la semana *The days of the week*

lunes	*Monday*
martes	*Tuesday*
miércoles	*Wednesday*
jueves	*Thursday*
viernes	*Friday*
sábado	*Saturday*
domingo	*Sunday*

Para pedir y dar la hora *To ask for and give the time*

Mira el reloj para decir la hora...	*Look at the clock to tell the time . . .*
¿Qué hora es?	*What time is it?*
Es la una.	*It's one o'clock.*
Son las dos.	*It's two o'clock.*
Son las... y cuarto.	*It's . . . fifteen.*
Son las... y media.	*It's . . . thirty.*
Son las... menos cuarto.	*It's a quarter to . . .*
Faltan quince para las...	*It's a quarter to . . .*
tarde	*late*
temprano	*early*
¿A qué hora es la clase de español?	*(At) what time is Spanish class?*
Es a la / a las...	*It's at . . .*

Mañana, tarde o noche *Morning, afternoon, or night*

de la mañana	*in the morning (with precise time)*
de la tarde	*in the afternoon (with precise time)*
de la noche	*in the evening (with precise time)*
Es mediodía.	*It's noon.*
Es medianoche.	*It's midnight.*
por la mañana	*during the morning*
por la tarde	*during the afternoon*
por la noche	*during the evening*

Para hablar de la fecha
To talk about the date

¿Qué día es hoy?	*What day is today?*
Hoy es martes treinta.	*Today is Tuesday the 30th.*
¿A qué fecha estamos?	*What is today's date?*
Es el treinta de octubre.	*It's the 30th of October.*
Es el primero de noviembre.	*It's the first of November.*
¿Cuándo es el Día de las Madres?	*When is Mother's Day?*
Es el doce de mayo.	*It's May 12th.*
el día	*day*
la semana	*week*
el fin de semana	*weekend*
el mes	*month*
el año	*year*
todos los días	*every day*
entresemana	*during the week / on weekdays*
ayer	*yesterday*
hoy	*today*
mañana	*tomorrow*

Para hacer preguntas *To ask questions* ✓

¿Cómo?	*How?*
¿Cuál(es)?	*What? Which one(s)?*
¿Cuándo?	*When?*
¿Cuánto(a)?	*How much?*
¿Cuántos(as)?	*How many?*
¿De quién es?	*Whose is this?*
¿De quiénes son?	*Whose are these?*
¿Dónde?	*Where?*
¿Por qué?	*Why?*
¿Qué?	*What? Which?*
¿Quién(es)?	*Who?*

Verbos

abrir	*to open*
aprender	*to learn*
asistir a	*to attend*
beber	*to drink*
comer	*to eat*
compartir	*to share*
comprender	*to understand*
correr	*to run*
creer (en)	*to believe (in)*
deber	*should, ought*
dejar de	*to stop (doing something)*
describir	*to describe*
descubrir	*to discover*
escribir	*to write*
imprimir	*to print*
ir	*to go*
ir a	*to be going to (do something)*
leer	*to read*
recibir	*to receive*
transmitir	*to broadcast*
vender	*to sell*
vivir	*to live*

Adjetivos posesivos

mi(s)	*my*
tu(s)	*your (fam.)*
su(s)	*your (sing. form., pl.) his, her, their*
nuestro(a) / nuestros(as)	*our*
vuestro(a) / vuestros(as)	*your (pl. fam.)*

Contracciones

al (a el)	*to the*
del (de el)	*from the, of the*

Otras palabras

porque	*because*

Capítulo 4

¿Te interesa la tecnología?

> Conexiones

La tecnología tiene un impacto tremendo en el mundo de las comunicaciones. ¿Cómo afectan tu vida los nuevos avances tecnológicos? ¿Usas un asistente electrónico, un MP3 u otros productos electrónicos? ¿Son estos productos importantes en tu vida? ¿Cómo ha cambiado *(has changed)* la comunicación entre tú y tus amigos y familia? En este capítulo, vas a ver cómo la tecnología facilita las conexiones entre los seres humanos.

El Museo Guggenheim en Bilbao, España

Dibujo digital del Museo Guggenheim

> Communication

By the end of this chapter you will be able to
- talk about computers and technology
- identify colors
- talk about likes and dislikes
- describe people, emotions, and conditions
- talk about current activities
- say how something is done

> Cultures

By the end of this chapter you will have learned about
- Spain
- Spanish emoticons on the Internet
- virtual classes around the Spanish-speaking world
- borrowed words on the Internet

¿Es éste tu asistente electrónico?

¡Sí! Muchas gracias.

Los datos

Mira la información sobre el uso de Internet en España, la Unión Europea, Canadá y Estados Unidos. Luego indica si los siguientes comentarios son ciertos o falsos.

País	Porcentaje de la población que usa Internet	Cambio (Change) en el número de usuarios de Internet durante los años 2000 a 2007
Canadá	67,8%	+73,2%
España	43,9%	+266,8%
Estados Unidos	69,7%	+120,8%

Número de usuarios de Internet en total

Canadá y EEUU 21%

la Unión Europea 23%

el resto del mundo 56%

❶ Más personas usan Internet en la Unión Europea que en Norteamérica.

❷ Canadá tiene el cambio más grande en el número de usuarios de Internet.

❸ Estados Unidos tiene el porcentaje más grande de usuarios de Internet.

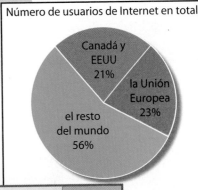

Bilbao

★ Madrid

ESPAÑA

OCÉANO ATLÁNTICO

¡Adivina!

¿Qué sabes de España? (Las respuestas están en la página 134.)

❶ La arquitectura española tiene muchas influencias _____.
   a. alemanas
   b. italianas
   c. árabes

❷ Pablo Picasso, Salvador Dalí y Joan Miró son tres _____ españoles.
   a. actores
   b. autores
   c. artistas

❸ El autor de *Don Quijote*, la primera novela moderna, es _____.
   a. Federico García Lorca
   b. Camilo José Cela
   c. Miguel de Cervantes

❹ ¿Cuál de los siguientes artistas no es de origen español, aunque se le considera uno de los grandes maestros españoles?
   a. El Greco
   b. Diego de Velázquez
   c. Francisco de Goya

¡Imagínate!

Vocabulario útil ①

00:00:00

BETO:	¡Estoy furioso!
CHELA:	Pero, ¿por qué?
BETO:	Primero llego tarde a la clase de literatura.
CHELA:	Llegar tarde no es una tragedia.
BETO:	¡Tenemos examen! Abro mi **computadora portátil,** pero en la **pantalla** dice que no tengo suficiente **memoria** para abrir la **aplicación.**
CHELA:	¿Tienes una computadora portátil de las nuevas? **¿A colores?**
BETO:	No, es **negra,** pero, si no te molesta, ¡vuelvo a mi historia!

La tecnología

El hardware

> **Notice:** In Spain, the **computadora** is called an **ordenador. Pulsar** is also used for **hacer clic. El computador** is also used, mostly in Latin America.

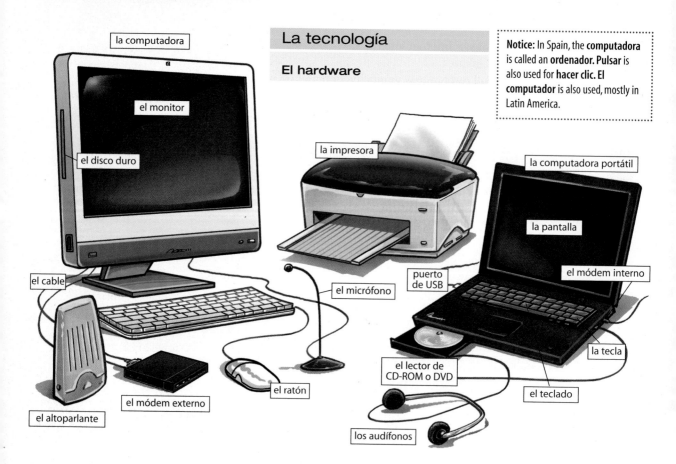

la computadora

el monitor

el disco duro

la impresora

la computadora portátil

la pantalla

el cable

el micrófono

puerto de USB

el módem interno

el ratón

el módem externo

el lector de CD-ROM o DVD

la tecla

el teclado

el altoparlante

los audífonos

La tecnología

El software

la aplicación	*application*
los archivos	*files*
el ícono del programa	*program icon*
el juego interactivo	*interactive game*
el programa antivirus	*anti-virus program*
el programa de procesamiento de textos	*word-processing program*

Funciones de la computadora

archivar	*to file*
conectar	*to connect*
descargar	*to download*
enviar	*to send*
funcionar	*to function*
grabar	*to record*
guardar	*to save*
hacer clic / doble clic	*to click / double click*
instalar	*to install*
tener 4 GB de memoria	*to have 4 GB of memory*

When a color is used as an adjective, it comes after the noun it modifies.

• If it ends in **-o**, it changes to match the gender and number of that noun: **la silla negra, los cuadernos rojos.**

• If the color ends in **-e**, add an **-s** to the plural: **las pizarras verdes.**

• If the color ends in a consonant, add **-es** to the plural: **los libros azules.**

• **Marrón** in the plural changes to **marrones**, with no accent. Can you figure out why, for pronunciation reasons, it loses the accent?

• Note that **rosa** and **café** change to reflect number, but not gender.

• If you want to say that a color is dark, use **fuerte.** For example, **amarillo fuerte.** If you want to say that a color is light, use **claro.** For example, **azul claro.**

Los colores

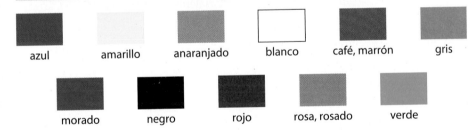

azul   amarillo   anaranjado   blanco   café, marrón   gris

morado   negro   rojo   rosa, rosado   verde

 Flashcards

Starting in this chapter, many of the activity direction lines will be presented in Spanish. Here are a few words that will help you understand Spanish direction lines: **di** *(say)*, **haz** *(do)*, **escoge** *(choose)*, **luego** *(then, later)*, **siguiente** *(following)*, **oración** *(sentence)*, **párrafo** *(paragraph)*.

>> Actividades

1 **La computadora** Un amigo necesita hacer *(needs to do)* ciertas cosas en la computadora. ¿Qué parte de la computadora va a necesitar para hacer lo que quiere? Escoge de la segunda columna.

1. _____ Necesito imprimir el correo electrónico.
2. _____ Necesito conectar a Internet.
3. _____ Necesito conectar el teclado al monitor.
4. _____ Necesito escuchar música mientras trabajo.
5. _____ Necesito abrir el programa de procesamiento de textos.
6. _____ Necesito archivar el documento.
7. _____ Necesito grabar un mensaje para enviar a mis amigos.
8. _____ Necesito instalar el programa antivirus.

a. audífonos
b. módem
c. ratón
d. disco duro
e. impresora
f. cable
g. micrófono
h. lector de CD-ROM

2 **El sitio web** Tu compañero(a) quiere buscar información sobre ciertos temas en el servicio ¡VIVA! Latino. Tú le dices *(You tell him / her)* en qué ícono debe hacer doble clic. Luego, él o ella te dirige a los íconos que corresponden a tus intereses.

> In some countries, the Internet is referred to as **la Internet,** in others as **el Internet**, and in others still, it is referred to simply as **Internet**, with no article to indicate gender.

¡VIVA! Latino

Directorio de sitios web

Arte y cultura
Literatura, Teatro, Museos, Guías

Internet y computadoras
WWW, Aplicaciones, Chat, Redes

Educación
Primaria, Secundaria, Universidades

Medios de comunicación
Radio, TV, Revistas, Periódicos

Deportes y ocio
Deportes, Fútbol, Juegos, Turismo

Salud
Medicina, Enfermedades, Ejercicio, Dietas

Espectáculos y diversión
Cine, Actores, Música, Humor

Materias de consulta
Bibliotecas, Diccionarios

MODELO: el Museo del Prado en Madrid
Tú: *Necesito más información sobre el Museo del Prado en Madrid.*
Compañero(a): *Haz doble clic en el ícono rojo.*

1. una dieta vegetariana
2. mi actor (actriz) favorito(a)
3. un diccionario español / inglés
4. la Copa Mundial de Fútbol
5. un programa de procesamiento de textos
6. la Universidad Complutense de Madrid
7. el periódico *El País* de Madrid
8. ¿...?

3 **Mi computadora** ¿Puedes describir tu computadora? Incluye en tu descripción todos los componentes de tu computadora y menciona el color de cada uno si es apropiado.

MODELO: *El monitor de mi computadora es azul y blanco. Los cables son grises. El ratón es blanco. Los altoparlantes son negros. Las teclas en el teclado son blancas...*

Interactive Practice /
Ace the Test

Vocabulario útil ❷

00:00:00

BETO: Empiezo a salir del salón de clases. No sé en dónde, pero entre el salón y la biblioteca, pierdo mi **asistente electrónico.**

CHELA: Ya me voy. Estoy muy **aburrida** con tu cuento trágico.

Las emociones

aburrido(a)	*bored*
cansado(a)	*tired*
contento(a)	*happy*
enfermo(a)	*sick*
enojado(a)	*angry*
furioso(a)	*furious*
nervioso(a)	*nervous*
ocupado(a)	*busy*
preocupado(a)	*worried*
seguro(a)	*sure*
triste	*sad*

Aparatos electrónicos

el asistente electrónico	*electronic notebook*
la cámara digital	*digital camera*
la cámara web	*webcam*
el CD / MP3 portátil	*portable CD / MP3 player*
el organizador electrónico	*electronic organizer*
el reproductor / grabador de discos compactos	*CD player / burner*
el reproductor / grabador de DVD	*DVD player / burner*
la videocámara	*videocamera*

Products like the iPod®, the iPhone®, the Blackberry®, Bluetooth®, etc., can all be referred to in English when speaking in Spanish. For example, **¿Tienes un iPhone? ¿De qué color es tu iPod?**

 Flashcards

>> Actividades

4 **Las emociones** Las siguientes personas están en ciertas situaciones. ¿Cómo crees que están?

1. A Raúl le gusta navegar por Internet y jugar videojuegos. Hay una tormenta *(thunderstorm)* y por eso no hay electricidad en su casa. No tiene nada *(nothing)* que hacer.

2. Blanca acaba de comprar una computadora portátil pero cuando llega a casa, no funciona.

3. Julio tiene que escribir una composición de diez páginas para su clase de historia mañana y todavía no ha empezado *(hasn't begun)*.

4. Mañana Luis tiene que ir al trabajo por tres horas, estudiar para un examen y hacer una investigación en Internet para la clase de filosofía.

5. Sabrina trabaja diez horas en la biblioteca, va a su clase de aeróbicos y camina a casa del gimnasio.

6. Marcos y Marina toman un refresco, escuchan música y conversan en un café en la Plaza Mayor.

5 **¿Eres "tecnofóbico"?** With a partner, come up with a list of technological items and other things related to technology. Use a point system of 1–5 to rate how technologically advanced someone is if he or she possesses or has experience with that item (1 = the least advanced and 5 = the most advanced). Then, in groups of four or five, ask each person in the group about each item. Based on your findings, decide who is the most technologically advanced and who is the most technologically inexperienced in the group. Report your findings to the class.

Sample items

teléfono celular
computadora portátil
perfil *(profile)* en MySpace™
asistente electrónico
más de una dirección de e-mail

revista *(magazine)* de tecnología
tomar clases virtuales en línea
 (take online classes)
descargar videos de YouTube™

 Web Links

6 **El Corte Inglés** El Corte Inglés es el almacén *(department store)* más grande en España. Con un(a) compañero(a), visiten el sitio web del Corte Inglés. (Hay un enlace en el sitio web de *Nexos*.) Entren en el Departamento de Electrónica y contesten las siguientes preguntas.

1. ¿Cuáles son las subcategorías en el Departmento de Electrónica?

2. Entren en la subcategoría DVD de DVD/Video. Nombren tres productos que hay allí y sus precios en euros (€).

3. Quieren comprarle un regalo *(gift)* a un amigo a quien le gusta la música. Busquen un regalo apropiado. ¿Qué es? ¿Cuánto cuesta?

4. Quieren comprarle un regalo a una amiga a quien le gusta grabar videos, pero no tienen mucho dinero *(money)*. Busquen la videocámara con el precio más bajo *(lowest price)*.

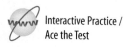 Interactive Practice / Ace the Test

5. ¿Qué producto electrónico quieres comprar? ¿Cuánto cuesta?

Vocabulario útil ③

BETO:	¿Tú? ¿Tú eres Autora14?
DULCE:	Sí, yo soy Autora14. ¿Por qué preguntas?
BETO:	No, no, nada. ¿Te gustan los **grupos de conversación**?
DULCE:	No, en realidad, no. Prefiero el **correo electrónico**.

00:00:00

Funciones de Internet

el buscador	*search engine*
el buzón electrónico	*electronic mailbox*
chatear	*to chat online*
el ciberespacio	*cyberspace*
la conexión	*connection*
hacer una conexión	*to go online*
cortar la conexión	*to go offline, disconnect*
la contraseña	*password*
el correo electrónico / el e-mail	*e-mail*
en línea	*online*
el enlace	*link*
el grupo de conversación	*chat room*
el grupo de debate	*news group*
la página web	*web page*
el proveedor de acceso	*Internet provider*
la red mundial	*World Wide Web*
el sitio web	*website*
el usuario	*user*

> You are learning two words for e-mail: **correo electrónico** and **e-mail**. **Correo electrónico** refers more to the whole system of e-mail or a group of e-mails, while **el e-mail** refers to a specific e-mail message.

 Flashcards

>> Actividades

7 **¡Gran sorteo!** Completa el cuestionario para el concurso *(contest)* de *Newsweek en español*. Compara tus respuestas a las preguntas 1, 3, 8, 9 y 10 con las respuestas de diez compañeros de clase. Haz una gráfica como la de la página 115 que muestre *(shows)* los resultados de tu cuestionario. Llena los espacios en blanco *(Fill in the blanks)* con el número de estudiantes que marcaron *(marked)* esa respuesta.

Newsweek
EN ESPAÑOL

Participe en el sorteo de Canon y NEWSWEEK EN ESPAÑOL y gánese un Scanner Canon FB 630P

¡Gran sorteo!

El CanonScan FB 630P puede colocarse perfectamente sobre cualquier escritorio. Además, resulta fácil de usar y es perfecto para el escaneo personal. Este modelo puede ser conectado fácilmente a su PC, a través de un puerto paralelo.

1. ¿Tiene usted una computadora en su casa?
    Sí ❏   **No** ❏

2. ¿En su oficina?
    Sí ❏   **No** ❏

3. ¿Cuántas horas pasa diariamente en la computadora de su casa?
    ❏ menos de 2 horas
    ❏ 2 a 4 horas
    ❏ 4 horas o más

4. ¿Utiliza un software antivirus?
    Sí ❏   **No** ❏

5. ¿Tiene usted, o su compañía, un sistema de seguridad, contabilidad, inventario, administración etc.?
    Sí ❏   **No** ❏

6. ¿Cuántas horas pasa diariamente en la computadora de su oficina?
    ❏ menos de 2 horas
    ❏ 2 a 4 horas
    ❏ 4 horas o más

7. ¿Tiene acceso a la Internet?
    Sí ❏   **No** ❏

8. ¿Cuál es su razón primordial para utilizar la Internet?
    ❏ Compras
    ❏ Investigación
    ❏ Inversiones/Banca
    ❏ Correo electrónico
    ❏ Otro

9. ¿Tiene usted un teléfono celular?
    Sí ❏   **No** ❏

10. ¿Cuántas horas pasa por semana leyendo revistas?
    ❏ 1 a 2
    ❏ 3 a 4
    ❏ 5 horas o más

11. Edad:
    ❏ 25 a 35
    ❏ 36 a 45
    ❏ 46 a 65
    ❏ Otra ____

12. Sexo:
    M ❏   **F** ❏

13. Número de personas en su casa:
    1 2 3 4 5 6 ó más

14. Ingresos Anuales:
    ❏ Menos de $25,000
    ❏ $25,000 a $45,999
    ❏ $46,000 a $65,999
    ❏ $66,000 a $75,999
    ❏ $76,000 o más

Pregunta 1:	_____ Sí
	_____ No
Pregunta 3:	_____ menos de 2 horas
	_____ 2 a 4 horas
	_____ 4 horas o más
Pregunta 8:	_____ Compras
	_____ Investigación
	_____ Inversiones / Banca
	_____ Correo electrónico
	_____ Otro
Pregunta 9:	_____ Sí
	_____ No
Pregunta 10:	_____ 1 a 2 horas
	_____ 3 a 4 horas
	_____ 5 horas o más

8 **¿Cómo usas Internet?** ¿Qué más quieres saber sobre *(do you want to know about)* los hábitos de tus compañeros acerca de Internet? Escribe cinco preguntas más como las del cuestionario en la **Actividad 7.** Luego, hazle las preguntas a tu compañero(a) de clase y que él o ella te haga *(have him or her ask you)* sus preguntas.

MODELO: *¿Te gusta chatear por Internet? ¿Cuántas horas al día pasas en los grupos de conversación?*
¿Tienes correo electrónico? ¿Cuántas veces al día lees tu correo electrónico?

9 **Los cursos virtuales** Hoy en día es posible tomar cursos virtuales por Internet, pagar el costo del curso en línea y luego leer las materias y participar en el curso por correo electrónico. Hay muchas universidades de habla española que ofrecen una gran variedad de cursos a distancia.

 Web Links

En grupos de cuatro, escojan *(choose)* un país de la lista de abajo. Visiten los sitios web que corresponden a este país, usando la lista de enlaces que está en el sitio web de *Nexos.*

Países: España, México, Argentina

1. ¿Qué cursos virtuales ofrece la universidad o escuela?
2. ¿En el sitio web es posible hacer una visita virtual? ¿Hay información sobre los profesores de los cursos? ¿Sobre los otros estudiantes?
3. Después de obtener toda la información sobre este sitio web, compárenla con la información de los otros grupos.

 Interactive Practice / Ace the Test

Antes de ver el video

1 Based on the conversation and photos shown in the **Vocabulario útil** sections on pages 108, 111, and 113, complete these statements about the main characters.

1. Beto pasa por muchas emociones en este episodio. En varios puntos en el episodio, Beto está _____, _____ y_____.
2. La computadora de Beto no tiene suficiente _____ para abrir la aplicación.
3. Chela quiere saber *(wants to know)* si Beto tiene una _____ a colores.
4. El color de la _____ de Beto es _____.
5. Dulce tiene el _____ de Beto.

2 Before you watch the video segment, look at the following actions that occur in it. Take time to familiarize yourself with the list.

_____ Beto descubre que su computadora no tiene suficiente memoria.
_____ Dulce tiene el asistente electrónico de Beto.
_____ Beto está furioso porque tiene que escribir el examen con bolígrafo y papel.
_____ Beto llega tarde a clase.
_____ Beto ve una hoja de papel con el e-mail de Autora14.
_____ Beto deja su asistente electrónico en el salón de clase.

Estrategia

Listening without sound

Sometimes a good way to approach a video segment is to watch it first with the sound turned off. This technique works especially well when the segment contains action and visuals that can help you understand what it is about. As you first watch the segment without sound, focus on the actions and interactions of the characters. What do you think is happening? Once you have gotten some ideas, watch the segment a second time with the sound turned on. How does the language help you flesh out your idea of the content?

El video

Now watch the video segment for **Chapter 4** with the sound off.

Después de ver el video

3 Now go back to **Activity 2** and place the events on the list in the order in which they appeared in the video segment.

4 Watch the video segment again with the sound turned on. Once you have watched it, complete the following statements about the segment.

1. Beto llega tarde a la clase de _____.
2. Beto escribe más rápidamente en _____ que con bolígrafo y papel.
3. Beto pierde _____ entre el salón de clases y la biblioteca.
4. Según Chela, ella está muy _____ con la historia trágica de Beto.
5. La dirección electrónica de _____ es Autora14.
6. Dulce prefiere el correo electrónico a _____.

5 What do you think that Beto and Dulce talk about as they walk off together at the end of the episode? Based on what you know of their personalities and interests, write a short "getting-to-know-you" conversation between these two characters.

 Interactive Practice / Ace the Test

¿Qué tipo de preparación escolar y características personales son necesarias para ser un líder en el campo de la tecnología? ¿Por qué?

Voces de la comunidad

Web Links

NAME Thaddeus Arroyo

En la escuela, las matemáticas y la lógica siempre fueron las asignaturas (materias) preferidas de Thaddeus Arroyo. Hoy en día, Arroyo es uno de los líderes del campo de la informática y uno de los ejecutivos más importantes del país. Como Principal Oficial de Información (*Chief Information Officer*) de Cingular Wireless, Arroyo hizo posible la fusión (*merger*) de Cingular Wireless y AT&T Wireless, creando así la mayor red del país, con unos 60 millones de usuarios. De padre español y madre mexicana, Arroyo explica su éxito (*success*) profesional de esta manera: **"Mi mamá y mi papá, los dos, fueron inmigrantes y se concentraron en la educación. Ellos no me permitieron creer que existían barreras insuperables. Creo que más que otra cosa es la fe en el arte de la posibilidad."** (*"Both my parents were immigrants and focused on education. They would never let me believe there was any barrier I couldn't overcome. I think more than anything else it was believing in the art of the possibility."*)

¡Prepárate!

Gramática útil ❶

Expressing likes and dislikes:
Gustar with nouns and other verbs like gustar

¿**Te gustan** los grupos
de conversación?

> Remember that when you use
> **gustar** + infinitive you only use **gusta**:
> Les gusta comer en la cafetería.

Cómo usarlo

As you learned in **Chapter 2,** you can use **gustar** with an infinitive to say what activities you and other people like to do.

Me gusta estudiar en la biblioteca, pero a Vicente **le gusta estudiar** en la cafetería.	*I like to study in the library, but **Vicente** **likes to study** in the cafeteria.*

You can also use **gustar** with nouns, to say what thing or things you (and others) like or dislike. In this case, you use **gusta** with a single noun and **gustan** with plural nouns or a series of nouns.

—¿**Te gusta** esta **computadora?**	*Do you like this **computer?***
—Sí, ¡pero **me gustan** más estas **computadoras portátiles**!	*Yes, but **I like** these **laptop computers** more!*

When you make negative sentences with **gusta** and **gustan,** you use **no** before the pronoun + **gusta / gustan.**

Nos gustan los programas de diseño gráfico, pero **no nos gustan** los programas de arte.	*We like the graphic design programs, but **we don't like** the art programs.*

Cómo formarlo

 Video Tutorial

 Flashcards

> You will learn more about Spanish
> indirect object pronouns in **Chapter 8.**

> ##### Lo básico
>
> ■ In Spanish, an *indirect object pronoun* is used with **gustar** to say who likes something. Because **gustar** literally means *to please,* the indirect object answers the question: *Pleases whom?*
>
> ■ A *prepositional pronoun* is a pronoun that is used after a preposition, such as **a** or **de.**

1. As you have already learned, you must use forms of **gustar** with the correct indirect object pronoun.

Me gusta	el video.		**Nos gusta**	el video.
Me gustan	los videos.		**Nos gustan**	los videos.
Te gusta	el video.		**Os gusta**	el video.
Te gustan	los videos.		**Os gustan**	los videos.
Le gusta	el video.		**Les gusta**	el video.
Le gustan	los videos.		**Les gustan**	los videos.

2. As you have learned, if you want to *emphasize* or *clarify* who likes what, you can use **a** + name or noun, or **a** + prepositional pronoun. Note that when **a** + prepositional pronoun is used, there is often no direct translation in English. Notice that except for **mí** and **ti**, the prepositional pronouns are the same as the subject pronouns you already know.

Prepositional pronoun	Indirect object pronoun	Form of *gustar* + noun
A mí	**me**	gustan los videos.
A ti	**te**	gustan los videos.
A Ud. / a él / a ella	**le**	gustan los videos.
A nosotros / a nosotras	**nos**	gustan los videos.
A vosotros / a vosotras	**os**	gustan los videos.
A Uds. / a ellos / a ellas	**les**	gustan los videos.

> Notice that while **mí** takes an accent, **ti** does not.

A mí me gustan los asistentes electrónicos, pero **a Elena** no le gustan.

I like electronic notebooks, but **Elena** doesn't like them.

A ella le gustan los organizadores electrónicos.

She likes electronic organizers.

3. A number of other Spanish verbs are used like **gustar.** These verbs are usually just used in two forms, as is **gustar.**

—**Me interesan** mucho estos celulares.

I'm interested in these cell phones.

—¿No **te molesta** hablar por teléfono todo el día?

*Doesn't **it bother you** to talk on the phone all day?*

Other verbs like *gustar*	
encantar *to like a lot*	**¡Me encanta** la tecnología!
fascinar *to fascinate*	A Ana **le fascinan** Internet y los sitios web.
importar *to be important to someone; to mind*	**Nos importa** tener acceso a Internet. ¿**Te importa** si usamos la computadora?
interesar *to interest, to be interesting*	A ellos **les interesan** los grupos de noticias.
molestar *to bother*	**Nos molestan** las computadoras viejas.

In Spanish-speaking cultures, courtesy is of utmost importance. It is very common to use phrases like **¿Le importa?** or **¿Le molesta?** to ask someone a question. **¿Le importa si uso la computadora?** would be more likely heard than **Voy a usar la computadora** or **¿Puedo usar la computadora?** It's also common to use **por favor** before asking a question and **gracias** at receiving the answer. Other common expressions of courtesy are:

¡Perdón! / ¡Disculpe! / ¡Lo siento! *Pardon me! / Excuse me! / I'm sorry!*

No hay de qué. / No se preocupe. *No problem. / Not to worry.*

Con permiso. *Excuse me… / With your permission…*

Cómo no. *Of course. / Certainly.*

>> Actividades

1 **¿Te gusta?** Di si te gustan o no las siguientes cosas.

MODELO: (me gustan o no me gustan) las computadoras portátiles
A mí me gustan las computadoras portátiles.

1. (me gustan o no me gustan) los juegos interactivos de tenis
2. (me gusta o no me gusta) el sitio web del Museo del Prado
3. (me gusta o no me gusta) la clase virtual de literatura en la Universidad Complutense
4. (me gustan o no me gustan) los productos electrónicos de El Corte Inglés
5. (me gusta o no me gusta) el nuevo CD de Shakira
6. (me gustan o no me gustan) los grupos de conversación sobre las playas más bellas de España

2 **Los gustos** Pregúntales a varios compañeros de clase sobre sus gustos.

MODELO: AOL (Latino.net, Yahoo, ¿...?)
Tú: *¿Les gusta AOL?*
Compañero(a): *No, no nos gusta AOL, pero sí nos gusta Latino.net.*

1. el grupo de debate de profesores de español (de artistas chilenos, de actores de teatro, ¿...?)
2. la página web de Yahoo en español (de *Time* en español, de *Newsweek en español*, ¿...?)
3. el grupo de conversación de estudiantes de español (de profesores de español, de estudiantes de francés, ¿...?)
4. los juegos interactivos (de mesa, de niños, ¿...?)
5. las computadoras portátiles (PC, Mac, ¿...?)
6. el programa de arte (de diseño gráfico, de contabilidad, ¿...?)

3 **¿Te interesa?** Pregúntale a un(a) compañero(a) qué opina *(feels)* sobre varios aspectos de la tecnología.

MODELO: interesar: los blogs de personas desconocidas *(strangers)*
Tú: *¿Te interesan los blogs de personas desconocidas?*
Compañero(a): *No, no me interesan los blogs de personas desconocidas.*

1. molestar: recibir mucha correspondencia electrónica
2. interesar: grupos de debate sobre la política
3. gustar: enviar mensajes de texto
4. molestar: buscadores muy lentos *(slow)*
5. interesar: sitios web comerciales
6. gustar: chatear con personas en otros países
7. importar: recibir e-mails de personas desconocidas

4 **En resumen** Pregúntales a seis compañeros qué les gusta de la tecnología y qué les molesta. Escribe un resumen sobre los resultados.

1. Nombra tres cosas que te gustan de la tecnología.
2. Nombra tres cosas que te molestan de la tecnología.

Interactive Practice /
Ace the Test

≫ ¡Fíjate! ≫ 🌐 Web Links

El lenguaje de Internet

The brave new world of the Internet has created entirely new words in the English language. This in turn has created language issues for everyone, including translators and Internet users. Online word forums in which people from different countries discuss how to translate Internet terms into their own languages have sprouted to help people deal with these issues. In many cases, the universal Internet terms have simply stayed in English. Here are some examples of words that either have translations in Spanish that are commonly or not commonly used, and others that do not yet (and may never!) have translations.

Un hombre trabaja en un café de Internet en España.

Blog: This is an abbreviated form of Web-log, and is usually referred to simply as *blog*, losing the *We* of Web. In Spanish, it is common to simply say **blog**, but it can also be defined as: **un diario personal en un sitio web que contiene reflexiones, comentarios, fotos, video o enlaces.**

Forum: **Foro** is the common Spanish translation. If you are referring to an announcement board, you would say **un tablón de anuncios.** A message board is **un tablón de mensajes.**

Podcast: **Un podcast** is a radio broadcast that is Portable On Demand. If you want to try to say this in Spanish, you could say **una emisora radial en Internet. Los podcasts** are downloaded to **un reproductor portátil,** where the user can listen to them at leisure.

Video conferencing: Chat with your friends via Internet using **un sistema de video conferencia.**

WiFi: Most Spanish speakers simply say **WiFi,** with a wide variation in pronunciation from country to country. To be technically correct, you could refer to it as **la red inalámbrica. (Alambre** means *wire*, which is why **inalámbrica** means *wireless*.) Although you would be understood with this mouthful of a phrase, you would probably be considered rather geeky. Stick with WiFi for now.

Text messaging: Everyone text messages these days. In Spanish this would be **enviar un mensaje de texto.**

Instant messaging: You could also instant message someone via your computer, and this is referred to as **enviar un mensaje instantáneo.**

Sound files: Everybody likes to download music, or **archivos de sonido** or **MP3s,** onto their **MP3 portátiles.**

Without a doubt, the world of the Internet will continue to create new functions and new words as its uses multiply. Don't panic! You can find a site on the Internet that will help you find just the word you are looking for!

●● **Práctica** Escribe una lista de términos de Internet en inglés que no sabes decir en español. Con un(a) compañero(a), busca en Internet un sitio con las traducciones y las pronunciaciones, o simplemente verifica que lo más común es usar el término en inglés.

Gramática útil ❷

Describing yourself and others and expressing conditions and locations: The verb **estar** and the uses of **ser** and **estar**

Estoy muy **aburrida** con tu cuento trágico.

Cómo usarlo

You already know that the verb **ser** is translated as *to be* in English. You have already used the verb **estar,** which is also translated as *to be,* in expressions such as **¿Cómo estás?** While both these Spanish verbs mean *to be,* they are used in different ways.

1. Use **estar** . . .

- to express location of people, places, or objects.

La profesora Suárez **está** en la biblioteca. | *Professor Suárez **is** in the library.*
Los libros **están** en la mesa. | *The books **are** on the table.*

- to talk about a physical condition.

—¿Cómo **está** Ud.? | *How **are** you?*
—**Estoy** muy bien, gracias. | *I'm well, thank you.*
—Yo **estoy** un poco cansada. | *I'm a little tired.*

- to talk about emotional conditions.

El señor Albrega **está** un poco nervioso hoy. | *Mr. Albrega **is** a little nervous today.*

Estoy muy ocupada esta semana. | *I'm very busy this week.*

2. Use **ser** . . .

- to identify yourself and others.

Soy Ana y ésta **es** mi hermana Luisa. | *I'm Ana and this **is** my sister Luisa.*

- to indicate profession.

Pablo Picasso **es** un artista famoso. | *Pablo Picasso **is** a famous artist.*

- to describe personality traits and physical features.

Somos altos y delgados. | *We are tall and thin.*
Somos estudiantes buenos. | *We are good students.*

- to give time and date.

Es la una. Hoy **es** miércoles. | *It is one o'clock. Today is Wednesday.*

- to indicate nationality and origin.

—**Eres** española, ¿no? | *You are Spanish, right?*
—Sí, **soy** de España. | *Yes, I am from Spain.*

- to express possession with **de.**

Este celular **es de Anita.** | *This is Anita's cell phone.*

- to give the location of an event.

La fiesta **es** en la residencia estudiantil. | *The party is in the dorm.*

> Notice that expressing the location of people, places, and things (other than events) requires the use of **estar. Ser** is used only to indicate *where an event will take place.*

Video Tutorial

 Flashcards

Cómo formarlo

1. Here are the forms of the verb **estar** in the present indicative tense.

estar *(to be)*			
yo	**estoy**	nosotros / nosotras	**estamos**
tú	**estás**	vosotros / vosotras	**estáis**
Ud. / él / ella	**está**	Uds. / ellos / ellas	**están**

2. In the **¡Imagínate!** section you learned some adjectives that are commonly used with **estar** to describe physical and emotional conditions.

aburrido(a)   nervioso(a)
cansado(a)   ocupado(a)
contento(a)   preocupado(a)
enfermo(a)   seguro(a)
enojado(a)   triste
furioso(a)

Don't forget that when you use adjectives with **estar,** as with any other verb, they need to agree with the person or thing they are describing in both gender and number.

Los estudiantes están preocupados por Miguel.

The students are worried about Miguel.

Elena está nerviosa a causa del examen.

Elena is nervous because of the exam.

>> Actividades

5 **¿Dónde están?** Todos participan en diferentes actividades en diferentes lugares de la universidad. ¿Dónde están?

MODELO: Ricardo y Juana estudian. _____ en la biblioteca.
Están en la biblioteca.

1. Javier toma un refresco. _____ en la cafetería.

2. Mi compañero(a) de cuarto y yo descansamos. _____ en la residencia estudiantil.

3. Paula y Pedro navegan por Internet. _____ en el centro de computación.

4. La profesora Martínez lee una novela. _____ en el parque.

5. Usted escribe en la pizarra. _____ en el salón de clase.

6. Nosotros escuchamos los CDs de español. _____ en el centro de comunicaciones.

7. Teresa levanta pesas. _____ en el gimnasio.

8. Tú compras un libro para la clase de filosofía. _____ en la librería.

6 ¿Cómo están? Tú y varias personas están en las siguientes situaciones. Usa **estar** + *adjetivo* para describir cómo están.

MODELO: Sales bien en el examen de francés, tomas el sol por la tarde, cenas con tu mejor amigo(a) y alquilas un video que te gusta mucho.
Estoy contento(a).

1. Tienes una entrevista con el director de la universidad para un trabajo que necesitas.

2. Carlos tiene una infección y tiene que ir al hospital.

3. Marta y Mario no tienen nada *(nothing)* que hacer —no hay nada interesante en la tele y su computadora no funciona.

4. Compras una nueva computadora. Llegas a casa y cuando tratas de usarla, no funciona. La tienda de computadoras no abre hasta el lunes.

5. Tú y tu familia tienen mucho que hacer *(to do)*. Entre los estudios, el trabajo, los deportes, la familia y los amigos, no hay suficiente tiempo en el día para hacerlo todo.

6. Elena practica deportes por la mañana, trabaja en la biblioteca por la tarde y estudia por la noche. Cuando llega a casa, descansa.

7. La tarea de matemáticas es muy difícil —Martín no comprende las instrucciones. Es muy tarde para llamar a un amigo. Tiene que entregar la tarea muy temprano por la mañana.

8. El abuelo *(grandfather)* de Pedro y Delia está muy enfermo. Pedro y Delia lo visitan en el hospital.

7 Yo soy... Completa las oraciones con la forma correcta de **ser** o **estar.**

MODELO: Yo _____ estudiante. _____ en clase.
Yo soy estudiante. Estoy en clase.

1. El señor Ortega _____ muy ocupado.
   _____ en la oficina.

2. Nosotros _____ divertidos.
   _____ contentos ahora.

3. Roger _____ tenista.
   _____ alto y delgado.

4. Alejandro y yo _____ de Nicaragua.
   _____ en los Estados Unidos por un año.

5. Pedro y Arturo _____ enfermos.
   _____ en el hospital.

6. Esta computadora _____ de Lucía.
   Lucía _____ una estudiante muy trabajadora.

8 **¿*Ser* o *estar*?** Trabaja con un(a) compañero(a) de clase para completar las oraciones. Lean las oraciones y juntos decidan si se debe usar **ser** o **estar**. Escriban la forma correcta del verbo. Luego, escriban por qué se usa **ser** o **estar**.

MODELO: *Soy* María Hernández Catina.
razón *(reason): identidad*

Razones: nacionalidad, posesión, estado físico, característica física, característica de personalidad, profesión, fecha, hora, estado temporáneo, identidad, posición *(location),* lugar de un evento

1. ¿Cómo _____ usted, profesor Taboada? razón:

2. Yo _____ un poco cansado hoy. razón:

3. Isabel _____ de España. razón:

4. ¿Dónde _____ la biblioteca? razón:

5. Mi padre _____ profesor de lenguas. razón:

6. Hoy _____ miércoles, el 22 de octubre. razón:

7. Nati _____ alta, delgada y tiene el pelo castaño. razón:

8. Esta semana Leonardo _____ muy ocupado. razón:

9. Este libro, ¿_____ de la profesora? razón:

10. ¿Dónde _____ la clase de filosofía? razón:

9 **¡Pobre Mónica!** Trabaja con un(a) compañero(a) de clase. Miren el dibujo y juntos escriban una descripción de Mónica y de la situación en general. Traten de usar **ser** o **estar** en cada oración y de escribir por lo menos cinco oraciones.

In Spanish-speaking countries, **martes 13,** or Tuesday the 13th, rather than Friday the 13th, is considered an unlucky day.

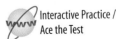

Interactive Practice / Ace the Test

:) Sonrisas

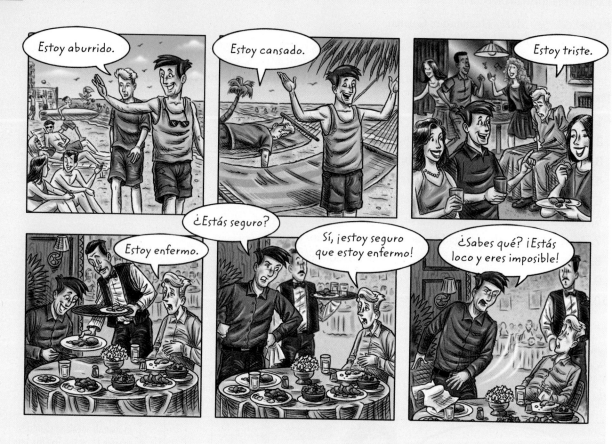

Comprensión En tu opinión, ¿cuáles de los siguientes adjetivos describen al hombre rubio? Y al hombre moreno?

- ¿Quién está...?
  aburrido / cansado / contento / enfermo / furioso / nervioso / ocupado / preocupado / seguro / triste

- ¿Quién es...?
  activo / antipático / cómico / cuidadoso / divertido / egoísta / extrovertido / impaciente / introvertido / perezoso / serio / simpático / tonto

Gramática útil ❸
Talking about everyday events:
Stem-changing verbs in the present indicative

Cómo usarlo

In **Chapters 1** and **2** you learned the present indicative forms of regular **-ar**, **-er**, and **-ir** verbs in Spanish. There are other Spanish verbs that use the same endings as regular **-ar**, **-er**, and **-ir** verbs in this tense, but they also have a small change in their stem. (Remember that the stem is the part of the infinitive that is left after you remove the **-ar / -er / -ir** ending.)

—¿Qué **piensas** de este asistente electrónico?
—Me gusta, pero **prefiero** éste.
—¿Verdad? Bueno, ¿por qué no le **pides** el precio al dependiente?

What **do you think** of this electronic notebook?
I like it, but I **prefer** this one.
Really? Well, why don't **you ask** the sales clerk the price?

¡Pobre Beto! **Siento** tu frustración.

Cómo formarlo

Video Tutorial

Flashcards

1. There are three categories of stem-changing verbs in the present indicative.

	o → ue: encontrar (to find)	e → ie: preferir (to prefer)	e → i: pedir (to ask for)
yo	encuentro	prefiero	pido
tú	encuentras	prefieres	pides
Ud. / él / ella	encuentra	prefiere	pide
nosotros / nosotras	encontramos	preferimos	pedimos
vosotros / vosotras	encontráis	preferís	pedís
Uds. / ellos / ellas	encuentran	prefieren	piden

2. Note that the stem changes in all forms except the **nosotros / nosotras** and **vosotros / vosotras** forms.

3. Remember, all the endings for the present indicative are the same for these verbs as for the other regular verbs you've learned: **-o, -as, -a, -amos, -áis, -an** for **-ar** verbs; **-o, -es, -e, -emos / -imos, -éis / -ís, -en** for **-er** and **-ir** verbs. The only thing that is different here is the change in the stem.

4. Here are some commonly used Spanish verbs that experience a stem change in the present indicative tense.

e → ie

cerrar	*to close*
comenzar (a)	*to begin (to)*
empezar (a)	*to begin (to)*
entender	*to understand*
pensar de	*to think (of), have an opinion about*
pensar en	*to think about, to consider*
perder	*to lose*
preferir	*to prefer*
querer	*to want, to love*
sentir	*to feel*

o → ue

contar	*to tell, to relate; to count*
dormir	*to sleep*
encontrar	*to find*
jugar*	*to play*
poder	*to be able to*
sonar	*to ring, to go off (phone, alarm clock, etc.)*
soñar (con)	*to dream (about)*
volver	*to return*

e → i

pedir	*to ask for something*
repetir	*to repeat*
servir	*to serve*

*Jugar is the only **u → ue** stem-changing verb in Spanish. It's grouped with the **o → ue** verbs, because its change is most similar to those.

>> Actividades

10 En la clase de computación Estás en la clase de computación. Escoge la forma correcta del verbo entre paréntesis para describir lo que hacen todos.

1. Yo (pido / pide) el correo electrónico del nuevo estudiante.
2. La profesora (repite / repiten) las instrucciones de la actividad.
3. Nosotros (sirvo / servimos) refrescos después de la clase.
4. Él (prefiere / prefieren) usar el correo electrónico para comunicarse con su familia.
5. Tú (encontramos / encuentras) la clase muy difícil.
6. Ellos (piden / pedimos) la dirección electrónica de la universidad.
7. Nosotras (preferimos / prefieren) ir al café Internet después de clase.
8. Yo (encuentras / encuentro) la clase muy divertida.

11 **¿Entiendes?** Tú eres el (la) profesor(a) de la clase de computación. Les preguntas a varias personas si entienden cómo hacer ciertas cosas en la computadora. Tu compañero(a) hace el papel de los diferentes estudiantes y te contesta.

MODELO: ¿_____ (tú) cómo instalar el programa antivirus? (sí)
Tú: *¿Entiendes cómo instalar el programa antivirus?*
Compañero(a): *Sí, entiendo cómo instalar el programa antivirus.*

1. ¿ _____ (ustedes) cómo abrir la aplicación? (no)
2. ¿ _____ (usted) cómo archivar los documentos al disco duro? (sí)
3. ¿ _____ (tú) cómo funciona el buscador? (no)
4. ¿ _____ (ellos) cómo cortar la conexión a Internet? (sí)
5. ¿ _____ (ustedes) cómo entrar a los grupos de conversación? (no)
6. ¿ _____ (tú) cómo visitar el sitio web de El Corte Inglés? (sí)

12 **¿A qué hora vuelves?** Un amigo te pregunta cuándo vuelven a casa tú, tus amigos y varios miembros de tu familia. Escucha la pregunta y escribe la respuesta correcta en una oración completa. Estudia el modelo.

MODELO: Ves: 10:30 A.M.
Escuchas: ¿A qué hora vuelves de la clase de computación?
Escribes: *Vuelvo de la clase de computación a las diez y media de la mañana.*

1. 4:00 P.M.
2. 1:00 A.M.
3. 3:15 P.M.
4. 8:00 P.M.
5. 7:00 P.M.
6. 11:30 A.M.

13 **En la clase de español** Todos los estudiantes en la clase de español están en medio de alguna actividad. Di lo que hace cada persona.

MODELO: Olga (no entender las instrucciones)
Olga no entiende las instrucciones.

1. Joaquín (cerrar el libro)
2. Iris (perder su lugar en el capítulo)
3. Paulo (dormir en su escritorio)
4. Lisa (empezar a hacer la tarea)
5. Arturo (pensar en las vacaciones)
6. Andrés y Marta (jugar en la computadora)
7. Roberto y Humberto (querer ir al gimnasio)
8. Ingrid (preferir hacer la tarea en la computadora)
9. Francisco (no poder abrir la aplicación)
10. la profesora (volver a repetir la tarea)
11. yo (pedir el número de la página de la lectura)
12. yo (repetir la pregunta)

> **Volver a** + *infinitive* means to go back and do something, or to do it over.

14 **¿Quieres ir?** Pregúntale a tu compañero(a) si quiere hacer una actividad contigo. Él o ella te dice que prefiere hacer otra cosa.

Actividades posibles

ir a tomar un refresco
alquilar un video
estudiar en la biblioteca
mirar televisión
navegar por Internet
tomar el sol
visitar a amigos
bailar
¿...?

MODELO: Tú: *¿Quieres alquilar un video?*
Compañero(a): *No, prefiero navegar por Internet.*

15 **La vida universitaria** ¿Es la vida del estudiante muy difícil hoy en día? Con tres compañeros de clase, contesten las siguientes preguntas sinceramente. Basándose en las respuestas de sus compañeros, decidan juntos si la vida universitaria produce mucho estrés para el estudiante. Presenten su conclusión a la clase.

1. ¿Sientes mucho estrés? ¿Por qué?
2. ¿A qué hora vuelves a la residencia estudiantil de la universidad?
3. ¿A qué hora duermes? ¿Dónde duermes? ¿Cuántas horas duermes por noche? ¿Duermes lo suficiente?
4. ¿Juegas videojuegos? ¿Juegos interactivos? ¿Juegos en la red? ¿Cuánto tiempo pasas a diario jugando estos juegos?
5. ¿Pierdes tus llaves *(keys)* con frecuencia? ¿Tus gafas *(glasses)*? ¿Tu dinero *(money)*? ¿Tu tarea? ¿Tus libros? ¿Tus cuadernos? ¿Tu mochila?
6. ¿Prefieres tener o no tener un celular? ¿Por qué?
7. ¿Piensas en tu futuro? ¿Estás preocupado(a) por tu futuro? ¿Puedes imaginar tu futuro?

16 **Los hábitos del universitario** Haz una gráfica como la de abajo. Si quieres, puedes escribir tus propias preguntas. Luego, hazles las preguntas a diez compañeros de clase. Según sus respuestas, apunta el número de estudiantes en la columna apropiada. Luego, escribe una descripción de tus resultados.

Preguntas	Número de estudiantes
dormir más de seis horas por noche:	**6**
no dormir más de seis horas por noche:	**4**
preferir hablar por teléfono para comunicarse:	
preferir escribir e-mail para comunicarse:	
preferir enviar un mensaje de texto para comunicarse:	
jugar un deporte:	
jugar en Internet:	
jugar videojuegos:	
jugar videos interactivos:	
sentir mucho estrés:	
no sentir mucho estrés:	
pensar en su futuro todos los días:	
no pensar en su futuro todos los días:	
encontrar la vida universitaria difícil:	
encontrar la vida universitaria fácil:	
¿...?	

MODELO: *Seis estudiantes duermen más de seis horas por noche.*
Cuatro estudiantes no duermen más de seis horas por noche.

17 **Mi blog** Escribe un perfil personal para tu blog en Internet. Describe tus características físicas, tu personalidad, tus clases preferidas, tus hábitos en la universidad, tus emociones y lo que te gusta, molesta o interesa, etc. Ponle a tu descripción todo el detalle que puedas.

Interactive Practice /
Ace the Test

Gramática útil ❹
Describing how something is done: Adverbs

Can you find two **-mente** adverbs in this Spanish advertisement? Based on your knowledge of cognates, can you guess their meanings in English?

Hint: Do you know what the word *indubitably* means in English?

Indudablemente, el producto más versátil...*

N-PLEX es un software de servidor potente e integrado para transmitir información electrónica de forma segura sobre Internet o Intranets. Diseñado especialmente para cumplir las demandas más exigentes de las empresas, organismos gubernamentales y proveedores de acceso a Internet, N-PLEX proporciona un sistema completo y ampliable para realizar intercambio de información electrónica en entornos de redes globales con facilidades de gestión centralizada y remota.

*Según la revista IWorld, **N-PLEX de ISOCOR** es el mejor software servidor de correo electrónico para Windows NT.

LLAME AHORA PARA INFORMARSE: (91) 677.61.85

Cómo usarlo

When you want to say how an activity is carried out (slowly, thoroughly, generally, etc.), you use an adverb.

Generalmente, prefiero usar una contraseña secreta.

Escribo más **rápidamente** en computadora que con bolígrafo.

Este programa es **muy** lento.

Generally, I prefer to use a secret password.

I write more **rapidly** on the computer than I do with a pen.

This program is **very** slow.

Video Tutorial

Flashcards

Cómo formarlo

Lo básico

An adverb is a word that modifies a verb, an adjective, or another adverb. *Generally, rapidly,* and *very* are all adverbs. You can identify an adverb by asking the question, *"How?"*

1. To form an adverb from a Spanish adjective, it is often possible to add the ending **-mente** to the adjective: **fácil → fácilmente**. If the adjective ends in an **-o**, change it to **-a** before adding **-mente: rápido → rápidamente**.

2. Here are some frequently used Spanish adjectives that can be turned into **-mente** adverbs.

Lento and **rápido** can also be used with **muy** for the same effect: **Esta computadora se conecta a Internet muy rápido / muy lento / rápidamente / lentamente.**

fácil *(easy)*	→	**fácilmente**	**lento** *(slow)*	→	**lentamente**
difícil *(difficult)*	→	**difícilmente**	**rápido** *(fast)*	→	**rápidamente**

3. **-mente** adverbs are also useful to talk about your routine and what you normally do.

frecuentemente	*frequently*	**normalmente**	*normally*
generalmente	*generally*		

4. Here are some other common Spanish adverbs.

bastante	*somewhat, rather*	Este sistema es **bastante** lento.
bien	*well*	Tu computadora funciona **bien.**
demasiado	*too much*	Navego **demasiado** por Internet.
mal	*badly*	¡Mi cámara web funciona muy **mal**!
mucho	*a lot*	Me gustan **mucho** los juegos interactivos.
muy	*very*	Guardo archivos **muy** frecuentemente.
poco	*little*	Chateo **poco** por Internet.

> Remember, adverbs can be used to modify other adverbs, so it's perfectly acceptable to use **muy** with **frecuentemente** or **mal**, for example!

>> Actividades

13 **18** **¿Cómo?** Escucha a Miriam mientras describe su vida a una amiga. Completa sus oraciones. Escoge el adjetivo más lógico del grupo y conviértelo en un adverbio añadiendo el sufijo **-mente**.

constante	cuidadoso	directo	fácil	total	paciente	rápido
frecuente	general	lento	normal	inmediato	tranquilo	

1. Puedes instalar el programa antivirus _____.
2. Yo chateo por Internet _____.
3. Hay algunos sitios web que funcionan _____.
4. _____, navego por Internet dos o tres horas por día.
5. Con este módem interno, puedo hacer una conexión _____.
6. Instalo los programas de software en mi computadora _____.
7. Tengo tarea _____.
8. Los domingos prefiero pasar el día _____.

19 **¿Cómo te sientes?** Averigua *(Find out)* cómo se sienten tus compañeros de clase en ciertas situaciones. Hazles las siguientes preguntas a varios compañeros y apunta sus respuestas. Luego, dale los resultados de tu encuesta a la clase.

¿Cómo te sientes cuando...

1. vas a tener un examen?
2. tu computadora no funciona bien?
3. recibes la cuenta *(bill)* de tu teléfono celular?
4. la batería de tu teléfono no funciona?
5. pierdes los archivos de tu tarea?
6. ¿...?

Posibles respuestas

bien	bastante nervioso (triste, preocupado, etc.)
mal	demasiado nervioso (cansado, furioso, etc.)
muy bien	no me afecta
muy mal	¿...?

Interactive Practice / Ace the Test

¡Explora y exprésate!

Exploraciones culturales

España

Tradición e innovación en España Look at the photos, then read the paragraphs and titles on the pages that follow. Can you match the photos and the correct title to each paragraph? Try to read quickly to get the gist of each paragraph. Once you have identified the correct title and photo for each paragraph, read the paragraphs again to see if you understood the basic content of each one.

¿Adivinaste? Answers to the questions on page 107: 1. c 2. c 3. c 4. a

Foto 1

Foto 2

Foto 3

Foto 4

Títulos: La literatura   La arquitectura   El arte   La tecnología

Párrafo 1: España tiene mucha fama por su producción literaria. *El ingenioso hidalgo Don Quijote de la Mancha* (1605), escrito por el español Miguel de Cervantes, se considera la primera novela moderna. Sus protagonistas, Don Quijote, el idealista sincero, y Sancho Panza, el realista cómico, son unos de los personajes más famosos de la literatura. En la actualidad *(Currently)*, cuatro autores españoles son ganadores *(winners)* del Premio Nóbel de la Literatura: Jacinto Benavente (dramaturgo), Juan Ramón Jiménez, Vicente Aleixandre (poetas) y Camilo José Cela (novelista).

Párrafo 2: España ha producido muchos pintores importantes e influyentes. Los grandes maestros de la pintura española incluyen a El Greco (1541–1614), Diego de Velázquez (1599–1660) y Francisco de Goya (1746–1828). En el siglo *(century)* XX, Pablo Picasso, Joan Miró y Salvador Dalí son unos de los innovadores más importantes del arte moderno.

Párrafo 3: La influencia árabe en la arquitectura del siglo VIII, construida por los colonizadores musulmanes comúnmente llamados "los moros", es evidente por todo el sur de España, en particular en Granada, Córdoba y Sevilla. Pero España también es muy conocida *(known)* por su arquitectura más contemporánea. El Museo Guggenheim en Bilbao y las diversas obras de los arquitectos españoles Antoni Gaudí y Santiago Calatrava representan la importancia de la innovación arquitectónica.

Párrafo 4: España tiene una reputación impresionante por su innovación tecnológica. Es el segundo productor de energía eólica *(wind)* del mundo. También tiene una industria aeroespacial importante. Se ha dedicado al desarrollo de vías para ferrocarriles de alta velocidad *(high-speed rail)*, con el objetivo de hacer accesibles las conexiones de alta velocidad a un 90% de la población española. También es un líder activo en los proyectos de desalinización que producen agua potable *(drinking water)* para millones de personas.

 Interactive Practice

>> Conexión cultural

Mira el segmento cultural del video. Después, en grupos de tres o cuatro, hablen de las siguientes preguntas: ¿Cómo es su universidad? ¿Es moderna con muchas computadoras y aparatos electrónicos o no es moderna? ¿Cuáles son los cursos más populares?

>> ¡Conéctate!  Web Links

Práctica Your class needs to plan a virtual vacation to Sevilla, Spain, in order to get away from all the stress of modern life! Divide into four groups. Each group will choose one of the following categories and research it by following links on the *Nexos* website to see a list of suggested websites. Each group should come up with a list of three suggestions for their category. Then, based on the group's suggestions, the class will prepare an itinerary for a virtual vacation to Sevilla.

Group 1: Housing / Lodging   Group 3: Museums and other cultural sites

Group 2: Entertainment   Group 4: Where to eat

>> Tú en el mundo hispano

To explore opportunities to use your Spanish to study, volunteer, or do internships in Spain, follow the links on the *Nexos* website.

♫ Ritmos del mundo hispano

To experience the music of Spain, follow the links on the *Nexos* website.

A leer

Antes de leer

1 Mira el siguiente artículo de *Netmaní@*, una revista de tecnología e Internet publicada en España. ¿Cuántas de las siguientes claves *(clues)* de formato puedes identificar en el artículo?

- título de sección
- título de artículo
- texto de interés *(highlighted text)*
- texto del lado *(sidebar)*

- citas *(quotations)*
- fotos
- ilustraciones y dibujos
- otros tipos de gráficos

2 Ahora, estudia las claves de formato para ver si puedes entender el tema principal del artículo. ¿De qué trata el artículo?

- programas para la computadora
- los emoticons *(smiley faces used in cyberspace)*
- técnicas de diseño gráfico para crear los emoticons

Lectura

3 Ahora lee el artículo completo en la página 137. Trata de comprender las ideas más importantes. Busca los cognados para comprenderlo mejor.

Después de leer

4 Ahora di si las siguientes oraciones son **ciertas (C)** o **falsas (F)** según el artículo.

1. _____ Este artículo habla de los smileys, también llamados "emoticons".
2. _____ Hay muchos smileys.
3. _____ Desgraciadamente, no existen diccionarios de los smileys.
4. _____ Los smileys clásicos son :-) :-(y ;-).
5. _____ l-I quiere decir "dormido".

Trucos de navegación: Smileys al completo

¿Sabes[1] lo que significa C=}>;*())?

Si estás perdido en el mundo[2] de los smileys, he aquí una solución a tus problemas...

¿Quién no sabe todavía qué son los smileys? Esos populares símbolos, resultado de combinar paréntesis, letras y otros símbolos alfanuméricos, creados[3] para manifestar distintos sentimientos como alegría, diversión, complicidad u otros difícilmente expresables a través del lenguaje escrito[4], pueblan[5] en la actualidad gran parte de los mensajes que se envían[6] por e-mail o se escriben en los grupos de noticias de Usenet.

Aparte de los clásicos :-) :-(;-) existen muchísimos más smileys, con una gran diversidad de significados... Una solución para no perderse[7] en este mundillo consiste en recurrir[8] a las recopilaciones de smileys que se han ido realizando[9] últimamente por la Red. Son, claro, los diccionarios de smileys.

Uno de ellos es *The Unofficial Smiley Dictionary* (el diccionario no oficial de smileys), que es uno de los más visitados. Se trata de una colección bastante completa de estos símbolos, divididos en varios grupos, tales como smileys sencillos[10], smileys emocionales o mega smileys, por citar algunos.

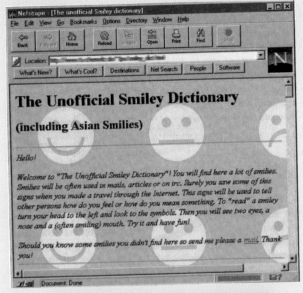

Idioma cibernético

:-)	contento	;-)	sarcástico
:-/	escéptico	*-)	muy contento
>:-[	furioso	:-X	muy discreto
:-D	muy cómico	>>:-[	muy furioso
O:-)	soy un santo	:-(	triste
I-I	dormido	>:->	soy un diablo
:'-(	muy triste	:-I	indiferente
	@--->---	romántico (una flor para ti)	

[1]*Do you know* [2]**perdido...** *lost in the world* [3]*created* [4]*written* [5]*populate* [6]**se envían** *people send each other* [7]*to lose oneself* [8]*to fall back on, to resort to* [9]**se han...** *that are being created* [10]*simple*

5 ¿Puedes identificar el equivalente en inglés de los siguientes símbolos?

1. _____ I-I   a. *I'm a devil.*
2. _____ O:-)   b. *asleep*
3. _____ >:->   c. *a flower for you*
4. _____ @--->---   d. *I'm a saint.*

6 En grupos pequeños, creen *(create)* nuevos emoticons para las emociones indicadas. Cuando terminen, escriban sus emoticons en la pizarra y voten para decidir cuáles van a ser los emoticons "oficiales" para cada emoción indicada. Luego, escribe un e-mail breve usando los emoticons nuevos.

1. aburrido   3. nervioso   5. preocupado
2. enfermo   4. ocupado   6. seguro

Interactive Practice

Vocabulario

La tecnología *Technology*

El hardware *Hardware*

La computadora *Computer*

el altoparlante	speaker
el cable	cable
el disco duro	hard drive
el módem externo	external modem
el micrófono	microphone
el monitor	monitor
el puerto de USB	USB port
el ratón	mouse

La computadora portátil *Laptop computer*

los audífonos	earphones
el módem interno	internal modem
la impresora	printer
el lector de CD-ROM o DVD	CD-ROM / DVD drive
la pantalla	screen
la tecla	key
el teclado	keyboard

El software *Software*

la aplicación	application
los archivos	files
el ícono del programa	program icon
el juego interactivo	interactive game
el programa antivirus	anti-virus program
el programa de procesamiento de textos	word-processing program

Funciones de la computadora *Computer functions*

archivar	to file
conectar	to connect
enviar	to send
funcionar	to function
grabar	to record
hacer clic / doble clic	to click / double click
instalar	to install
tener 4 GB de memoria	to have 4 GB of memory

Los colores *Colors*

amarillo(a)	yellow
anaranjado(a)	orange
azul	blue
blanco(a)	white
café / marrón	brown
gris	gray
morado(a)	purple
negro(a)	black
rojo(a)	red
rosa / rosado(a)	pink
verde	green

Las emociones *Emotions*

aburrido(a)	bored
cansado(a)	tired
contento(a)	happy
enfermo(a)	sick
enojado(a)	angry
furioso(a)	furious
nervioso(a)	nervous
ocupado(a)	busy
preocupado(a)	worried
seguro(a)	sure
triste	sad

Aparatos electrónicos *Electronics*

el asistente electrónico	electronic notebook
la cámara digital	digital camera
la cámara web	webcam
el CD / MP3 portátil	portable CD / MP3 player
el organizador electrónico	electronic organizer
el reproductor / grabador de discos compactos	CD player / burner
el reproductor / grabador de DVD	DVD player / burner
la videocámara	videocamera

Funciones de Internet *Internet functions*

el buzón electrónico	*electronic mailbox*
el buscador	*search engine*
chatear	*to chat online*
el ciberespacio	*cyberspace*
la conexión	*the connection*
hacer una conexión	*to go online*
cortar la conexión	*to go offline, disconnect*
la contraseña	*password*
el correo electrónico / e-mail	*e-mail*
en línea	*online*
el enlace	*link*
el grupo de conversación	*chat room*
el grupo de debate	*newsgroup*
la página web	*web page*
el proveedor de acceso	*Internet provider*
la red mundial	*World Wide Web*
el sitio web	*web site*
el (la) usuario(a)	*user*

Verbos como **gustar**

encantar	*to like a lot*
fascinar	*to fascinate*
importar	*to be important to someone; to mind*
interesar	*to interest, to be interesting*
molestar	*to bother*

Otros verbos*

cerrar (ie)	*to close*
comenzar (ie)	*to begin*
contar (ue)	*to tell, to relate; to count*
dormir (ue)	*to sleep*
empezar (ie)	*to begin*
entender (ie)	*to understand*
jugar (ue)	*to play*
pedir (i)	*to ask for something*
pensar (ie) de	*to think, have an opinion about*
pensar (ie) en	*to think about, to consider*
perder (ie)	*to lose*
poder (ue)	*to be able to*
preferir (ie)	*to prefer*
querer (ie)	*to want; to love*
repetir (i)	*to repeat*

sentir (ie)	*to feel*
servir (i)	*to serve*
sonar (ue)	*to ring, to go off (phone, alarm clock, etc.)*
soñar (ue) con	*to dream (about)*
volver (ue)	*to return*

Adjetivos

difícil	*difficult*
fácil	*easy*
lento	*slow*
rápido	*fast*

Adverbios

difícilmente	*with difficulty*
fácilmente	*easily*
frecuentemente	*frequently*
generalmente	*generally*
lentamente	*slowly*
normalmente	*normally*
rápidamente	*rapidly*
bastante	*somewhat, rather*
bien	*well*
demasiado	*too much*
mal	*badly*
mucho	*a lot*
muy	*very*
poco	*little*

*Starting now stem-changing verbs will be indicated in vocabulary lists with the stem change in parentheses.

Capítulo 5

¿Qué tal la familia?

> Relaciones familiares

Nos describimos con relación a diferentes aspectos de nuestra vida: los intereses, la personalidad, las características físicas, la profesión y muchos más. En el mundo hispanohablante, las relaciones familiares son un aspecto muy importante de la identidad personal. ¿Es tu familia una parte importante de tu vida diaria? ¿Cuánto tiempo pasas con miembros de tu familia en una semana? En este capítulo, vas a explorar el concepto de la familia y de las relaciones interpersonales.

Esta familia salvadoreña posa para una foto en frente de su casa.

> Communication

By the end of this chapter you will be able to

- talk about and describe your family
- talk about professions
- describe daily routines
- indicate current actions

> Cultures

By the end of this chapter you will have learned about

- Honduras and El Salvador
- professions and gender in Spanish
- careers where knowledge of Spanish is helpful
- the Afro-Hispanic **Garífuna** culture of Honduras

¡Siempre hay que hacer tiempo para llamar a tu mamá!

Sí, mamá... ¡perdóname!

▸ Los datos

Mira los gráficos y luego indica si las siguientes oraciones se refieren a Honduras o a El Salvador.

❶ Hay más diversidad étnica en este país.

❷ Hay más amerindios en este país.

❸ Hay más caucásicos en este país.

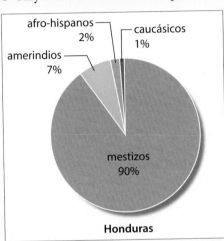

afro-hispanos 2%
caucásicos 1%
amerindios 7%
mestizos 90%

Honduras

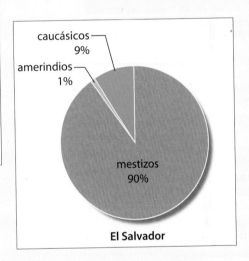

caucásicos 9%
amerindios 1%
mestizos 90%

El Salvador

▸ ¡Adivina!

¿Qué sabes de Honduras y El Salvador? Di si las oraciones se refieren a Honduras, a El Salvador o a los dos. (Las respuestas están en la página 164.)

❶ La mayoría de la población es de origen mestizo.

❷ Hay una pequeña pero significante población afro-hispana.

❸ Hay una pequeña pero significante población caucásica.

❹ Tiene ruinas de la civilización maya.

❺ Es el país más pequeño de Centroamérica.

OCÉANO ATLÁNTICO

HONDURAS
Tegucigalpa

San Salvador

OCÉANO PACÍFICO
EL SALVADOR

¡Imagínate!

Vocabulario útil 1

00:00:00

ANILÚ:	Son fotos de mi **familia**.
DULCE:	¿De veras? ¿En la computadora?
ANILÚ:	Sí, mi **hermanito** Roberto tiene una cámara digital. Saca fotos de la familia y me las manda por Internet.

> In Spanish, the masculine plural **hermanos** can mean both *brothers* (all males) and *brothers and sisters / siblings* (both males and females).

> To refer to a couple, use **la pareja**. For example: **Es una pareja muy elegante.** Also, to ask about someone's partner, you can say: **¿Quién es la pareja de Juan?** Or: **Su pareja es doctor.**

> Notice that **parientes** is a false cognate: it does *not* mean *parents*; it means *family members*. **Los padres** is the correct term for *parents*.

 Flashcards

La familia nuclear

la madre (mamá)	*mother*	la tía	*aunt*
el padre (papá)	*father*	el tío	*uncle*
los padres	*parents*	la prima	*female cousin*
la esposa	*wife*	el primo	*male cousin*
el esposo	*husband*	la sobrina	*niece*
la hija	*daughter*	el sobrino	*nephew*
el hijo	*son*	la abuela	*grandmother*
la hermana (mayor)	*(older) sister*	el abuelo	*grandfather*
el hermano (menor)	*(younger) brother*	la nieta	*granddaughter*
		el nieto	*grandson*

La familia política

la suegra	*mother-in-law*
el suegro	*father-in-law*
la nuera	*daughter-in-law*
el yerno	*son-in-law*
la cuñada	*sister-in-law*
el cuñado	*brother-in-law*

Otros parientes

la madrastra	*stepmother*
el padrastro	*stepfather*
la hermanastra	*stepsister*
el hermanastro	*stepbrother*
la media hermana	*half-sister*
el medio hermano	*half-brother*

>> Actividades

1 **Los parientes** Completa las oraciones con la respuesta correcta para describir las relaciones entre los parientes de Anilú. Usa el árbol genealógico *(family tree)* de Anilú para identificar las relaciones.

Arturo Villa González · y · Beatriz Vega Chapa de Villa · Rodrigo Guzmán Corona · y · Adela Flores Romero de Guzmán

Carlos · Irene · Amelia · Pedro · Hernán · Rosa

Tomás · Rafael · Gloria · Anilú · Roberto · Alberto · Sonia

1. Rodrigo es _____ de Adela.
   a. el esposo   b. el suegro   c. el tío
2. Tomás y Rafael son _____.
   a. hermanas   b. primos   c. hermanos
3. Sonia es _____ de Anilú.
   a. la tía   b. la prima   c. la hermanastra
4. Roberto es _____ de Rosa.
   a. el sobrino   b. el nieto   c. el yerno
5. Gloria es _____ de Rodrigo y Adela.
   a. la suegra   b. la hija   c. la nieta
6. Adela es _____ de Amelia.
   a. la madrastra   b. la cuñada   c. la suegra

2 **La familia de Anilú** Con un(a) compañero(a) de clase, háganse preguntas sobre el árbol genealógico *(family tree)* de Anilú de la **Actividad 1.** Túrnense nombrando la persona y diciendo cuál es su relación con Anilú.

MODELO: Compañero(a): *¿Quién es Beatriz Vega Chapa?*
Tú: *Es la abuela de Anilú.*

3 **El árbol genealógico** Dibuja el árbol genealógico de tu familia nuclear. Empieza con tus abuelos y sigue con el resto de tu familia. Luego, en grupos de tres, intercambien sus árboles y háganse preguntas sobre sus familias.

MODELO: Tú: *¿Tom es tu hermano?*
Compañero(a): *Sí, es mi hermano menor. Tiene quince años y es muy divertido.*
Tú: *¿Quién es Elisa?*
Compañero(a): *Es mi sobrina. Es la hija de mi hermana mayor.*

4 **Mi familia** Escribe un párrafo corto sobre cada miembro de tu familia nuclear. Para cada individuo, di quién es, cómo se llama y cuántos años tiene. Incluye algunas características físicas y también unas de personalidad. Luego, en grupos de tres, lean sus descripciones al grupo. El grupo te hace preguntas sobre cada miembro de tu familia y tú contestas.

> Notice that two surnames are given for the grandparents in Anilú's family tree. In Spanish-speaking countries, first surnames come from one's father, and second surnames come from the mother's side. Anilú's full name will be Anilú Guzmán Villa until she marries. Then she will add her husband's first surname (Anilú Guzmán Villa de Rodríguez (for example), and be known simply as Sra. Rodríguez. This tradition is changing in many Spanish-speaking countries.

Interactive Practice / Ace the Test

> In Spanish, diminutives are common. You form the diminutive by adding **-ito** or **-ita** to a noun: **hermano → hermanito.** (Other diminutives are formed by adding **-cito / -cita: coche → cochecito.**)
>
> A diminutive is used: 1) to indicate that something or someone is small, or younger. **Una casita** is a small house; **una hermanita** is a younger sister. 2) to express love or fondness. For example, Anilú probably refers to her grandmother as **abuelita** to indicate that she loves her dearly.
>
> To express affection, Spanish speakers also use nicknames. In the video, **Anilú** is a nickname for Ana Luisa, **Beto** for Roberto, and **Chela** for Graciela.

Vocabulario útil ②

DULCE: ¿Quién es este señor?
ANILÚ: Es mi papá. Se enoja cuando Roberto le saca fotos.
No le gusta salir en fotos. Dice que se ve muy gordo.
DULCE: ¿Qué hace tu papá?
ANILÚ: Es **arquitecto.** Diseña edificios para negocios.

Notice that when you describe someone's profession, you don't use an article as we would in English: **Es abogada** translates as *She is a lawyer.*

00:00:00

Las profesiones y las carreras

la abogada
el periodista
la médica
la artista

el bombero
la carpintera
la policía
el plomero
el arquitecto

El policía means a single policeman. **La policía** can mean a single policewoman or the entire police force. You have to extract the correct meaning from context. Other professions whose meaning depends on the context and the article are: **el químico / la química, el físico / la física, el músico / la música, el matemático / la matemática, el guardia / la guardia.**

Más profesiones

el actor / la actriz	*actor / actress*
el / la asistente	*assistant*
el (la) camarero(a)	*waiter, waitress*
el (la) cocinero(a)	*cook, chef*
el (la) contador(a)	*accountant*
el (la) dentista	*dentist*
el (la) dependiente	*salesclerk*
el (la) diseñador(a) gráfico(a)	*graphic designer*
el (la) dueño(a) de...	*owner of . . .*
el (la) enfermero(a)	*nurse*
el (la) gerente de...	*manager of . . .*
el hombre / la mujer de negocios	*businessman / businesswoman*
el (la) ingeniero(a)	*engineer*
el (la) maestro(a)	*teacher*
el (la) mecánico(a)	*mechanic*
el (la) peluquero(a)	*barber / hairdresser*
el (la) programador(a)	*programmer*
el (la) secretario(a)	*secretary*
el (la) trabajador(a)	*worker*
el (la) veterinario(a)	*veterinarian*

www Flashcards

>> ¡Fíjate! >>   www Web Links / Web Search

Las profesiones y el mundo

Gracias a la tecnología, el mundo va cambiando *(is changing)* muy rápido. Algunas profesiones que no existían ayer, existen hoy. Antes, más profesiones eran locales, es decir, consistían en lo que se podía hacer dentro de *(consisted of what could be done inside)* la comunidad: policía, bombero, dentista, doctor, profesor. Ahora es posible elegir una profesión que puede tener un impacto global. ¿En qué campos existen profesiones mundiales?

Asistencia sanitaria internacional	*International health care*
Programas de conservación ambiental	*Environmental programs*
Telecomunicaciones	*Telecommunications*
Política exterior	*Foreign policy*
Servicios financieros	*Financial services*
Banca internacional	*International banking*
Ingeniería multinacional	*International engineering*
Derecho internacional	*International law*
Consultoría de negocios	*Consulting*

Práctica Ve a Internet y busca tres profesiones mundiales que te interesan. ¿En qué campo están? ¿Qué puedes hacer en tus estudios para empezar a prepararte para cada profesión?

>> Actividades

5 **Quiere ser...** Tú y tu compañero(a) hablan de varios amigos. Tú le dices a tu compañero(a) qué es lo que estudia esa persona y tu compañero(a) te dice qué quiere ser esa persona.

MODELO: medicina
　　　　　Tú: *Marcos estudia medicina.*
　　　　　Compañero(a): *Quiere ser médico.*

1. contabilidad
2. administración de empresas
3. ingeniería
4. informática
5. diseño gráfico
6. arte
7. pedagogía
8. periodismo

6 **Presentaciones** Estás en la fiesta de un amigo. Él te presenta a varios miembros de su familia. Lee sus presentaciones. Luego, para cada persona, indica cuál es su relación con el narrador y su profesión.

1. Quiero presentarte a Antonio. Él es el hijo de mi tía Rosa. Antonio trabaja en el Hospital Garibaldi. Ayuda a las personas enfermas.
   Nombre: Antonio　　　　*Relación:* _____　*Profesión:* _____

2. Te presento a Miranda. Miranda es la hija de mi tío Ricardo. Miranda enseña francés en el Colegio Del Valle.
   Nombre: Miranda　　　　*Relación:* _____　*Profesión:* _____

3. Mira, te presento a Olga. Olga trabaja para el periódico *El Universal*. Olga es la esposa de mi hermano.
   Nombre: Olga　　　　　*Relación:* _____　*Profesión:* _____

4. Quiero presentarte a César. César es el hijo de mi hermano. César trabaja en una pizzería después del colegio.
   Nombre: César　　　　　*Relación:* _____　*Profesión:* _____

5. Éste es Raúl. Raúl es el hermano de mi padre. Él diseña casas y edificios.
   Nombre: Raúl　　　　　*Relación:* _____　*Profesión:* _____

6. Te presento al señor Domínguez, el padre de mi esposa. Él escribe software para una compañía multinacional.
   Nombre: señor Domínguez　*Relación:* _____　*Profesión:* _____

7 **¿Qué quieres ser?** En grupos de tres, hablen sobre sus planes para el futuro.

MODELO: Tú: *¿Qué profesión te interesa?*
Compañero(a): *¿A mí? Yo quiero ser abogado(a).*
Tú: *¿Dónde quieres trabajar?*
Compañero(a): *Quiero trabajar aquí, en Los Ángeles.*

8 **El español y las profesiones** En Estados Unidos, hay muchas oportunidades profesionales para personas que hablan español. Aquí hay algunas carreras que utilizan el español.

- abogado(a)
- académico(a)
- banquero(a) o financiero(a) que se especializa en Latinoamérica
- enfermero(a)
- hombre / mujer de negocios para una compañía multinacional
- intérprete
- médico(a)
- policía
- profesor(a) o maestro(a) de español
- secretario(a) bilingüe

Con un(a) compañero(a) de clase, contesten las siguientes preguntas.

1. ¿Te interesa alguna de estas carreras? ¿Por qué? ¿Crees que poder hablar español es importante para tu futuro?

2. En Europa, los estudiantes de colegio aprenden inglés y muchas veces otro idioma además de su lengua nativa. ¿Crees que es buena idea? ¿Por qué? ¿Crees que los estadounidenses deben aprender otro idioma además del inglés? ¿Por qué?

> With some professions, there is a lot of confusion about how to specify gender, especially for traditionally male professions like **piloto, bombero, ingeniero, general, mecánico, plomero.** The ambiguity is also due to the number of options for specifying gender. Some professions change the ending, like **el actor** and **la actriz; el maestro** and **la maestra; el alcalde** (*mayor*) and **la alcaldesa.** Other professions simply change the article, with no change to the noun, like **el gerente** and **la gerente, el dentista** and **la dentista.** Sometimes, the word **mujer** or **señora** is used to specify the gender: **la señora juez** (*judge*), **la mujer policía.**

Interactive Practice /
Ace the Test

Vocabulario útil ③

ANILÚ: Mamá, ¿está Roberto por allí? Necesito hablar con él.

MAMÁ: No puede venir al teléfono. Se está bañando.

ANILÚ: ¿Está bañándose? ¿A esta hora?

MAMÁ: Acaba de regresar de su partido de fútbol. ¡Ay! ¡No hay ni **toallas** ni **jabón** en el baño! Me tengo que ir. Tengo que llevarle a tu hermano una toalla, el jabón y el **champú**...

00:00:00

En el baño *In the bathroom*

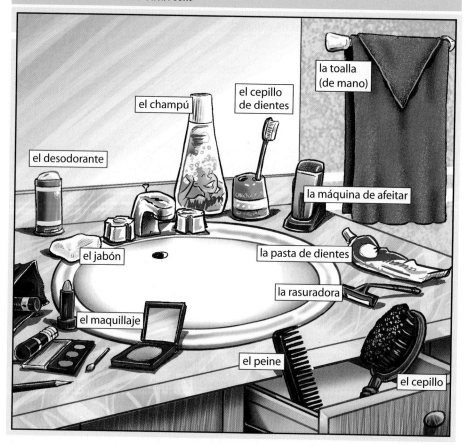

el desodorante

el champú

el cepillo de dientes

la toalla (de mano)

el jabón

la máquina de afeitar

la pasta de dientes

la rasuradora

el maquillaje

el peine

el cepillo

Flashcards

>> Actividades

9 **¿Qué necesitan comprar?** Según la situación, ¿qué necesita comprar cada persona?

MODELO: *Él necesita comprar champú.*

1.

2.

3.

4.

5.

6.

10 **El HiperMercado** Tú y tu hermano(a) ven un anuncio para el HiperMercado en el periódico. Tú le dices qué quieres comprar y él o ella te dice cuánto dinero necesitas para comprar ese artículo.

(**¡Ojo!** *Dollars* = **dólares** y *cents* = **centavos**.)

MODELO: Tú: *¿Quiero comprar un cepillo y un peine.*
Hermano(a): *Necesitas tres dólares y setenta y nueve centavos para comprar el cepillo y el peine.*

> Unlike grocery stores, which focus mostly on food items, **hipermercados** in Spanish-speaking countries are similar to supermarkets, but tend to sell an even wider range of household products.

HiperMercado
¡Todo para la familia!
¡Los mejores precios de la ciudad!

Cepillo y peine "La Bella":
$4,39 $3,79

Champú "Largo y limpio":
$3,39 $2,79

Cepillo de dientes y pasta de dientes "Brillante":
$4,75 $3,75

Desodorante "Frescura":
$2,69 $1,99

Jabón antibacterial "Sanitario":
$1,49 $1,19

Máquina de afeitar "El Varonil":
$24,99 $19,99

Paquete de seis rasuradoras "Para ella":
$3,97 $3,47

Paquete de dos toallas de mano "Elegantes":
$4,99 $3,99

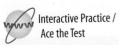

Interactive Practice /
Ace the Test

Antes de ver el video

1 Mira las fotos y el guión *(script)* en las páginas 142, 144 y 148 para ver si puedes encontrar la información necesaria para evaluar los siguientes comentarios.

¿Cierto o falso?

1. _____ Este segmento es sobre Anilú y su familia.

2. _____ Conocemos a *(We meet)* Roberto, el hermano de Anilú, a su papá y a su hermana Dulce.

3. _____ El papá de Anilú es abogado.

4. _____ El papá de Anilú tiene una cámara digital.

5. _____ La mamá de Anilú dice *(says)* que Roberto necesita toalla y jabón en el baño.

6. _____ Anilú quiere hablar con su hermano.

2 Antes de ver el video, mira las fotos a la izquierda *(on the left)* como preparación para el contenido del segmento. A ver si puedes relacionar las fotos y los diálogos que siguen. Escribe la letra de la foto al lado de la parte del diálogo que le corresponde.

_____ **1.** Dulce: ¿Qué hace tu papá?

        Anilú: Es arquitecto. Diseña edificios para negocios.

_____ **2.** Mamá: Bueno, pero siempre hay que hacer tiempo para llamar a tu mamá.

        Anilú: Sí, mamá, está bien. Perdóname.

_____ **3.** Anilú: Mira, ven a ver.

        Dulce: ¿Qué es?

        Anilú: Son fotos de mi familia.

a.

b.

c.

Estrategia

Listening for the main idea

When you are listening to Spanish, it's sometimes hard to know what to listen to first. There are often words you don't understand; also, the difference between seeing words on a page and hearing them spoken can be a big one. A good way to organize your viewing task is to focus on getting the main idea of the segment, or of each part of the segment. Don't try to understand every single word, but instead try to get the gist of each scene. Later, with the help of textbook activities and another viewing, some of the other details of the segment will emerge.

El video

Ahora mira el video para el **Capítulo 5.** Trata de entender la idea principal de cada escena.

Después de ver el video

3 Conecta cada idea de la derecha *(on the right)* con su escena correspondiente a la izquierda *(on the left)*.

1. _____ **Escena 1:** Anilú está mirando *(is looking at)* la computadora.

2. _____ **Escena 2:** Anilú habla con su mamá por teléfono.

3. _____ **Escena 3:** Anilú y Dulce miran una foto en la impresora.

4. _____ **Escena 4:** Roberto llama a Anilú.

5. _____ **Escena 5:** Anilú mira la foto de la fiesta de cumpleaños del abuelo.

a. La mamá de Anilú dice que ella nunca la llama.

b. A Anilú no le gusta la foto pero Roberto cree que es muy cómica.

c. Roberto quiere saber *(to know)* si a Anilú le gustan las fotos.

d. Anilú dice *(says)* que tiene unas fotos digitales.

e. Ven una foto del papá de Anilú.

4 Ahora mira el segmento una o más veces para captar los detalles. Trabaja con un(a) compañero(a) para contestar las siguientes preguntas.

Interactive Practice / Ace the Test

1. ¿Cómo le manda Roberto las fotos a Anilú?

2. ¿Qué tipo de edificios *(buildings)* diseña el papá de Anilú y Roberto?

3. ¿Por qué no le gusta al papá cuando Roberto le saca fotos?

4. ¿Qué tiene que llevarle la mamá a Roberto?

Gramática útil ❶

Describing daily activities: Irregular **yo** verbs in the present indicative

Cómo usarlo

1. You have already learned the present indicative tense of many verbs. These include regular **-ar**, **-er**, and **-ir** verbs (**hablar, comer, vivir,** etc.), some irregular verbs (**ser, tener, ir**), and some stem-changing verbs (**pensar, poder, dormir,** etc.).

2. Now you will learn some verbs that are regular in all forms of the present indicative except the first-person singular, the **yo** form. Like the other verbs you learned to use in the present indicative tense, these verbs can be used to say what you routinely do, what you are doing at the moment, or what you plan to do in the immediate future.

Todos los días **salgo** para la universidad a las ocho.	*Every day **I leave** for the university at 8:00.*
Ahora mismo, **pongo** mis libros en la mochila y **digo** "hasta luego" a mi compañera de cuarto.	*Right now, **I put / I'm putting** my books in my backpack and **I say / I'm saying,** "See you later" to my roommate.*
Esta noche, **traigo** mis libros a casa otra vez y **hago** la tarea.	*Tonight, **I bring / I'll bring** my books home again and **I do / I'll do** my homework.*

 Video Tutorial

 Flashcards

Cómo formarlo

Irregular yo verbs

Many irregular **yo** verbs in the present indicative fall into several recognizable categories. Others have to be learned individually.

1. **-go** endings:

hacer	*to make; to do*	**hago,** haces, hace, hacemos, hacéis, hacen
poner	*to put*	**pongo,** pones, pone, ponemos, ponéis, ponen
salir	*to leave, to go out (with)*	**salgo,** sales, sale, salimos, salís, salen
traer	*to bring*	**traigo,** traes, trae, traemos, traéis, traen

> **Conducir** is used more frequently in Spain. In most of Latin America, the verb **manejar** (a regular **-ar** verb) is used to talk about driving.

2. **-zco** endings:

conducir	*to drive; to conduct*	**conduzco,** conduces, conduce, conducimos, conducís, conducen
conocer	*to know a person, to be familiar with*	**conozco,** conoces, conoce, conocemos, conocéis, conocen
traducir	*to translate*	**traduzco,** traduces, traduce, traducimos, traducís, traducen

3. Other irregular **yo** verbs:

dar	*to give*	**doy,** das, da, damos, dais, dan
oír	*to hear*	**oigo,** oyes, oye, oímos, oís, oyen
saber	*to know a fact, to know how to*	**sé,** sabes, sabe, sabemos, sabéis, saben
ver	*to see*	**veo,** ves, ve, vemos, veis, ven

> Note that **oír** requires a y in the **tú, él / ella / Ud.**, and **ellos / ellas / Uds.** forms.

4. Irregular **yo** verbs with a stem change:

decir	*to say, to tell*	**digo,** dices, dice, decimos, decís, dicen
venir	*to come, to attend*	**vengo,** vienes, viene, venimos, venís, vienen

5. Remember that most of these verbs are irregular only in the **yo** form. Otherwise, they follow the rules for regular **-ar, -er,** and **-ir** verbs that you have already learned. **Oír** uses the regular endings but includes a spelling change: the addition of **y** to all forms except the **yo** form. **Decir** and **venir** also have a stem change in addition to the irregular **yo** form, but they still use **-ir** present-tense endings.

Saber vs. conocer

Note that **saber** and **conocer** both mean *to know*. It's important to know when to use each one.

- Use **saber** to say that you know a fact or information, or that you know how to do something.

Eduardo **sabe** hablar alemán, jugar tenis y bailar flamenco. Además **sabe** dónde están todos los restaurantes buenos de la ciudad.

*Eduardo **knows how** to speak German, play tennis, and dance flamenco. He also **knows** where all the good restaurants in the city are.*

Algún día vas a tener hijos y entonces vas a **saber** cómo es.

- Use **conocer** to say that you know a person or are familiar with a thing.

—¿**Conocen** a Sandra?
—No, pero **conocemos** a su hermana.

*Do you **know** Sandra?*
*No, but we **know** her sister.*

—¿**Conoces** bien Tegucigalpa?
—Sí, pero no **conozco** las otras ciudades de Honduras.

*Do you **know** Tegucigalpa well?*
*Yes, but I don't **know** the other cities in Honduras.*

> One way to remember the difference between **saber** and **conocer** is that **saber** is usually followed by either a verb or a phrase, while **conocer** is often followed by a noun.

The personal a

When you use **conocer** to say that you know a person, you must use the preposition **a** before the noun referring to the person. This preposition is known as the personal **a** in Spanish and it must be used whenever a person receives the action of the verb. It has no equivalent in English.

Conocemos **a** Nina y **a** Roberto.
¿Ves **a** tus amigos frecuentemente?

We know Nina and Roberto.
Do you see your friends frequently?

>> Actividades

1 **La mamá de Anilú** La mamá de Anilú le describe un día normal a una amiga. Da su descripción desde su punto de vista *(viewpoint)*.

1. salir del trabajo a las cinco
2. generalmente, traer trabajo a casa
3. cuando llego a casa, venir muy cansada
4. hacer la cena *(dinner)* a las siete
5. poner la mesa *(set the table)* antes de hacer la cena
6. cuando la cena está preparada, decir «todo está listo»
7. conocer a mis hijos muy bien
8. saber que tengo que llamarlos varias veces
9. por fin, oír a los niños apagar la tele
10. dar las gracias por otro día más o menos normal

Ahora escribe un párrafo sobre un día normal en tu vida. Trata de usar los mismos verbos que usa la mamá de Anilú.

2 **Cuestionario** Primero, escribe tus respuestas a las preguntas. Luego, en grupos de tres, háganse las preguntas del siguiente cuestionario. Si quieren, pueden añadir algunas preguntas al cuestionario. Cada uno en el grupo debe contestar cada pregunta.

1. **Tu horario**

   ¿Cuándo haces ejercicio?
   ¿Cuándo haces la tarea?
   ¿Cuándo haces la cena?

2. **Tu vida social**

   ¿Cuántas veces sales cada semana?
   ¿Sales por la noche? ¿Adónde vas?
   ¿Con quién sales los fines de semana?

3. **Tu medio de transporte preferido**

   ¿Tienes coche? ¿Conduces a la universidad?
   ¿Conduces al trabajo?
   ¿Conduces todos los días o usas otro medio de transporte?

4. **Tu tiempo libre**

   ¿Sabes hablar varios idiomas? ¿Cuáles?
   ¿Sabes jugar algún deporte?
   ¿Sabes tocar un instrumento? ¿Cuál?

5. **¿Conoces el mundo?**

   ¿Conoces los países de Europa? ¿Cuáles?
   ¿Conoces Canadá?
   ¿Cuántos estados de EEUU conoces?

3 **¿Sabes...?** Con un(a) compañero(a), formen preguntas con las siguientes frases. Túrnense para hacerse las preguntas. Luego, inventen nuevas preguntas usando el verbo en cada frase y háganse esas preguntas.

MODELO: conducir para llegar a la universidad
Tú: *¿Conduces para llegar a la universidad?*
Compañero(a): *No, no conduzco para llegar a la universidad.*
Tú: *¿Conduces todos los días?*
Compañero(a): *No, conduzco tres días por semana.*

1. conocer al presidente de la universidad
2. dar tu contraseña a tus amigos
3. decir siempre la verdad
4. hacer la tarea puntualmente
5. saber navegar por Internet
6. salir frecuentemente con amigos
7. traducir poemas del inglés al español
8. traer la computadora portátil a la clase
9. venir cansado(a) o aburrido(a) de las clases
10. ver televisión por la mañana, la tarde or la noche

4 **¿Saber o conocer?** Con un(a) compañero(a), túrnense para hacer las siguientes preguntas. La persona que hace las preguntas tiene que decidir entre los verbos **saber** o **conocer.** Y ¡recuerden la **a** personal!

MODELO: ¿(Saber/Conocer) hablar español?
Tú: *¿Sabes hablar español?*
Compañero(a): *Sí, sé hablar español.*

1. ¿(Saber/Conocer/Conocer a) el (la) compañero(a) de cuarto de...?
2. ¿(Saber/Conocer/Conocer a) Nueva York, París o Londres?
3. ¿(Saber/Conocer/Conocer a) tocar el violín?
4. ¿(Saber/Conocer/Conocer a) el (la) profesor(a) de estadística?
5. ¿(Saber/Conocer/Conocer a) Honduras?
6. ¿(Saber/Conocer/Conocer a) cómo llegar a la residencia estudiantil de...?
7. ¿(Saber/Conocer/Conocer a) el (la) nuevo(a) estudiante salvadoreño(a)?
8. ¿(Saber/Conocer/Conocer a) preparar comida hondureña o salvadoreña?
9. ¿(Saber/Conocer/Conocer a) dónde está la biblioteca municipal?
10. ¿(Saber/Conocer/Conocer a) el número del celular de...?
11. ¿(Saber/Conocer/Conocer a) la dirección electrónica de...?

5 **Sé y conozco** Escribe cinco cosas que sabes hacer. Luego escribe el nombre de cinco personas o lugares que conoces. Intercambia tu lista con un(a) compañero(a). Tu compañero(a) tiene que informarle a la clase lo que tú sabes y conoces y tú tienes que hacer lo mismo con la lista de tu compañero(a).

MODELO: Tu lista: *Sé jugar tenis.*
Conozco a muchas personas que juegan tenis.
Tu compañero(a): *Javier sabe jugar tenis.*
Conoce a muchas personas que juegan tenis.

Interactive Practice /
Ace the Test

Gramática útil ❷

Describing daily activities: Reflexive verbs

¡*graduarse*

está de *moda*!

Elige la <u>Gafa de sol</u> que más te guste y llévatela con los cristales <u>Graduados</u>* ...sin <u>ningún coste</u> adicional

This advertisement for graduated-lens sunglasses contains a verb used reflexively. What is it? What play on words does the advertisement make?

Notice that the reflexive pronoun and verb must always match the subject of the sentence: **Nosotros nos bañamos, Ellos se afeitan, Mateo se lava,** etc.

Cómo usarlo

1. So far, you have learned to use Spanish verbs to say what actions people are doing or to describe people and things.

Elena **habla** por teléfono con Eduardo.	Elena **talks** on the phone with Eduardo.
La mujer **toca** la guitarra.	The woman **plays** the guitar.
Tu hermano **está** cansado y aburrido.	Your brother **is** tired and bored.

2. Spanish has another category of verbs, called *reflexive* verbs, where the action of the verb *reflects back* on the person who is doing the action. When you use reflexive verbs in Spanish, they are often translated as *with* or *to myself, yourself, himself, herself, ourselves, yourselves, themselves* in English.

Lidia **se maquilla** todos los días.	Lidia **puts makeup on (herself)** every day.
Antes de ir a clase, yo **me ducho, me visto** y me **peino.**	Before going to class, **I shower, get dressed,** and **comb my hair.**

3. Notice how a reflexive verb is always used with a reflexive pronoun. These pronouns always match the subject of the sentence. The action of the verb *reflects back* on the person when the pronoun is used.

Yo me acuesto a las once todos los días.	**I go to bed (put myself to bed)** at eleven every day.
Tú te despiertas a las diez los fines de semana.	**You get up (wake yourself up)** at ten on the weekends.
Nosotros nos bañamos antes de salir de casa.	**We bathe (ourselves)** before we leave the house.
Ellos se afeitan todos los días.	**They shave (themselves)** every day.

4. Almost all reflexive verbs can also be used without the reflexive pronoun to express non-reflexive actions, that is, actions that are performed on someone other than oneself.

Mateo **se lava** el pelo todos los días.	Mateo **washes** his hair every day.
Mateo **lava** los platos todos los días.	Mateo **washes** the dishes every day.

5. Reflexive pronouns can also be used to indicate *reciprocal actions*.

Roque y Rocío **se cortan** el pelo.	Roque and Rocío **cut each other's** hair.

Cómo formarlo

Lo básico

- A *reflexive verb* is one in which the action described reflects back on the subject.
- A *reflexive pronoun* is a pronoun that refers back to the subject of the sentence. Reflexive pronouns in English are *myself, yourself, herself, ourselves,* etc.

1. You conjugate reflexive verbs the same way you would any other verb. The only difference is that you must always include the reflexive pronoun.

2. Here is the reflexive verb **lavarse** conjugated in the present indicative tense.

Video Tutorial

Flashcards

lavarse *(to wash oneself)*	
yo	<u>me</u> lav<u>o</u>
tú	<u>te</u> lav<u>as</u>
él / ella / Ud.	<u>se</u> lav<u>a</u>
nosotros(as)	<u>nos</u> lav<u>amos</u>
vosotros(as)	<u>os</u> lav<u>áis</u>
ellos / ellas / Uds.	<u>se</u> lav<u>an</u>

3. The only difference in the way that reflexive and non-reflexive verbs are conjugated is the addition of the reflexive pronoun to the verb form. Verbs that are irregular or stem-changing when used non-reflexively have the same irregularities or stem changes when used with a reflexive pronoun.

Me despierto a las seis y media.   *I wake (myself) up at 6:30.*
Despierto a mi esposo a las siete.   *I wake my husband up at 7:00.*

4. When you use a reflexive verb in its infinitive form, the reflexive pronoun may attach at the end of the infinitive (most common) or go at the beginning of the entire verb phrase.

Voy a acostarme a las once.   OR: **Me voy a acostar** a las once.
Necesito acostarme a las once.   **Me necesito acostar** a las once.
Tengo que acostarme a las once.   **Me tengo que acostar** a las once.

Notice that with **gustar** (and similar verbs), the reflexive pronoun *must* be attached at the end of the infinitive.

Me gusta acostarme a las once.

> Remember that when you use a reflexive verb as an infinitive, you still need to change the pronoun to match the subject of the sentence: **Voy a acostarme a las once, pero tú vas a acostarte a medianoche.**

5. Here are some common reflexive verbs, many of which refer to daily routine. Many reflexive verbs have a stem change, which is indicated in parenthesis.

acostarse (ue) *to go to bed*	**lavarse los dientes** *to brush one's teeth*
afeitarse *to shave oneself*	**levantarse** *to get up*
bañarse *to take a bath*	**maquillarse** *to put on makeup*
cepillarse el pelo *to brush one's hair*	**peinarse** *to brush / comb one's hair*
cepillarse los dientes *to brush one's teeth*	**ponerse (la ropa)** *to put on (clothing)*
despertarse (ie) *to wake up*	**prepararse** *to get ready*
ducharse *to take a shower*	**quitarse (la ropa)** *to take off (clothing)*
lavarse *to wash oneself*	**secarse el pelo** *to dry one's hair*
lavarse el pelo *to wash one's hair*	**sentarse (ie)** *to sit down*
	vestirse (i) *to get dressed*

Reflexive actions always carry the meaning *to oneself*. Reciprocal actions always carry the meaning *to each other*.

6. Some Spanish verbs are used with reflexive pronouns to emphasize a change in state or emotion. Spanish has many more verbs that are used this way than English does. Note that some of these verbs (**casarse, comprometerse,** etc.) are usually used to express reciprocal actions, due to the nature of their meaning.

casarse *to get married*	**irse** *to leave, to go away*
comprometerse *to get engaged*	**pelearse** *to have a fight*
despedirse (i) *to say goodbye*	**preocuparse** *to worry*
divertirse (ie) *to have fun*	**quejarse** *to complain*
divorciarse *to get divorced*	**reírse (i)** *to laugh*
dormirse (ue) *to fall asleep*	**reunirse** *to meet, to get together*
enamorarse *to fall in love*	**separarse** *to separate*
enfermarse *to get sick*	

Reunirse carries an accent on the **u** when conjugated: **se reúnen**

7. Here are some useful words and phrases to use with these verbs.

a veces	*sometimes*	**todas las semanas**	*every week*
antes	*before*		
después	*after*	**todos los días**	*every day*
luego	*later*	**... veces al día /**	*... times a day /*
nunca	*never*	**por semana**	*per week*
siempre	*always*		

>> Actividades

(14) **6 Necesito...** Para vernos y sentirnos bien, todos tenemos que hacer ciertas cosas antes o después de participar en ciertas actividades. Escucha las descripciones y escoge el dibujo que le corresponde a cada descripción.

MODELO:

1. _____

2. _____

3. _____

4. _____

5. _____

6. _____

7 **De visita** Estás de visita en la casa de tu compañero(a) y quieres saber más de la rutina diaria de él (ella) y de su familia. Hazle las preguntas de la lista y si quieres, también inventa otras.

MODELO: Tú: ¿A qué hora (acostarse) tus padres?
Tú: *¿A qué hora se acuestan tus padres?*
Compañero(a): *Mis padres se acuestan a las diez o las once de la noche.*

1. ¿Tú (lavarse) el pelo todos los días?
2. ¿Cuántas veces por semana (afeitarse) tu abuelo?
3. ¿(Despertarse) tarde o temprano tu madre?
4. ¿(Ducharse) por la mañana o por la noche tu hermano?
5. ¿(Maquillarse) tu hermana antes de salir para la universidad?
6. ¿A qué hora (dormirse) tu abuela?
7. ¿A qué hora (levantarse) tu padre?
8. ¿(Peinarse) antes de salir para el colegio tu primo?
9. ¿Cuántas veces por día (lavarse) los dientes tú y tus hermanos?

8 **La telenovela** Miguel y Marta son los protagonistas de una telenovela famosa. Tú eres el (la) guionista *(script writer)* y tienes que escribir una descripción del desarrollo de su relación. Sigue el modelo.

MODELO: divertirse en la fiesta de unos amigos
Miguel y Marta se divierten en la fiesta de unos amigos.

1. enamorarse después de un mes
2. comprometerse después de un año
3. casarse en la casa de los padres de Marta
4. pelearse frecuentemente
5. quejarse mucho a sus amigos
6. separarse por seis meses
7. divorciarse después de dos años de matrimonio
8. despedirse en el aeropuerto
9. irse a diferentes regiones del país
10. por fin reunirse

9 **Preguntas personales** Tú y tu compañero(a) quieren saber más sobre sus vidas. Háganse las siguientes preguntas. Luego, inventen cinco preguntas más que usen los verbos de la rutina diaria o los otros verbos reflexivos en las páginas 157–158.

1. ¿A qué hora te acuestas durante la semana? ¿Los fines de semana?
2. ¿A qué hora te levantas durante la semana? ¿Los fines de semana?
3. ¿Te preocupas mucho por tus estudios?
4. ¿Cuántas veces por semana te reúnes con tus amigos?
5. ¿...?
6. ¿...?
7. ¿...?
8. ¿...?
9. ¿...?

Interactive Practice /
Ace the Test

Gramática útil ❸

Describing actions in progress: The present progressive tense

Las fotos. ¿**Estás viendo** las fotos?

Cómo usarlo

1. The present progressive tense is used in Spanish to describe actions that are in progress at the moment of speaking. It is equivalent to the *is / are + -ing* structure in English.

En este momento **estamos llamando** a los abuelos.	*Right now,* **we are calling** the (our) grandparents.
Están comiendo ahora.	**They are eating** *right now.*

2. Note that the present progressive tense is used *much* more frequently in English than it is in Spanish. Whereas in English it is used to describe future plans, in Spanish the present indicative or the **ir** + **a** + infinitive structure is used instead.

Salimos con la familia este viernes.	**We are going out** with the family this Friday.
Vamos a salir con la familia este viernes.	**We are going to go out** with the family this Friday.

3. Use the present progressive in Spanish only to describe actions in which people are engaged at the moment. Do not use it to describe routine ongoing activities (use the present indicative), to describe generalized action (use the infinitive), or to describe future actions.

Right now:	No puedo hablar. **Estamos estudiando.**	*I can't talk.* **We're studying** *(right now).*
BUT:		
Routine:	**Estudio** español, biología, historia e informática.	**I am studying / I study** *Spanish, biology, history, and computer science.*
Generalized action:	**Estudiar** es importante.	**Studying** *is important.*
Future:	**Estudio** con Mario el lunes.	**I will study** with Mario *on Monday.*

 Video Tutorial

 Flashcards

Cómo formarlo

> **Lo básico**
>
> A *present participle* is the verb form that expresses a continuing or ongoing action. It is equivalent to the *-ing* form in English.

1. Form the present progressive tense by using the present indicative forms of the verb **estar** (which you learned in **Chapter 4**) and the present participle.

> **estoy / estás / está / estamos / estáis / están** + present participle

2. Here's how to form the present participle of regular **-ar**, **-er**, and **-ir** verbs.

-ar verbs	-er / -ir verbs
Remove the **-ar** from the infinitive and add **-ando**.	Remove the **-er / -ir** from the infinitive and add **-iendo**.
caminar → **caminando**	ver → **viendo** escribir → **escribiendo**

Estamos caminando al centro.   *We're walking* downtown.
Estoy viendo la televisión.   *I'm watching* television.
Chali **está escribiendo** su trabajo.   Chali *is writing* her paper.

3. A few present participles are irregular.

leer: **leyendo**   oír: **oyendo**

4. All **-ir** stem-changing verbs show a stem change in their present participle as well.

e → i			
despedirse	**despidiéndose**	reírse	**riéndose**
divertirse	**divirtiéndose**	repetir	**repitiendo**
pedir	**pidiendo**	servir	**sirviendo**
o → u			
dormir	**durmiendo**	morir	**muriendo**

5. As you may have noticed in the list above, to form the present participle of reflexive verbs, you may attach the reflexive pronoun to the end of the present participle, or place it before the entire verb phrase, the same as when you use reflexive verbs in the infinitive. Note that when the pronoun is attached, the new present participle form requires an accent to maintain the correct pronunciation.

Lina **está levantándose** ahora mismo.   Lina *is getting up* right now.
Lina **se está levantando** ahora mismo.

Estoy divirtiéndome mucho.   *I'm having* a lot of *fun*.
Me estoy divirtiendo mucho.

>> Actividades

10 **¿Qué están haciendo?** Básandote en los dibujos, pregúntale a un(a) compañero(a) qué está haciendo la persona del dibujo. Menciona la profesión de la persona también.

MODELO: camarero (servir la comida)
Tú: *¿Qué está haciendo el camarero?*
Compañero(a): *Está sirviendo la comida.*

1. la profesora **2.** la médica **3.** la programadora **4.** el cocinero **5.** la asistente **6.** la actriz

Ahora, digan qué están haciendo el (la) profesor(a) y sus compañeros de clase en este momento.

MODELOS: *Alberto está comiendo algo.*
La profesora está hablando con un estudiante.

> You might want to write down the infinitive verb forms for each person as you listen to the telephone conversation the first time. Then you can write out the sentences after.

11 **Preparaciones** La familia González va a una boda *(wedding)* y todos están preparándose. Escucha la conversación telefónica de un miembro de la familia y escribe qué está haciendo cada persona mencionada. Usa la forma del modelo.

MODELO: la prima
La prima está peinándose.

1. el padre
2. la madre
3. el hermano
4. la hermana
5. los abuelos
6. las tías

12 **¡Imagínense!** Trabaja con un(a) compañero(a) de clase. Juntos hagan una lista de diez personas famosas. Luego, digan qué (en su opinión) están haciendo en este momento. Escriban por lo menos dos frases para cada persona. ¡Sean creativos!

13 **¡Chismosos!** Ahora, intercambien sus frases de la **Actividad 12** con las de otra pareja. Juntos escriban una columna de chismes *(gossip)* para una revista semanal. Traten de escribir de una manera interesante y descriptiva. Pueden incluir dibujos de las personas, si quieren.

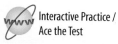
Interactive Practice /
Ace the Test

:) Sonrisas

//////////////////////////////////

●● **Expresión** Trabaja con un(a) compañero(a) de clase para imaginar cómo es el día de un presidente de una compañía internacional (o de otra profesión). ¿Cuál es su rutina diaria? Hagan un horario de un día típico.

MODELO: *Son las ocho de la mañana. Está preparándose para una reunión.*

¡Explora y exprésate!

Exploraciones culturales

Honduras y El Salvador

Países diversos Mira los grupos de textos y fotos que describen varios aspectos de Honduras y El Salvador. Luego, di si las siguientes oraciones se refieren a la información del Grupo **1, 2, 3 o 4**.

¿Adivinaste? Answers to the questions on page 141: 1. Honduras y El Salvador 2. Honduras 3. El Salvador 4. Honduras 5. El Salvador

Grupo	Oración
	1. Esta cultura es un ejemplo de una población afro-hispana.
	2. Muchos edificios de origen español todavía existen en Honduras y El Salvador.
	3. Hay mucha diversidad étnica en El Salvador y Honduras.
	4. Las catedrales de Centroamérica son un símbolo de la fe católica.
	5. Esta ciudad maya es un descubrimiento importante.
	6. Esta cultura también existe en Nicaragua y Belice.
	7. Este sitio tiene más de 1.400 años.
	8. Los amerindios son descendientes de los nativos originales de Centroamérica.

Grupo 1
¿Quiénes son los garífunas?

Los garífunas son de ascendencia africana, arauaca e indio-caribe. Sus antepasados, exiliados de la isla de San Vicente en 1797, viajaron a la costa Atlántica de Belice, Honduras y Nicaragua. Como no son descendientes de esclavos *(slaves)*, la mayor parte de su cultura está intacta, incluso su música y arte tradicionales. Ahora cambios políticos, reformas territoriales, desastres naturales y la economía comienzan a influenciar a la comunidad garífuna.

Una mujer garífuna

Grupo 2
Un monumento maya

Joya de Cerén, un Monumento de la Humanidad de la UNESCO en El Salvador, es un descubrimiento de gran importancia. Es un pueblo *(town)* entero sepultado en el siglo VII por una erupción volcánica.

Como una Pompeya americana, Joya de Cerén es de inestimable valor arqueológico e histórico. Como no sabemos mucho de la vida cotidiana de los mayas, este sitio presenta una oportunidad inigualable para aprender algunos de los secretos de la cultura maya.

Joya de Cerén, El Salvador

164 Capítulo 5

Grupo 3
Diversidad étnica

En Centroamérica hay cuatro grupos étnicos principales:

1. Amerindios, descendientes directos de las culturas indígenas de la región.

2. Caucásicos, descendientes de colonizadores europeos o inmigrantes más recientes.

3. Afro-hispanos, descendientes de africanos negros.

4. La mezcla de varios grupos: mestizos (descendientes de europeos blancos y amerindios), mulatos (descendientes de europeos y africanos) y zambos (descendientes de africanos y amerindios).

Unos niños en una escuela hondureña

Grupo 4
La herencia colonial

Es posible ver muchas influencias de la época colonial española por toda Centroamérica. En Honduras y El Salvador, este período empieza en el siglo XVI y termina con la independencia en el siglo XIX. Las iglesias y catedrales son ejemplos muy típicos de la arquitectura colonial. Estos edificios abundan porque la idea de convertir a las poblaciones indígenas al catolicismo fue *(was)* muy importante para los colonizadores españoles.

La arquitectura colonial

>> ¡Conéctate!   **Web Links / Web Search**

Interactive Practice

Práctica El Salvador y Honduras son dos países bastante similares, pero también existen muchas diferencias. Con un grupo de tres a cinco estudiantes, hagan un informe que compare los dos países con relación a uno de los siguientes temas. Usen los enlaces sugeridos en el sitio web de *Nexos* para ir a otros sitios web posibles.

Temas posibles

- origen étnico
- museos y atracciones culturales
- industrias principales
- atracciones naturales y geográficas
- deportes

MODELO: *En Honduras hay....*
En El Salvador también hay... O: Pero en El Salvador hay...

>>Tú en el mundo hispano

Para explorar oportunidades de usar el español para estudiar o hacer trabajos voluntarios o aprendizajes en Honduras y El Salvador, sigue los enlaces en el sitio web de *Nexos*.

♪ Ritmos del mundo hispano

Para escuchar música de Honduras y El Salvador, sigue los enlaces en el sitio web de *Nexos*.

A leer

Antes de leer

1 Mira otra vez la información del **Grupo 1** de **Exploraciones culturales** (pág. 164). Luego, completa las siguientes oraciones sobre la cultura garífuna.

1. La cultura garífuna es bastante antigua. Tiene aproximadamente... años.
   - a. 350
   - b. 250
   - c. 200
   - d. 150

2. Los garífunas son de origen...
   - a. español
   - b. europeo
   - c. africano
   - d. latinoamericano

3. Los garífunas todavía tienen su propia...
   - a. economía
   - b. grupo legislativo
   - c. país
   - d. cultura

2 Hay varias palabras que no conoces en el artículo. Trabaja con un(a) compañero(a) de clase para familiarizarse con algunas de las palabras y frases más importantes. Usen los cognados en negrilla (**boldface**) para relacionar las frases en inglés a la derecha (*right*) con las palabras y frases españolas a la izquierda (*left*).

1. _____ a las **culturas** que los rodeaban

2. _____ querían que los dejaran en **paz**

3. _____ están **separados** por fronteras **nacionales**

4. _____ se mantienen... **unidos**

5. _____ los **antecesores** han legado

6. _____ han permanecido fieles a su **pasado**

a. *the **ancestors** have left to them*

b. *they maintain themselves **united***

c. *they are **separated** by **national** borders*

d. *have remained faithful to their **past***

e. *to the **cultures** that surround them*

f. *they wanted to be left in **peace***

Lectura

3 Ahora lee el siguiente artículo sobre la cultura garífuna de Centroamérica. Presta atención en particular a las frases en negrilla. Éstas son importantes para entender la sección. Después de cada sección, vas a tener la oportunidad de ver si entiendes bien las ideas principales.

La cultura garífuna

Durante siglos[1] los garífunas, que constituyen un grupo étnico disperso a lo largo de las costas de cinco países, **se han mantenido apartados[2] de los demás pueblos[3].** Desde el principio, sus antepasados **no buscaron[4]** conquistar ni asimilarse a las culturas que los rodeaban. Sólo querían que los dejaran en paz. En la actualidad[5], alrededor de 200.000 garífunas viven en Honduras, unos 15.000 en Belice, 6.000 en Guatemala y otros pocos miles en las islas de Barlovento de Nicaragua. **Aunque están separados por fronteras nacionales, los garífunas se mantienen no obstante unidos** en su determinación por preservar su cultura, rica en influencias africanas y americanas.

¿Cierto o falso?

1. Los garífunas querían (wanted to) asimilarse a otras culturas.
2. Hay pueblos garífunas en Honduras, Belice, Guatemala y Nicaragua.
3. La cultura garífuna es rica en influencias europeas.

Las comunidades garífunas **conservan celosamente[6] su arte, su música, sus artesanías y sus creencias religiosas,** que en conjunto[7] constituyen una forma de vida muy particular. Los antecesores han legado a los garífunas su **música característica, que incorpora canciones y ritmos africanos y americanos,** y un **expresivo lenguaje** que contiene elementos arauacos y caribes —los idiomas originales de los indios caribes— y yoruba, una lengua proveniente de África Occidental. Los garífunas **han permanecido fieles a su pasado.**

¿Cierto o falso?

4. Mantener las tradiciones del arte, de la música y de las creencias religiosas es muy importante para los garífunas.
5. La música garífuna tiene elementos africanos y europeos.
6. La lengua garífuna tiene elementos de lenguas caribes y de una lengua africana.

A través de[8] los siglos, los garífunas sin duda han mantenido el fuego[9] de su vida cultural. En la actualidad, **la libre práctica de sus antiguas tradiciones asegura el conocimiento de su singular historia** y contribuye a acrecentar[10] la riqueza cultural de los países que los albergan[11], compartiendo las sagradas creencias y las ricas expresiones artísticas de sus orgullosos[12] antepasados.

¿Cierto o falso?

7. En realidad, los garífunas no pueden conservar sus tradiciones antiguas.
8. Los garífunas hacen contribuciones culturales a los países donde viven.

Check yourself: 1. F 2. C 3. F 4. C 5. F 6. C 7. F 8. C

[1]*centuries* [2]**se han...** *they kept themselves separate* [3]*grupos étnicos* [4]**no buscaron** *did not seek to* [5]**En...** *Hoy, Ahora mismo* [6]*jealously* [7]**en conjunto** *como un grupo* [8]**A...** *Across, Throughout* [9]*fire* [10]*to strengthen, increase* [11]**los albergan** *shelter them* [12]*proud*

Después de leer

4 Ahora que entiendes las ideas principales de las secciones del artículo, trabaja con un(a) compañero(a) de clase. Lean los párrafos otra vez y luego contesten las siguientes preguntas.

1. ¿Qué país centroamericano tiene la población más grande de garífunas?
2. ¿Cómo es la lengua garífuna?
3. ¿Cómo es la música garífuna?

5 En grupos de tres o cuatro estudiantes, identifiquen a uno o dos grupos culturales de Estados Unidos o de otros países que mantienen sus tradiciones y costumbres diferentes de las de sus países de residencia. En su opinión, ¿hay beneficios de mantenerse aislados? ¿Hay desventajas (*disadvantages*)?

Interactive Practice

Voces de la comunidad

Web Links

NAME Gloria G. Rodríguez

66 Essentially, to be Hispanic is to value children. . . . Rarely are children as welcomed and visible with adults as in the Latino culture. Indeed, los hijos son la riqueza de los padres, son nuestro gran tesoro. 99

La doctora Gloria G. Rodríguez es fundadora de Avance, una organización que ayuda a familias latinas pobres con niños pequeños. Originado en San Antonio, Texas en 1973, el programa de Rodríguez actualmente se implementa en 26 estados del país. En su libro, *Raising Nuestros Niños: Bringing Up Latino Children in a Bicultural World,* Rodríguez explica la filosofía de Avance así:

Los padres tienen la esperanza y el deseo, hope and desire, that their children succeed, and that they feel un gran orgullo, a great sense of pride, when they do. Esta esperanza y orgullo de los padres, this hope and pride, become tremendous driving forces for Latino parents (p. 3).

Esta mexicana-americana de orígenes muy pobres es ganadora de muchos premios y reconocimientos, incluyendo el "Distinguished Service to Education Award" de la National Association of Elementary School Principals y el Hispanic Heritage Award.

¿Qué papel juega la familia en la educación de los niños? ¿Es importante tu familia en tu vida estudiantil?

A escribir
Antes de escribir

> ### Estrategia
> **Writing—Creating a topic sentence**
> When you write, it's important to know what information you want to convey. Once you have chosen a topic, you should write a topic sentence that describes succinctly but completely the key ideas in each paragraph.
> In the reading section, you looked for the main idea while reading. Usually it is expressed by the topic sentence. A good paragraph always contains a topic sentence that communicates the main idea and supporting detail to back it up.

1 Con un(a) compañero(a) de clase, miren el artículo en la página 167. Analicen cada párrafo para identificar la oración que mejor presente la idea principal del párrafo. Ésta es la **oración temática.**

MODELO: *Durante siglos los garífunas, que constituyen un grupo étnico disperso a lo largo de las costas de cinco países, se han mantenido apartados de los demás pueblos.*

2 Vas a escribir unas oraciones temáticas para una composición sobre tu profesión futura. Primero, limita el tema a un aspecto específico que puedes describir en tres párrafos. Después, piensa en tres párrafos que puedes escribir sobre tu tema y escribe una oración temática para cada uno. Sigue el modelo.

> For extra help, refer to the writing techniques in the **A escribir** section in Chapter 4 of the *Student Activities Manual.*

MODELO: **Tema:** *Las profesiones*
Aspecto específico del tema que vas a tratar: *La profesión que quiero tener en el futuro*
Párrafo 1: Description of what the profession is
Oración temática: *Me interesa el diseño gráfico.*
Párrafo 2: Reason you want to have this profession
Oración temática: *Me gusta esta profesión porque me interesa el arte y también me gusta trabajar en la computadora.*
Párrafo 3: What you need to do to prepare yourself for this profession
Oración temática: *Para prepararme, necesito tomar una combinación de cursos de diseño gráfico, de arte, de periodismo, de negocios y de computación.*

Composición

3 Usando las oraciones temáticas de la **Actividad 1** como modelo, escribe tres oraciones temáticas para tu composición. Usa la organización que se presenta en la **Actividad 2** para ayudarte a organizar tus ideas.

Después de escribir

4 Mira tu borrador otra vez. Usa la siguiente lista para revisarlo.

- ¿Tienen tus oraciones temáticas toda la información necesaria?
- ¿Corresponden los sujetos de las oraciones a los verbos correctos?
- ¿Corresponden las formas de los artículos, los sustantivos y los adjetivos?
- ¿Usas correctamente los verbos reflexivos y los verbos irregulares?

 Interactive Practice

Vocabulario

La familia nuclear *The nuclear family*

la madre (mamá)	mother
el padre (papá)	father
los padres	parents
la esposa	wife
el esposo	husband
la hija	daughter
el hijo	son
la hermana (mayor)	(older) sister
el hermano (menor)	(younger) brother
la tía	aunt
el tío	uncle
la prima	female cousin
el primo	male cousin
la sobrina	niece
el sobrino	nephew
la abuela	grandmother
el abuelo	grandfather
la nieta	granddaughter
el nieto	grandson

La familia política *In-laws*

la suegra	mother-in-law
el suegro	father-in-law
la nuera	daughter-in-law
el yerno	son-in-law
la cuñada	sister-in-law
el cuñado	brother-in-law

Otros parientes *Other relatives*

la madrastra	stepmother
el padrastro	stepfather
la hermanastra	stepsister
el hermanastro	stepbrother
la media hermana	half-sister
el medio hermano	half-brother

Las profesiones y carreras
Professions and careers

el (la) abogado(a)	lawyer
el (la) asistente	assistant
el actor / la actriz	actor / actress
el (la) arquitecto(a)	architect
el (la) artista	artist
el (la) bombero(a)	firefighter
el (la) camarero(a)	waiter, waitress
el (la) carpintero(a)	carpenter
el (la) cocinero(a)	cook, chef
el (la) contador(a)	accountant
el (la) dentista	dentist
el (la) dependiente	salesclerk
el (la) diseñador(a) gráfico(a)	graphic designer
el (la) dueño(a) de...	owner of . . .
el (la) enfermero(a)	nurse
el (la) gerente de...	manager of . . .
el hombre / la mujer de negocios	businessman / businesswoman
el (la) ingeniero(a)	engineer
el (la) maestro(a)	teacher
el (la) mecánico(a)	mechanic
el (la) médico(a)	doctor
el (la) peluquero(a)	barber / hairdresser
el (la) periodista	journalist
el (la) plomero(a)	plumber
el (la) policía	policeman / woman
el (la) programador(a)	programmer
el (la) secretario(a)	secretary
el (la) trabajador(a)	worker
el (la) veterinario(a)	veterinarian

En el baño *In the bathroom*

el cepillo	hairbrush
el cepillo de dientes	toothbrush
el champú	shampoo
el desodorante	deodorant
el jabón	soap
el maquillaje	makeup, cosmetics
la máquina de afeitar	electric razor
la pasta de dientes	toothpaste
el peine	comb
la rasuradora	razor
la toalla	towel
la toalla de mano	hand towel

Verbos con la forma **yo** irregular

conducir (-zc)	*to drive; to conduct*
conocer (-zc)	*to know a person, to be familiar with*
dar (doy)	*to give*
decir (-g) (i)	*to say, to tell*
hacer (-g)	*to make; to do*
oír (oigo)	*to hear*
poner (-g)	*to put*
saber (sé)	*to know a fact, to know how to*
salir (-g)	*to leave; to go out (with)*
traducir (-zc)	*to translate*
traer (-go)	*to bring*
venir (-g) (ie)	*to come*
ver (veo)	*to see*

Verbos reflexivos

Acciones físicas *Physical actions*

acostarse (ue)	*to go to bed*
afeitarse	*to shave oneself*
bañarse	*to take a bath*
cepillarse el pelo	*to brush one's hair*
cepillarse los dientes	*to brush one's teeth*
despertarse (ie)	*to wake up*
dormirse (ue)	*to fall asleep*
ducharse	*to take a shower*
lavarse	*to wash oneself*
lavarse el pelo	*to wash one's hair*
lavarse los dientes	*to brush one's teeth*
levantarse	*to get up*
maquillarse	*to put on makeup*
peinarse	*to brush / comb one's hair*
ponerse (la ropa)	*to put on (clothing)*
prepararse	*to get ready*
quitarse (la ropa)	*to take off (clothing)*
secarse el pelo	*to dry one's hair*
sentarse (ie)	*to sit down*
vestirse (i)	*to get dressed*

Estados / emociones *States / emotions*

casarse	*to get married*
comprometerse	*to get engaged*
despedirse (i)	*to say goodbye*
divertirse (ie)	*to have fun*
divorciarse	*to get divorced*
enamorarse	*to fall in love*
enfermarse	*to get sick*
irse	*to leave, to go away*
pelearse	*to have a fight*
preocuparse	*to worry*
quejarse	*to complain*
reírse (i)	*to laugh*
reunirse	*to meet, to get together*
separarse	*to get separated*

Otros verbos

bañar	*to swim; to give someone a bath*
despertar (ie)	*to wake someone up*
lavar	*to wash*
levantar	*to raise, to lift*
manejar	*to drive*
quitar	*to take off*
secar	*to dry something*
vestir (i)	*to dress someone*

Otras palabras y expresiones

a veces	*sometimes*
antes	*before*
después	*after*
luego	*later*
nunca	*never*
siempre	*always*
todas las semanas	*every week*
... veces al día / por semana	*. . . times a day / per week*

Capítulo 6

¿Adónde vas?

La comunidad local

El mundo es cada día más pequeño. Los avances en las telecomunicaciones hacen posible el contacto casi inmediato con el resto del mundo. ¿Crees tú que los vecinos (neighbors), los barrios y los centros comerciales de nuestras comunidades locales todavía tienen importancia? ¿Por qué sí o por qué no? En este capítulo vas a explorar la importancia de la comunidad local y tu lugar en ella.

Estos jóvenes mexicanos se divierten paseándose por la calle.

Communication

By the end of this chapter you will be able to

- talk about means of transportation
- say where things are located
- talk about where you are and where you are going
- give directions
- agree and disagree
- indicate and talk about what you plan to buy
- make polite requests and commands
- refer to objects located close to you, farther away, and at a distance

Cultures

By the end of this chapter you will have learned about

- Mexico
- the indigenous populations of Mexico
- linguistic diversity in the Spanish-speaking world
- specialty stores and supermarkets
- where Mexico City teens go to have fun

¿Me puede decir dónde queda el Centro Comercial Paco?

Sí, señora, ¡con mucho gusto!

❯ Los datos

Mira la información de los gráficos sobre México y sus diversos idiomas. Luego contesta las preguntas.

❶ ¿Qué porcentaje de la población mexicana habla una lengua indígena?

❷ ¿Cuál es la lengua indígena con el mayor (*greatest*) número de hablantes?

❸ ¿Cuál de las siguientes oraciones describe mejor las lenguas indígenas de México?

    a. La mayoría de la población mexicana habla maya.

    b. Hay muchos grupos indígenas, cada uno con su propio (*own*) idioma.

    c. No hay muchos idiomas indígenas en México.

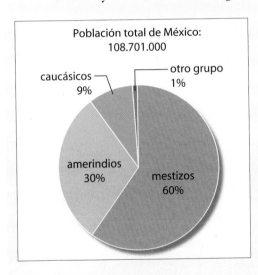
Población total de México: 108.701.000

caucásicos 9%
otro grupo 1%
amerindios 30%
mestizos 60%

Porcentaje de la población mexicana que habla lenguas indígenas: 5,6% (más de 6.000.000 personas)

otras lenguas indígenas 35,0%
Náhuatl 22,9%
Maya 12,6%
Mixteco 7,0%
Zapoteco 6,8%
Tzeltal 6,2%
Tzotzil 5,5%
Otomí 4,0%

❯ ¡Adivina!

¿Qué sabes de México? (Las respuestas están en la página 196.) Di si las siguientes oraciones son ciertas o falsas.

❶ D.F. se refiere al Distrito Federal, otro nombre para la Ciudad de México.

❷ México se divide en estados, como Estados Unidos.

❸ La geografía de México es más o menos igual por todas partes del país.

❹ México tiene dos penínsulas grandes.

❺ México es la cuna (*cradle*) de dos civilizaciones indígenas prehispánicas muy importantes: la maya y la inca.

Río Grande
MÉXICO
Golfo de México
Ciudad de México ★
OCÉANO PACÍFICO

¡Imagínate!

Vocabulario útil ①

SERGIO: Oye, ¿adónde vas con tanta prisa?

JAVIER: Primero tengo que ir al gimnasio, y después al **centro estudiantil.**

SERGIO: Pero, ¿por qué la prisa, hombre?

JAVIER: Después del centro estudiantil, tengo que ir al **banco** a sacar dinero y después al **súper** para comprar la comida para la cena.

En la universidad

las canchas de tenis

la piscina

la pista de atletismo

la cancha/el campo de fútbol

el centro estudiantil

el auditorio

el estadio

el dormitorio/ la residencia estudiantil

el edificio

En la ciudad o en el pueblo

el aeropuerto	*airport*	la joyería	*jewelry store*
el almacén	*department store*	el mercado	*market*
el apartamento	*apartment*	el museo	*museum*
el banco	*bank*	la oficina	*office*
el barrio	*neighborhood*	la oficina de correos	*post office*
el cajero automático	*automated teller machine (ATM)*	la papelería	*stationery store*
		el parque	*park*
la casa	*house*	la pizzería	*pizzeria*
el centro comercial	*mall*	la plaza	*plaza*
el cine	*cinema*	el restaurante	*restaurant*
el cuarto	*the room*	el supermercado	*supermarket*
la estación de trenes / autobuses	*train / bus station*	el teatro	*theater*
		la tienda...	*store*
el estacionamiento	*parking lot*	...de música	*music store*
la farmacia	*pharmacy*	...de ropa	*clothing store*
el hospital	*hospital*	...de videos	*video store*
la iglesia	*church*	el (la) vecino(a)	*neighbor*

www Flashcards

>> Actividades

1 **¿Dónde está Javier?** Javier necesita varias cosas. ¿Dónde está él? Escoge de los lugares en la tercera columna.

1.

2.

a. la papelería

b. el cajero automático

3.

4.

c. el supermercado

d. la farmacia

5.

6.

e. la oficina de correos

f. la tienda de música

> Many of the places in the city are cognates. Cover the second and fourth columns in the lists above and try to identify as many as you can without looking at the English translation.
>
> Other places of worship beside **la iglesia** are: **la sinagoga, el templo, la mezquita** *(mosque)*.

2 **En la ciudad** Indica adónde debe ir cada persona, según lo que quiere hacer o comprar. ¡No te preocupes si no entiendes todas las palabras!

1. —Es hora de comer. Tengo muchas ganas de comerme una pizza enorme.
2. —¿Escuchaste el último disco compacto de Albita? ¡Es fenomenal! Tengo que comprar ese CD.
3. —No puedo hacer las compras todavía. Primero necesito ir a sacar dinero.
4. —El doctor dice que necesito esta medicina para controlar mi alergia.
5. —No quiero cocinar en casa. Quiero salir a comer.
6. —Necesito comprar unos cuadernos y bolígrafos para mi clase de literatura.
7. —¿Qué te parece si alquilamos unos DVDs para ver después de la cena?

3 **¿Adónde van?** Habla con varios compañeros. ¿Adónde van? ¿Qué van a hacer en ese sitio? También diles adónde vas tú y por qué vas allí.

MODELO: Tú: *¿Adónde vas?*
Compañero(a): *Voy al dormitorio.*
Tú: *¿Qué vas a hacer allí?*
Compañero(a): *Estoy cansado(a). Voy a descansar.*

Ideas posibles: cenar, cocinar, correr, dormir, estudiar, hacer la tarea, jugar (al) tenis / fútbol, levantar pesas, mirar televisión, nadar, trabajar

Interactive Practice / Ace the Test

In some varieties of Spanish, to indicate playing a sport, **jugar** is used with the preposition **a: jugar al tenis, jugar al fútbol.** Usage of **a** with **jugar** varies from region to region.

>> ¡Fíjate! >>

Web Links

La diversidad lingüística en el mundo de habla hispana

Todas las lenguas exhiben variaciones geográficas. El español de México no es exactamente igual al español de Puerto Rico ni al español de España. Estas variantes regionales de una lengua se llaman *dialectos*.

En general, el léxico o vocabulario es lo que más varía de una zona dialectal a otra en el mundo hispano. Por ejemplo, algunas de las palabras referentes a los medios de transporte exhiben variación dialectal: **carro, máquina, auto, automóvil** y **coche** se usan en diferentes zonas del mundo hispano. De la misma manera, **autobús, bus, guagua, colectivo, camión, ómnibus** y **micro** son diferentes maneras de referirse a *bus*.

La fonología o pronunciación del español también varía de una zona dialectal a otra. Por ejemplo, en algunos lugares del mundo hispano, la letra **s** se puede pronunciar con aspiración, como el sonido inicial de la palabra *hand*. En los dialectos que aspiran, la palabra **español** se pronuncia frecuentemente como [ehpañol].

Es importante recordar que las diferencias entre los dialectos del español son relativamente pocas. Por esta razón, dos hablantes del español de zonas dialectales muy distantes generalmente pueden comunicarse con facilidad.

Práctica ¿Puedes dar unos ejemplos de variación léxica dentro de EEUU o entre los países de habla inglesa del mundo?

Vocabulario útil ②

SERGIO:	¿Vas **en bicicleta**?
JAVIER:	No, voy **a pie**. Mi bici se desinfló. Bueno, adiós —¡me tengo que ir!

Medios de transporte

a pie	*on foot, walking*
en autobús	*by bus*
en bicicleta	*on bicycle*
en carro / coche / automóvil	*by car*
en metro	*on the subway*
en tren	*by train*
en / por avión	*by plane*

Flashcards

>> Actividades

4 **Para llegar...** Quieres llegar de un sitio a otro. ¿Cuál es la forma más lógica para llegar?

> In Mexico, **carro** is more commonly used than **coche**, and **camión** is more common for *bus* than **autobús**.

1. ¿Estoy en el dormitorio y quiero ir a la biblioteca. Voy...

   a. en avión.　　　　b. a pie.　　　　c. en tren.

2. Estoy en Los Ángeles y quiero ir a Nueva York. Voy...

   a. en bicicleta.　　　b. a pie.　　　　c. en avión.

3. Estoy en casa y quiero ir al parque qué está a dos millas de mi casa. Quiero hacer ejercicio. Voy...

   a. en bicicleta.　　　b. en tren.　　　　c. en autobús.

4. Estoy en la Calle 16 y quiero llegar a la Calle 112. Voy...

   a. en metro.　　　　b. en avión.　　　　c. a pie.

5. Estoy en la universidad y quiero visitar a mis padres. Tengo muchas cosas que llevar y quiero hacer muchas paradas *(make many stops)*. Voy...

   a. en bicicleta.　　　b. a pie.　　　　c. en carro.

5 **¿Vas a pie?** Tu compañero(a) tiene que ir a varios sitios. Pregúntale cómo piensa llegar a esos sitios. Inventa destinos lógicos para cada forma de transporte.

MODELO: Tú: *¿Cómo piensas ir a la fiesta de Carmen?*
Compañero(a): *Voy a ir en autobús.*

Interactive Practice / Ace the Test

1. 　2. 　3. 　4. 　5. 　6.

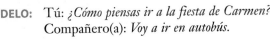

Vocabulario útil ③

DULCE: Pero, mujer, ¿adónde vas con tanta prisa?
CHELA: Quiero ir al gimnasio antes de **hacer las compras** en el supermercado.
DULCE: Pero si no es tarde, son sólo las tres.
CHELA: Ya sé, pero si me da tiempo, quiero ir a la **carnicería** para comprar unos **bistecs**.

Hacer las compras...

En la carnicería

CARNICERÍA

la salchicha
el jamón
el pavo
el bistec
la chuleta de puerco
el pollo

In Spanish-speaking countries, the ending **-ía** indicates a store that specializes in a certain product. It is clear what the store specializes in because the name of the store contains the product. Notice the names of stores that end in **-ía** in **Vocabulario útil 1**. Notice that the **í** always carries an accent. Can you name any other specialty stores that end this way?

En el supermercado
La comida

el queso
el pan
los huevos
la leche
los vegetales
las papitas fritas
los refrescos
las frutas
el yogur

Flashcards

>> Actividades

6 **En el barrio** Hoy en día, las tiendas especializadas como la carnicería y la panadería no son tan comunes como en el pasado. En las ciudades grandes es más típico ir a un supermercado grande para comprar todos los comestibles en un solo sitio. Los mercados y las tiendas especializadas no pueden competir con los precios de los supermercados más grandes, pero sí ofrecen la oportunidad de hablar con los vecinos y los vendedores en un ambiente agradable e íntimo. Formen grupos de cuatro. Contesten las siguientes preguntas y presenten sus respuestas a la clase.

1. ¿Dónde prefieres hacer las compras, en un supermercado o en pequeñas tiendas especializadas? ¿Por qué?

2. ¿Cuál es el mejor lugar cerca de la universidad para comprar pan? ¿Carne? ¿Fruta? ¿Vegetales?

3. ¿Comes carne? ¿Cuántas veces a la semana comes carne? ¿Dónde?

4. Si eres vegetariano(a), ¿comes mucha fruta y vegetales? ¿Dónde compras la fruta y los vegetales?

5. ¿Qué te importa más cuando haces las compras, el precio de los productos, su calidad *(quality)* o las personas que trabajan en la tienda?

6. ¿Crees que la idea de ir de compras a varias tiendas especializadas es más común en Estados Unidos o en Europa y otros países?

7 **Las compras** Formen grupos de cuatro. Cada persona en el grupo debe preparar una lista de las compras que tiene que hacer. Intercambien *(Exchange)* las listas entre el grupo. Túrnense para describir lo que cada persona quiere comprar. Después preparen recomendaciones para cada persona sobre dónde ir de compras.

MODELO: *Mark necesita comprar unas salchichas, pan, queso y unos refrescos. Mark debe ir a la carnicería para las salchichas y al supermercado para el pan, el queso y los refrescos.*

8 **El día de hoy** Formen grupos de tres. Cada persona debe preparar una descripción de sus hábitos de consumidor. Intercambien las descripciones y túrnense para leerlas en voz alta. El grupo tiene que adivinar a quién describe cada descripción.

MODELO: Descripción: *Nunca voy al supermercado porque prefiero comer en restaurantes como McDonalds y Burger King. Cuando invito a amigos a comer en casa, voy a una pizzería y compro todo lo que necesito.*
Grupo: *¡Es Mark!*

Web Search /
Interactive Practice /
Ace the Test

Antes de ver el video

1 Mira las fotos y las conversaciones en las páginas 174, 177 y 178. Luego completa las siguientes oraciones sobre las personas de las fotos.

1. Javier habla con Sergio. Javier va al _____.

2. Javier también tiene que ir al _____ y al _____.

3. Javier va a ir _____ porque su bicicleta se desinfló (*got a flat tire*).

4. Chela habla con Dulce. Chela va al _____, al _____ y, si tiene tiempo, a la _____.

2 Aquí hay una lista de frases que se usan en el video y que contienen palabras que no conoces. Trabaja con un(a) compañero(a) de clase para ver si pueden encontrar el equivalente correcto en inglés para cada una.

1. ____ Oye, ¿adónde vas con tanta **prisa**?

2. ____ Tal vez hoy es mi día de **suerte**.

3. ____ Nunca sabes cuándo vas a conocer a la persona de tus **sueños**.

4. ____ **Siga derecho** hasta aquella **esquina**.

5. ____ **En la esquina, doble a la derecha** y camine dos **cuadras**.

a. *You never know when you're going to meet the person of your **dreams**.*

b. *So, where are you going in such a **hurry**?*

c. *Perhaps today is my **lucky** day.*

d. ***At the corner turn (to the) right** and walk two **blocks**.*

e. ***Continue straight** until that **corner**.*

Estrategia

Watching facial expressions

As you learned in **Chapter 3,** watching body language can often help you understand what the characters in the video are saying and feeling. The same is true of watching facial expressions: a smile, a frown, a raised eyebrow, or a laugh. These gestures, combined with the actual words you hear, give you a more complete understanding of what the character is trying to express.

El video

Ahora mira el video para el **Capítulo 6** sin sonido. Pon mucha atencíon en las expresiones faciales de los personajes para ver si te ayudan a mejor entender lo que están diciendo. Después, mira el video de nuevo con el sonido puesto.

Después de ver el video

3 Completa la tabla siguiente para indicar si las expresiones faciales de estas personas contribuyen significativamente al sentido de lo que dicen. Si contestas que sí, indica qué emoción expresa cada expresión. (En algunos casos puede haber más de una emoción.)

Emociones posibles: aburrimiento (*boredom*), celos (*jealousy*), cólera (*anger*), humor, irritación, melancolía, curiosidad

	Sí	No	¿Qué emoción?
1. Javier: Primero tengo que ir al gimnasio y después al centro estudiantil.			
2. Sergio: Dicen que el supermercado es el lugar ideal para conocer a la mujer ideal.			
3. Dulce: ¿A la carnicería? ¿Viene alguna persona especial a cenar?			
4. Chela: Gracias. Nos vemos luego.			
5. Señora: Muchas gracias, joven.			
6. Javier: Siga derecho hasta aquella esquina.			
7. Sergio: Algún día, mi amigo, algún día.			
8. Chela: Sí, todavía sola.			

4 Ahora mira el video una vez más y pon las actividades de Javier y Chela en el orden correcto. Luego, contesta las siguientes preguntas. Mira el video una vez más para obtener toda la información si te es necesario.

Javier
_____ ir al banco
_____ ir al gimnasio
_____ ir al centro estudiantil
_____ ir al supermercado

Chela
_____ ir al gimnasio
_____ ir a la carnicería
_____ ir al supermercado

1. Según Sergio, el supermercado es el lugar ideal para conocer ¿a quién?

2. ¿Qué va a comprar Javier en el súper?

3. ¿Cómo va a ir Javier?

4. ¿Va alguien especial a la cena de Chela?

5. ¿Adónde quiere ir la mujer que le pide direcciones a Javier?

6. ¿Cuántas oportunidades de conocerse tienen Javier y Chela?

Interactive Practice /
Ace the Test

Gramática útil ①

Indicating location: Prepositions of location

En la última cuadra, **frente al** banco, va a ver el centro comercial.

 Video Tutorial

 Flashcards

Cómo usarlo

Use prepositions of location to say where something is positioned in relation to other objects, or where it is located in general.

La carnicería está **al lado del** supermercado.	*The butcher shop is **next to the** supermarket.*
La farmacia está **lejos de** aquí.	*The pharmacy is **far from** here.*
El restaurante está **frente a** la iglesia.	*The restaurant is **facing** the church.*
El café está **dentro del** almacén.	*The café is **inside** the department store.*

Cómo formarlo

1. Commonly used prepositions of location include the following.

al lado de	*next to, on the side of*	La farmacia está **al lado del** hospital.
entre	*between*	La farmacia está **entre** el hospital y la oficina de correos.
delante de	*in front of*	La joyería está **delante del** hotel.
enfrente de	*in front of, opposite*	La joyería está **enfrente del** hotel.
frente a	*in front of, facing, opposite*	La joyería está **frente al** hotel.
detrás de	*behind*	El hotel está **detrás de** la joyería.
debajo de	*below, underneath*	Los libros están **debajo de** la mesa.
encima de	*on top of, on*	El cuaderno está **encima de** los libros.
sobre	*on, above*	La comida está **sobre** la mesa.
dentro de	*inside of*	Las frutas están **dentro del** refrigerador.
fuera de	*outside of*	El pan está **fuera del** refrigerador.
lejos de	*far from*	El súper está **lejos de** la universidad.
cerca de	*close to*	La panadería está **cerca de** la universidad.

2. Since these prepositions provide information about *location*, they are frequently used with the verb **estar**, which, as you learned in **Chapter 4**, is used to say where something is located.

Usage of **enfrente de, delante de,** and **frente a** varies from country to country. However, they are more or less equivalent to each other.

Some of these prepositions can be used without the **de** as adverbs. For example, **El museo está cerca.**

Remember that when **de** or **a** follows a preposition of location, they combine with **el** to form **del** and **al: frente al hotel, dentro del refrigerador.**

>>Actividades

1 **¿Dónde está...?** Llegas a clase y te das cuenta de *(you realize)* que no tienes varias cosas que necesitas. Llama a tu compañero(a) de cuarto para pedirle que te traiga *(he or she bring)* las cosas que necesitas. Explícale a tu compañero(a) dónde están los siguientes objetos en tu cuarto. Usa las preposiciones en la lista.

al lado de   **sobre**   **debajo de**   **enfrente de**   **encima de**

1. los apuntes: la computadora
2. los cuadernos: la impresora
3. el diccionario de español: el escritorio
4. el MP3 portátil: el monitor
5. mi asistente electrónico: la mesa
6. mi mochila: el escritorio

Interactive Practice /
Ace the Test

2 **Treviño** En grupos de tres, estudien el mapa de Treviño. Luego, túrnense para describir dónde están situados por lo menos diez edificios o sitios. Usen las preposiciones en la página 182.

3 **Nuestro salón de clase** En grupos de tres, describan dónde están varios objetos en su salón de clase. Usen las preposiciones en la página 182.

4 **Nuestra universidad** Ahora, trabajen en grupos de tres a cinco para dibujar un mapa de su universidad. Incluyan por lo menos seis edificios principales. Luego, túrnense para describir la posición de uno de los edificios. El grupo tiene que adivinar qué edificio se describe.

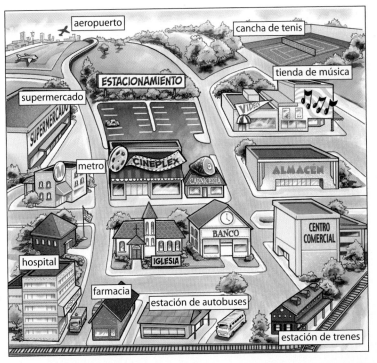

Gramática útil ❷

Telling others what to do:
Commands with **usted** and **ustedes**

Cómo usarlo

1. You have already been seeing command forms in direction lines. In Spanish, there are two sets of singular command forms, since there are two ways to address people directly (**tú** and **usted**). The informal commands, which you will learn in **Chapter 7,** are used with people you would address as **tú**. In this chapter you will learn formal commands, as well as plural commands with **ustedes**.

2. Command forms are not used as frequently in Spanish as they are in English. For example, in **Chapter 4** you learned that courteous, softening expressions are often used instead of commands: **¿Le importa si uso la computadora?** instead of **Déjeme** (*Let me*) **usar la computadora.**

3. However, one situation in which command forms are almost always used is in giving instructions to someone, such as directions to a specific location.

Siga derecho hasta la esquina. Allí **doble** a la izquierda.	**Continue** straight ahead until the corner. **Turn** left there.
Camine tres cuadras hasta llegar a la farmacia. Allí **doble** a la derecha y **cruce** la calle. La carnicería está al lado del banco.	**Walk** three blocks until you arrive at the pharmacy. There, **turn** right and **cross** the street. The butcher shop is next to the bank.

Mira este anuncio mexicano para un servicio de televisión. ¿Puedes encontrar los dos mandatos formales?

Cómo formarlo

 Video Tutorial

 Flashcards

Lo básico

A *command* form, also known as an *imperative* form, is used to issue a direct order to someone you are addressing: ***Vaya** a la esquina y **doble** a la derecha.* (*Go to the corner and **turn** right.*)

1. Study the following chart that shows the singular formal (**usted**) and plural (**ustedes**) command forms of the verb **seguir** (*to go, to follow*).

	Singular	Plural
affirmative	**siga**	**sigan**
negative	**no siga**	**no sigan**

2. Here are the rules for forming the **usted** and **ustedes** command forms of most verbs. These are true for the affirmative and negative commands.

- Take the **yo** form of the verb in the present indicative. Remove the **-o** and add **-e** for **-ar** verbs or **-a** for **-er / -ir** verbs, to create the **usted** command.

poner: → pongo → pong- + -a → **ponga**

- Add an **-n** to the **usted** command form to create the **ustedes** command.

ponga → **pongan**

> By using the **yo** form of the present indicative, you have already incorporated any irregularities in the verb. Now they automatically carry over into the command form.

infinitive	yo form minus the -o ending	plus -e / -en for -ar verbs OR -a / -an for -er / -ir verbs	usted / ustedes command forms
hablar	habl-	+ -e / -en	**hable / hablen**
pensar	piens-	+ -e / -en	**piense / piensen**
tener	teng-	+ -a / -an	**tenga / tengan**
decir	dig-	+ -a / -an	**diga / digan**
escribir	escrib-	+ -a / -an	**escriba / escriban**
servir	sirv-	+ -a / -an	**sirva / sirvan**

3. A few command forms require spelling changes to maintain the original pronunciation of the verb.

- verbs ending in **-car:** change the **c → qu:**

buscar: → busco → busque / busquen

- verbs ending in **-zar:** change the **z → c:**

empezar: → empiezo → empiece / empiecen

- verbs ending in **-gar:** change the **g → gu:**

pagar: → pago → pague / paguen

4. A few verbs have irregular **usted** and **ustedes** command forms.

dar	**dé / den**
estar	**esté / estén**
ir	**vaya / vayan**
saber	**sepa / sepan**
ser	**sea / sean**

5. When you use command forms of reflexive verbs, you attach the reflexive pronoun to the *end* of *affirmative* **usted / ustedes** commands, and place it *before negative* **usted / ustedes** commands. A written accent is added to the stressed syllable of the affirmative command form in order to retain the original pronunciation.

Prepárese para una sorpresa.   ***Prepare yourself*** for a surprise.
No se ponga nervioso.   ***Don't get*** nervous.

6. Here are some useful words and phrases, some of which you already know, to use when giving directions. Remember, you will be using **usted** and **ustedes** command forms in this situation since you are talking to people you don't know.

¿Me puede decir cómo llegar a...?   Can you tell me how to get to . . . ?
¿Me puede decir dónde queda...?   Can you tell me where . . . is located?
Cómo no. Vaya...   Of course. Go . . .
   ...a la avenida...   . . . to the avenue . . .
   ...a la calle...   . . . to the street . . .
   ...a la derecha   . . . to the right
   ...a la esquina   . . . to the corner
   ...a la izquierda   . . . to the left
   ...dos cuadras   . . . two blocks
   ...(todo) derecho   . . . (straight) ahead

bajar (baje)   to get down from, to get off of (a bus, etc.)
caminar (camine)   to walk
cruzar (cruce)   to cross
doblar (doble)   to turn
seguir (i) (siga)   to continue
subir (suba)   to go up, to get on

One commonly used command in Spanish is **¡Vamos!** *(Let's go!)*, which the speaker uses to refer to several people, including himself or herself. Because it includes the speaker in the action, it is used instead of an **ustedes** command form.

7. Because direct commands can sound very abrupt to Spanish speakers, sometimes it is better to soften your language. Here are some additional ways to make requests, but in a more courteous way. You can also soften any direct command by adding, **por favor** (*please*).

Me gustaría / Quisiera (+ infinitive)...	*I'd like (+ infinitive). . .*
Por favor, **¿me puede** (+ infinitive)**?**	*Please, can you (+ infinitive)?*
¿Pudiera usted (+ infinitive)**?**	*Could you (+ infinitive)?*

—Por favor, **me gustaría** comer en un restaurante bueno. ¿**Pudiera** recomendarme uno?
—Cómo no. El Farol del Mar es buenísimo.
—¡Perfecto! ¿**Me puede** decir si está lejos? **Quisiera** ir a pie, si es posible.
—Claro. ¿Sabe Ud. dónde está el museo? El restaurante está muy cerca.

>> Actividades

5 **Los anuncios** El campo de la publicidad hace uso frecuente de los mandatos formales para tratar de convencer al público que compre o use su producto. Completa los anuncios con mandatos, usando la forma de **usted** de los verbos entre paréntesis.

1. (abrir, poner, tener)

BANCO MUNDIAL $
____ una cuenta en Banco Mundial.
____ su dinero en nuestras manos.
____ confianza en nuestros profesionales.

2. (venir, cocinar, comprar)

SUPERMERCADO CENTRAL
____ al Supermercado Central para hacer las compras.
____ con la comida más fresca y más natural de la ciudad.
____ las comidas favoritas de sus hijos.

3. (esperar, llamar, servir)

PIZZERÍA ITALIA
No ____ .
____ al 555-6677 para ordenar su pizza.
____ la pizza más fresca y deliciosa en su propia casa en menos de treinta minutos.

4. (trabajar, venir, descubrir)

Restaurante París
Esta noche, no ____ en la cocina.
____ al Restaurante París para disfrutar de nuestro ambiente relajante y nuestro excelente servicio.
____ nuestra riquísima cocina francesa.

5. (levantar, hacer, recibir)

GIMNASIO LA SALUD
____ pesas en un ambiente agradable.
____ ejercicio todos los días para mantenerse en forma.
____ un relajante masaje después de su sesión de ejercicios.

6. (navegar, visitar, tomar, escribir)

CAFÉ CIBERESPACIO
____ por Internet.
____ con amigos.
____ un refresco.
¡____ e-mails a todos sus amigos!

6 **¡Niños!** Los padres también usan los mandatos con frecuencia al hablar con sus hijos. La señora Díaz tiene que salir esta noche. ¿Qué les dice a sus hijos? Indica sus mandatos con la forma de **ustedes.**

1. empezar la tarea al llegar a casa
2. apagar la computadora después de terminar la tarea
3. ser pacientes con la niñera (*babysitter*)
4. no abrir la puerta
5. no jugar fútbol dentro de la casa
6. no salir de la casa
7. no ir a visitar a sus amigos
8. no comer papitas fritas después de cenar
9. acostarse a las diez
10. cepillarse los dientes antes de acostarse
11. dormir bien
12. estar tranquilos

•• **7** **¡Compre, compre, compre!** Ahora, con un(a) compañero(a), escriban un anuncio comercial para la televisión. Usen el mandato formal con **usted** para convencer a su público. Presenten el anuncio a la clase.

•• **8** **¿Cómo llego?** Tu compañero(a) es turista y te pregunta cómo llegar a varios sitios. Dile cómo llegar y dile qué medio de transporte debe usar. Luego, haz tú el papel (*role*) del (de la) turista; tu compañero(a) te va a dar instrucciones. Pueden usar el mapa de la página 183, o pueden decirse cómo llegar a sitios en su comunidad.

1. el supermercado
2. el centro comercial
3. el metro
4. la estación de trenes

5. la estación de autobuses
6. la cancha de tenis
7. la oficina de correos
8. el banco

17 **9** **La oficina de correos** Escucha la conversación entre un señor y una señorita. La primera vez que escuches la conversación, apunta la información que vas a necesitar. Luego, escribe las instrucciones que le da la señorita al señor para llegar a la oficina de correos. Usa los siguientes verbos en tus oraciones.

1. caminar
2. doblar
3. seguir

4. cruzar
5. doblar
6. caminar

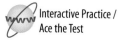
Interactive Practice /
Ace the Test

:) Sonrisas

Expresión En grupos de tres o cuatro personas, piensen en las órdenes que les gustaría dar a los profesores de la universidad. Luego, escriban una lista de sus ideas.

MODELO: *No den tarea para los fines de semana.*

Gramática útil ③
Affirming and negating:
Affirmative and negative expressions

Cómo usarlo

1. There are a number of words and expressions that are used to express affirmatives and negatives in Spanish. Notice that a double negative form is often used in Spanish, where it is hardly ever used in English.

No conozco a **nadie** aquí.   *I don't know anyone here.*
¿Conoces a **alguien** aquí?   *Do you know anyone here?*
No quiero ni este libro **ni** ése.   *I don't want this book or that one.*

2. Remember to use the personal **a** that you learned in **Chapter 5** when you refer to people.

No veo **a** nadie aquí.

 Video Tutorial

 Flashcards

Cómo formarlo

1. Here are some frequently used affirmative and negative words in Spanish. You have already learned some of these, such as **también, siempre,** and **nunca.**

alguien	*someone*	**nadie**	*no one, nobody*
algo	*something*	**nada**	*nothing*
algún / alguno (a, os, as)	*some, any*	**ningún / ninguno(a)**	*none, no, not any*
siempre	*always*	**nunca / jamás**	*never*
también	*also*	**tampoco**	*neither, not either*
o... o...	*either / or*	**ni... ni...**	*neither / nor*

2. Most of these words do not change, regardless of the number or gender of the words they modify. However, the words **alguno** and **ninguno** can also be used as *adjectives*. In this case, they must change to agree with the nouns they modify. Additionally, when they are used before a masculine noun they shorten to **algún** and **ningún**.

—¿Tienes **algún** libro sobre la informática?   *Do you have **a (any)** book about computer science?*
—No, no tengo **ningún** libro sobre ese tema. Pero tenemos **algunos** libros muy interesantes sobre la red mundial.   *No, I don't have **a (any)** book on that subject. But we do have **some** very interesting books about the World Wide Web.*
—No, gracias, ya tengo **algunas** revistas. ¿No tienes **ninguna** sugerencia sobre otros libros?   *No, thanks, I already have **some** magazines. You don't have **any** suggestions for other books?*

¿Viene **alguna** persona especial a cenar?

3. **Alguno** and **ninguno** can also be used as *pronouns* that replace a noun already referred to. In this case, they match the number and gender of the nouns they replace.

—¿Quieres estos **libros?**   *Do you want these **books?***
—No, gracias, ya tengo **algunos.**   *No, thanks, I already have **some.***
—¿No quieres una de estas **revistas?**   *Don't you want one of these **magazines?***
—No, no necesito **ninguna.**   *No, I don't need **any (one).***

> Notice that the plural forms of **ninguno** and **ninguna**—**ningunos** and **ningunas**—are hardly ever used.

4. Notice how in Spanish, unlike English, several negative words can be used in one sentence.

Nunca hay **nadie** aquí.   *There's **never anyone** here.*
Ni viene Laura **ni** Lorenzo **tampoco.**   ***Neither** Laura **nor** Lorenzo is coming **either.***

> Notice that when a negative word precedes the verb, the word **no** is not used: **Nadie viene.** However, when the negative word comes after the verb, you must use **no** directly before the verb: **No viene nadie.**

>> Actividades

10 **¡Yo también!** Un(a) amigo(a) está en tu casa y tú le explicas algunas cosas sobre los hábitos de tu familia. Él (Ella) dice que su familia es igual. Con un(a) compañero(a), improvisen esta situación. El (La) amigo(a) siempre usa **también** o **tampoco** en su respuesta.

MODELO: Tú: *Mis tíos nunca cenan antes de las ocho de la noche.*
              Amigo(a): *Mis tíos tampoco.*

1. Mis primos siempre se levantan temprano.
2. Mi abuelo nunca se viste informalmente.
3. Mi abuela siempre se viste elegantemente.
4. A mis padres les encanta salir a comer.
5. Mi hermana es fanática de la música rap.
6. A mis hermanos no les gusta levantarse temprano.
7. Yo siempre me baño y me visto elegantemente si voy a una fiesta.

Ahora describe los hábitos verdaderos de tu familia. Tu compañero(a) te dice si su familia es igual o no.

11 **El visitante** Un visitante pasa el fin de semana en tu casa. Te hace preguntas sobre tu barrio. Contesta sus preguntas en el negativo. Sigue el modelo.

MODELO: Escuchas: ¿Hay alguna estación de trenes en el barrio?
              Escribes: *No, no hay ninguna estación de trenes en el barrio.*

12 **Encuesta** Un encuestador te hace las siguientes preguntas. Primero, contesta la pregunta en afirmativo. Luego, contesta la pregunta en negativo. Usa las palabras entre paréntesis en tus respuestas.

MODELO: ¿Comes en la cafetería de la universidad? (siempre / nunca)
Sí, siempre como en la cafetería de la universidad.
No, nunca como en la cafetería de la universidad.

1. ¿Algunos de los estudiantes van a la biblioteca después de clase? (algunos / nadie)
2. ¿Te gusta comer algo antes de clase? (algo / nada)
3. ¿Hay algún cajero automático en la universidad? (algunos / ningún)
4. ¿Vas en metro a la universidad? (siempre / nunca)
5. ¿Hay alguna tienda de video cerca de la universidad? (algunas / ninguna)
6. ¿Estudias antes de clase o después de clase? (o... o... / ni... ni...)

13 **El fin de semana** Vas a pasar el fin de semana en casa de tu compañero(a). Le haces varias preguntas para determinar cómo vas a pasar el fin de semana. Escoge *(Choose)* ideas de la lista o inventa otras. Luego, cambia de papel *(role)* con tu compañero(a). Usa las palabras afirmativas y negativas que acabas de aprender en tus preguntas y tus respuestas.

Ideas posibles

divertido en la tele
comer en el refrigerador
libro de cocina mexicana
escritora mexicana preferida

revista de música popular
juego interactivo
disco compacto de Paulina Rubio
¿...?

MODELO: Tú: *¿Hay algo divertido en la tele?*
Compañero(a): *No, no hay nada divertido en la tele.*

Interactive Practice / Ace the Test

> ¿Te interesa trabajar en el campo del servicio público? ¿Por qué?

Voces de la comunidad

Web Links

19

NAME   Mel Martínez

66...nuestro papel como funcionarios públicos es buscar soluciones a los desafíos *(challenges)* que Estados Unidos enfrenta, como la inmigración, el cuidado de la salud, los impuestos *(taxes)*, el crecimiento económico... nuestra nación se enfrenta a desafíos continuos, y necesitamos un verdadero liderazgo a fin de encontrar soluciones que mejoren la vida de nuestro pueblo. **99**

Mel Martínez es Senador de los Estados Unidos y ex Secretario de Vivienda y Desarrollo Urbano *(Housing and Urban Development* [HUD]. Considerado uno de los legisladores más influyentes del país, Martínez representa a la Florida, un estado de mucha importancia electoral y también el lugar de residencia de la comunidad hispana más diversa del país. Como es el caso con muchos inmigrantes, la historia personal de Martínez es una de gran determinación y sacrificio. A los 15 años, escapó de Cuba sin sus padres y sin saber inglés. A pesar de esos obstáculos, logró licenciarse *(he managed to graduate)* en derecho por la Universidad Estatal de la Florida. Martínez practicó la abogacía por 25 años antes de entrar en la política.

Gramática útil ④
Indicating relative position of objects: Demonstrative adjectives and pronouns

Cómo usarlo

Demonstrative adjectives and pronouns are used to indicate *relative distance* from the speaker. **Este** refers to something that is very close to the speaker. **Ese** refers to something that is a little farther away. **Aquel** refers to something that is at a distance or *over there*. In everyday speech, **ese** and **aquel** are often used interchangeably.

1. Demonstrative adjectives:

    Esta casa es muy bonita. También me gusta **esa** casa. Pero **aquella** casa no me gusta nada.

    This house is very pretty. I also like *that* house. But I don't like *that* house *(over there)* at all.

2. Demonstrative pronouns:

    ¡Mira los edificios grandes! ¡**Éste** es grande, pero **ése** es aun más grande, y **aquél** es el más grande de los tres!

    Look at the big buildings! ***This one*** *is big, but* ***that one*** *is even bigger, and* ***that one (over there)*** *is the biggest of the three!*

Derecho hasta **aquella** esquina...

Cómo formarlo

 Video Tutorial

 Flashcards

> ### Lo básico
>
> A *demonstrative adjective* is used *with* a noun to point out a person or thing and to indicate distance. A *demonstrative pronoun* is used *instead of* a noun to point it out and indicate its distance from the speaker.

1. These are the forms for demonstrative adjectives and pronouns.

	Demonstrative adjectives	Demonstrative pronouns
this; these *(close to speaker)*	**este, esta; estos, estas**	**éste, ésta; éstos, éstas**
that; those *(farther from speaker)*	**ese, esa; esos, esas**	**ése, ésa; ésos, ésas**
that; those *(at a distance from the speaker)*	**aquel, aquella; aquellos, aquellas**	**aquél, aquélla; aquéllos, aquéllas**

> Although previously accents on demonstrative pronouns were required, the **Real Academia de la Lengua Española** has said they are not necessary. However, most Spanish speakers continue to use these accents, and for the purpose of clarity, so will this textbook.

2. Notice that both demonstrative adjectives and pronouns change to reflect gender and number. Demonstrative adjectives change to reflect the gender and number of the nouns they *modify*. Demonstrative pronouns change to reflect the gender and number of the nouns they *replace*.

3. The only difference between the forms of the demonstrative adjectives and the demonstrative pronouns is that the pronouns are often written with an accent.

4. These words are often used with demonstrative adjectives and pronouns to help indicate relative location.

aquí	*here* (often used with **este**)
allí	*there* (often used with **ese**)
allá	*over there* (often used with **aquel**)

5. **Esto** and **eso** are often used as neutral pronouns when referring to a concept or something that has already been said.

Eso es lo que dijo Séneca sobre la filosofía.	*That* is what Seneca said about philosophy.
Todo esto es muy interesante.	*All this* is very interesting.

>> Actividades

14 **¡Ayuda, por favor!** Completa las siguientes conversaciones con el pronombre o adjetivo demostrativo apropiado. Escoge de las palabras entre paréntesis.

1.   TÚ: Hola, ¿pudiera usted decirme cómo llegar a las canchas de tenis?

  HOMBRE: Cómo no. Siga usted (esta / aquella) calle aquí hasta (esta / esa) esquina allí, la esquina con la avenida Quintana. Luego vaya todo derecho hasta llegar a un parque muy grande. Las canchas de tenis están en (aquel / este) parque.

2.   TÚ: Buenos días. Por favor, ¿pudiera usted decirme cómo ir al aeropuerto?

  MUJER: Claro. Usted debe tomar (ese / aquel) autobús allí en la calle Francisco. A ver, tengo la ruta aquí en (aquella / esta) guía de autobuses.

    TÚ: Muy bien. Entonces, ¿(ese / este) autobús es el que necesito tomar?

  MUJER: Sí. (Este / Ese) autobús lo lleva directamente al aeropuerto.

3.   TÚ: Perdón. ¿Puede usted recomendar un restaurante bueno?

  HOMBRE: Seguro. (Éste / Aquél) que está aquí cerca es bastante bueno. Pero hay otro allí, mire, al otro lado de la calle, La Criolla. (Ése / Éste) sirve comida muy rica. Creo que (ése, aquél), La Criolla, es mi favorito.

4.   TÚ: Hola, busco la sección de música latina.

  MUJER: Muy bien. (Esas / Estas) cintas aquí son de música cubana. Allí, en la próxima sección, (esos / estos) discos compactos son de música mexicana. Y al otro lado de la tienda, allá, (estas / aquellas) cintas son de música andina.

    TÚ: ¿Y (esos / estos) discos compactos aquí?

  MUJER: ¿(Ésos / Aquéllos) allí? (Estos / Esos) discos compactos son de música flamenca.

15 En el mercado Con un(a) compañero(a) de clase, miren el dibujo de un mercado en México. ¿Qué quieren comprar? Hablen de las cosas que necesitan, usando los adjetivos y pronombres demostrativos correctos.

MODELO: Tú: *¿Qué quieres comprar? ¿Compramos ese queso?*
Amigo(a): *Sí, y también estas salchichas. ¿Qué más?*
Tú: *Aquellos huevos, ¿no crees?*

16 ¿Adónde vamos? Con un(a) compañero(a) de clase, hagan una lista de dos de los siguientes lugares. Incluyan sitios que están muy cerca de la universidad, un poco lejos y muy lejos.

restaurantes	museos	tiendas de música
cafés	tiendas de ropa	pizzerías

Ahora, hablen de los varios sitios de su lista, usando adjetivos y pronombres demostrativos.

MODELO: Tú: *¿Quieres ir al restaurante Chimichangas? Sirven comida mexicana.*
Amigo(a): *No, no me gusta ese restaurante. ¿Por qué no vamos a éste, McMurray's? Sirven comida estadounidense.*

Interactive Practice /
Ace the Test

Exploraciones culturales

México

Un país de contrastes Mira el mapa de las nueve zonas culturales de México, según la *Guía Michelín*. Luego, lee los textos en la página 197 y mira las fotos en la página 198. Finalmente, escribe el número del texto (T1, T2, T3, T4, T5) o de la foto (F1, F2, F3, F4) que corresponde a cada zona.

¿Adivinaste? Answers to the questions on page 173: 1. C 2. C 3. F 4. C 5. F

_____ Zona 1: Ciudad de México
_____ Zona 2: México Central
_____ Zona 3: Oeste Central
_____ Zona 4: Noroeste
_____ Zona 5: Baja California
_____ Zona 6: Noreste
_____ Zona 7: Golfo de México
_____ Zona 8: Costa Pacífico
_____ Zona 9: Yucatán

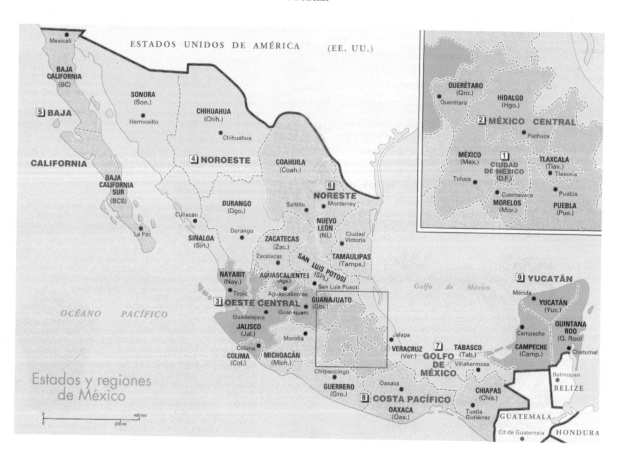

Estados y regiones de México

▶ **Texto 1: La comida y la música**

En la Sierra Madre Occidental hay cuatro estados que comparten elementos culturales similares. Esta región se conoce por la música norteña, que se caracteriza por sus baladas y rancheras (tipos de canciones mexicanas) con acordeón y guitarra. También es famosa por su comida—la carne asada (*grilled*) y la tortilla de harina (*flour*). Es una zona influenciada por Estados Unidos, especialmente en las áreas cerca de la frontera.

▶ **Texto 2: La historia precolombina**

En esta parte central del Golfo de México, hay dos estados donde ocurren algunos de los eventos más importantes de la historia mexicana. Los olmecas, la primera civilización de Mesoamérica, se encuentran aquí desde aproximadamente 1800 a.C. (antes de Cristo). Se conocen los olmecas por su sistema de números y por sus estatuas inmensas de cabezas (*heads*) y jaguares. Es ésta, además, la región por la que entran los conquistadores españoles a México.

▶ **Texto 3: Cultura y arte**

El Distrito Federal, que es la capital del país, es también su estado más pequeño. Aquí abundan el arte y la cultura. Se puede ver el arte de Diego Rivera, Frida Kahlo, Rufino Tamayo y David Siqueiros, entre muchos otros, y se pueden visitar museos de antropología, historia y arquitectura. Sus parques impresionantes, como el Bosque de Chapultepec y la Alameda Central, se combinan con sus avenidas amplias para hacer de esta ciudad una de las grandes ciudades del mundo.

▶ **Texto 4: Influencias indígenas**

A lo largo de esta región larga y diversa vive la mayoría de los grupos indígenas del país. Todavía mantienen sus tradiciones, lenguas y costumbres. En algunas áreas su influencia es muy marcada, como en los pueblos indígenas cerca de Guatemala. Hay tanta variedad de lenguas, costumbres y comida que casi es posible considerar estos cuatro estados como cuatro países diferentes.

▶ **Texto 5: Los aztecas**

Esta región central tiene una historia muy larga. Existe aquí una gran ciudad alrededor de 400 d.C. (después de Cristo). Cuando llegan los aztecas siglos (*centuries*) después, ven la grandeza de las ruinas y nombran el sitio Teotihuacán, que significa "el lugar donde nacieron los dioses (*the gods were born*)". Es el centro del imperio azteca y aquí están las ruinas de las Pirámides del Sol y de la Luna, el templo de Quetzalcóatl y los palacios de Quetzalpapalotl.

Foto 1: Playas del Pacífico
Estos estados son famosos por sus bonitas playas a lo largo del Pacífico. Se distinguen también por la influencia de las culturas indígenas del oeste.

Foto 2: Los mayas Aproximadamente 900.000 indígenas, que aún hablan maya, viven en esta península, que se conoce por sus antiguas ciudades mayas como Chichén Itzá y Uxmal, sus playas y sus reservas ecológicas.

Foto 4: Herencia colonial Esta región de contrastes incluye tierras áridas, un área industrial y unos ejemplos magníficos de arquitectura colonial. También comparte una frontera con Estados Unidos. Este detalle *(detail)* de una catedral famosa es una buena muestra de la arquitectura colonial.

Foto 3: La naturaleza abundante
Localizada en el océano Pacífico y el Mar de Cortés, ésta es la península más grande del mundo. Es famosa por su diversidad de flora y fauna.

>>Conexión cultural

Mira el segmento cultural que está al final del episodio. Luego, en grupos de tres o cuatro, comparen la vida de ciudad en su país con la del mundo hispano.

Interactive Practice

>> ¡Conéctate!   www Web Links / Web Search

Práctica Como ves, México es un país muy diverso. Con un grupo de tres a cinco estudiantes, busquen información sobre una de las zonas culturales de México. Pueden incluir la siguiente información u otros datos.

- ciudades principales
- industrias principales
- atracciones turísticas
- poblaciones indígenas

Luego, preparen un breve informe y preséntenlo en clase. Usen los enlaces sugeridos en el sitio web de *Nexos* para ir a otros sitios web.

>> Tú en el mundo hispano

Para explorar oportunidades de usar el español para estudiar o hacer trabajos voluntarios o aprendizajes en México, sigue los enlaces en el sitio web de *Nexos*.

♫ Ritmos del mundo hispano

Para escuchar música de México, sigue los enlaces en el sitio web de *Nexos*.

A leer

Antes de leer

1 Aquí tienes algunas frases de la lectura que contienen estructuras gramaticales que no sabes. Mira el significado general del verbo para ver si puedes hacer una correspondencia entre las palabras en español y aquéllas en inglés.

1. _____ es necesario que conozca
2. _____ podrá descifrar
3. _____ esté todo el día conectado al monitor
4. _____ que se encuentre ahí
5. _____ acuda la gente más "nice"
6. _____ estar vestido perfectamente
7. _____ el restaurante que ofrezca

a. *you will be able to decipher*
b. *that may be found there*
c. *it's necessary that you know*
d. *the restaurant that offers*
e. *to be dressed perfectly*
f. *he is connected to the screen all day*
g. *the nicest people gather*

2 Ahora, mira las frases de la **Actividad 1.** En cada caso, ¿cuál es la forma gramatical que no sabes? Con un(a) compañero(a), hagan una lista de las siete formas gramaticales. ¿Son del tiempo presente o futuro? Usen la siguiente tabla para escribir sus respuestas.

Forma gramatical	¿Presente o futuro?

Lectura

3 Vas a leer un artículo sobre adónde van los jóvenes de la Ciudad de México para divertirse. Mientras lees, trata de entender los verbos sin pensar demasiado en las terminaciones o en estructuras gramaticales que no reconoces. Trata de comprender las ideas principales del artículo. No es necesario entender todas las palabras para hacer las actividades.

Los jóvenes mexicanos se divierten

Alejandro Esquivel

¿Usted sabe cómo se divierten los "teens"? Las maneras de entretenerse en estos tiempos de revolución electrónica, videojuegos, DVDs, equipos MP3 y antros son tan heterogéneas como la población que ocupa[1] solamente el Distrito Federal... Es necesario que conozca ciertos perfiles de los jóvenes contemporáneos para entender más su manera de ir por la vida. Es así como podrá descifrar algunos de los códigos[2] de la juventud para saber adónde van y qué hacen...

▶ El telemaníaco

Una de las formas de entretenimiento más "ancestrales" es el observar televisión por más de cuatro horas seguidas[3]. A esta joven especie[4] no le interesa ni en lo más mínimo la vida social, pues prefiere observar un maratón entero de Los Simpson a tomar un buen café con sus cuates[5]... Algunos padres prefieren que su "hijito" esté todo el día conectado al monitor, argumentando que es preferible que se encuentre ahí a estar vagabundeando en las calles.

▶ El peace & love

En cuanto a este tipo de jóvenes, les preocupa más lo natural, el amor y la fraternidad entre razas. A diferencia del telemaníaco, éste trata de[6] pasar el menor tiempo posible frente a un televisor. Dentro de sus principales maneras de divertirse está el acudir[7] todos los domingos a la Plaza de Coyoacán, para buscar algún libro y obser-

var los espectáculos culturales que semana a semana ahí se presentan.

▶ El fresa[8]

Este "teen modelo" gusta de asistir a lugares a los cuales acuda la gente más "nice" de la ciudad. Otra forma de diversión son las cenas y los cafés que regularmente se realizan[9] en restaurantes y cafeterías ubicadas[10] en la zona de Bosques de las Lomas y Santa Fe. Al fresa le late[11] bastante asistir a "antros[12]" donde la música comercial sea el hit.

▶ El raver

Los ravers son los encargados de llenar[13] los festivales de música electrónica o raves, ya que éstos sólo son posibles gracias a la asistencia de más de 3 mil personas... La música que se toca es la electrónica y durante los raves se baila sin parar[14] por más de nueve horas continuas y sólo bebiendo agua embotellada. El raver también acude a antros donde solamente se toque electrónica.

▶ El fashion

Otro espécimen fácil de identificar, ya que su preocupación más grande es estar vestido perfectamente. Entre sus grandes pasatiempos está leer revistas de moda[15], pero a la hora de salir trata siempre de asistir al lugar que acaban de inaugurar o al lugar más fashion. También prefiere las cenas en compañía de sus amigos en el restaurante que ofrezca lo último[16] en cocina.

[1]vive en [2]codes [3]continuas [4]species [5]amigos [6]**trata de** tries to [7]ir [8]affluent youth [9]**se realizan** take place [10]located [11]**le late** le gusta [12]bar or club, the "in" place [13]**encargados...** in charge of filling [14]**sin parar** without stopping [15]**revistas...** fashion magazines [16]**lo último** the latest

Después de leer

4 Con un(a) compañero(a), escriban el nombre del grupo de jóvenes que va a cada lugar indicado. En algunos casos, más de un grupo va a ese lugar.

Lugar	Grupo
1. antros	
2. raves	
3. la Plaza de Coyoacán	
4. festivales de música electrónica	
5. la zona de Bosques de las Lomas	
6. casa	
7. los lugares más "fashion"	
8. restaurantes	
9. cafés	

5 En el **Capítulo 4** hay una nota sobre los préstamos del inglés al español. Este artículo tiene muchos ejemplos de este tipo de palabra. Trabaja con un(a) compañero(a) de clase. ¿Pueden encontrar seis préstamos del inglés al español?

6 Trabaja en un grupo de tres o cuatro estudiantes. ¿Pueden identificar cinco grupos de "tipos" entre los jóvenes estadounidenses? Escriban una lista de los grupos, unas de sus características y adónde van para divertirse. Luego, compartan su lista con la clase entera.

Vocabulario

En la universidad *At the university*

el apartamento	apartment
el auditorio	auditorium
la cancha / el campo de fútbol	soccer field
la cancha de tenis	tennis court
el centro estudiantil	student center
el cuarto	room
el dormitorio / la residencia estudiantil	dormitory
el edificio	building
el estadio	stadium
la oficina	office
la piscina	swimming pool
la pista de atletismo	athletics track

En la ciudad o en el pueblo
In the city or in the town

el aeropuerto	airport
el almacén	store
el banco	bank
el barrio	neighborhood
el cajero automático	automated teller machine (ATM)
la casa	house
el centro comercial	mall
el cine	cinema
la estación de trenes / autobuses	train / bus station
el estacionamiento	parking lot
la farmacia	pharmacy
el hospital	hospital
la iglesia	church
la joyería	jewelry store
el mercado	market
el museo	museum
la oficina de correos	post office
la papelería	stationery store
el parque	park
la pizzería	pizzeria
la plaza	plaza
el restaurante	restaurant
el supermercado	supermarket
el teatro	theater
la tienda...	store
...de música	music store
...de ropa	clothing store
...de videos	video store
el (la) vecino(a)	neighbor

Hacer las compras... *Shopping. . .*

En la carnicería *At the butcher shop*

el bistec	steak
la chuleta de puerco	pork chop
el jamón	ham
el pavo	turkey
el pollo	chicken
la salchicha	sausage

En el supermercado *At the supermarket*

la comida	food
las frutas	fruits
los huevos	eggs
la leche	milk
el pan	bread
las papitas fritas	potato chips
el queso	cheese
los refrescos	soft drinks
los vegetales	vegetables
el yogur	yogurt

Medios de transporte *Means of transportation*

a pie	on foot, walking
en autobús	by bus
en bicicleta	on bicycle
en carro / coche / automóvil	by car
en metro	on the subway
en tren	by train
en / por avión	by plane

Para decir cómo llegar *Giving directions*

¿Me puede decir cómo llegar a...?	Can you tell me how to get to . . . ?
¿Me puede decir dónde queda...?	Can you tell me where . . . is located?
Cómo no. Vaya...	Of course. Go . . .
...a la avenida...	. . . to the avenue . . .
...a la calle...	. . . to the street . . .
...a la derecha	. . . to the right
...a la esquina	. . . to the corner
...a la izquierda	. . . to the left
...dos cuadras	. . . two blocks
...(todo) derecho	. . . (straight) ahead
bajar	to get down from, to get off of (a bus, etc.)
cruzar	to cross
doblar	to turn
seguir (i)	to continue
subir	to go up, to get on

Expresiones de cortesía

Me gustaría (+ infinitive)...	*I'd like (+ infinitive) . . .*
¿Por favor, me puede decir...?	*Please, can you tell me . . . ?*
¿Pudiera Ud. (+ infinitive)...?	*Could you (+ infinitive) . . . ?*
Quisiera (+ infinitive)...	*I'd like (+ infinitive) . . .*

Expresiones afirmativas y negativas

algo	*something*
alguien	*someone*
algún, alguno(a, os, as)	*some, any*
jamás	*never*
nada	*nothing*
nadie	*no one, nobody*
ni... ni...	*neither / nor*
ningún, ninguno(a, os, as)	*none, no, not any*
nunca	*never*
o... o...	*either / or*
siempre	*always*
también	*also*
tampoco	*neither, not either*

Preposiciones

al lado de	*next to, on the side of*
cerca de	*close to*
debajo de	*below, underneath*
delante de	*in front of*
dentro de	*inside of*
detrás de	*behind*
encima de	*on top of, on*
enfrente de	*in front of, opposite*
entre	*between*
frente a	*in front of, facing, opposite*
fuera de	*outside of*
lejos de	*far from*
sobre	*on, above*

Adjetivos demostrativos

aquel, aquella; aquellos, aquellas	*that; those (over there)*
ese, esa; esos, esas	*that; those*
este, esta; estos, estas	*this; these*

Pronombres demostrativos

aquél, aquélla; aquéllos, aquéllas	*that one; those (over there)*
ése, ésa; ésos, ésas	*that one; those*
eso	*that*
éste, ésta; éstos, éstas	*this one; these*
esto	*this*

Otras palabras y expresiones

allá	*over there*
allí	*there*
aquí	*here*

Capítulo 7

¿Cuáles son tus pasatiempos preferidos?

❯ Los ratos libres

¿Trabajas para vivir o vives para trabajar? ¿Cuál es más importante para ti —los ratos libres (free time) o el trabajo? ¿Te defines según tu profesión (o tu profesión futura), tus intereses o una combinación de los dos? En este capítulo vamos a explorar cómo pasamos el tiempo libre.

Esta mola, una obra de arte tradicional de los kunas, un grupo indígena de Panamá, conmemora un combate de boxeo.

❯ Communication

By the end of this chapter you will be able to

- talk about sports and leisure-time activities
- talk about seasons and the weather
- say how you feel using **tener** expressions
- describe your recent leisure-time activities
- suggest activities and plans to friends

❯ Cultures

By the end of this chapter you will have learned about

- Costa Rica and Panamá
- seasons and the equator
- Fahrenheit and Celsius temperatures
- whitewater rafting in Costa Rica

¿Qué otros deportes te gustan?

Las competencias de natación, el ciclismo y el boxeo.

> Los datos

Mira la siguiente información sobre los deportes que se juegan en Costa Rica y Panamá.

Costa Rica

ALGUNOS DEPORTES POPULARES
el fútbol (soccer), el motocross

DEPORTES OLÍMPICOS
la natación, el ciclismo de montaña y el judo

CLAUDIA

POLL AHRENS

ATLETAS FAMOSOS
Ernesto "Lobito" Fonseca (motocross) y las hermanas Silvia Poll Ahrens y Claudia Poll Ahrens (natación). Ellas participaron en varias competencias Olímpicas. Claudia ganó dos medallas de bronce (bronze) en los Juegos de 2000.

Panamá

ALGUNOS DEPORTES POPULARES
el béisbol, el boxeo

DEPORTES OLÍMPICOS
la natación (swimming), las vallas (hurdles) y el salto largo (long jump)

MARIANO

RIVERA

ATLETAS FAMOSOS
Manuel Durán (boxeador) y Mariano Rivera (jugador de béisbol). Rivera es un lanzador relevista (relief pitcher) para los New York Yankees. Es el recipiente de cuatro títulos del Campeonato Mundial (World Series) de Béisbol.

❶ Panamá y Costa Rica tienen un deporte olímpico en común. ¿Cuál es?

❷ ¿En qué deporte participa Mariano Rivera?

❸ ¿En qué país es más popular el béisbol?

❹ ¿En qué país es más popular el fútbol?

> ¡Adivina!

¿Qué sabes de Costa Rica y Panamá? (Las respuestas están en la página 230.)

❶ Este país tiene costa en el Océano Pacífico y en el Mar Caribe.

❷ Estados Unidos construyó un canal en este país y en 1999 se lo cedió al gobierno de ese país.

❸ Este país no tiene fuerzas armadas.

❹ Este país es famoso por sus playas (beaches) hermosas.

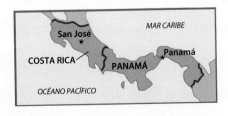

MAR CARIBE

San José ★

COSTA RICA

PANAMÁ

Panamá

OCÉANO PACÍFICO

205

¡Imagínate!

Vocabulario útil ①

`■ ►`   00:00:00

SERGIO: ¿Viste el **partido de fútbol** entre Argentina y México ayer?

JAVIER: No, llegué tarde a casa.

SERGIO: Pues, te perdiste un partido buenísimo. Yo lo vi en casa de Arturo.

JAVIER: ¿Ah, sí? ¿Quién ganó?

SERGIO: Argentina, 2 a 1.

JAVIER: Me encanta ver los partidos de fútbol internacional por tele.

SERGIO: Y además del fútbol, ¿qué otros deportes te gustan?

JAVIER: Las **competencias de natación,** el **ciclismo** y el **boxeo.**

SERGIO: ¿El boxeo? ¡Guau! Yo prefiero el fútbol nacional, el italiano, el español…

JAVIER: ¿Qué piensas de los deportes de **invierno?**

SERGIO: No sé, hay algunos que me parecen interesantes, como el **hockey sobre hielo** y el **esquí alpino.**

> In South America, **correr olas**, literally, "to run waves," is used for surfing.

> Remember, as you learned in **Chapter 6, jugar** is used with the preposition **a** in a number of Spanish-speaking countries: **jugar al tenis, jugar al fútbol.** Usage of **a** varies from region to region.

Los deportes

el boxeo	*boxing*
el esquí acuático	*water skiing*
el esquí alpino	*downhill skiing*
el golf	*golf*
el hockey sobre hielo	*ice hockey*
la natación	*swimming*

Actividades deportivas

entrenarse	*to train*
esquiar	*to ski*
jugar (al) tenis / (al) béisbol / etc.	*to play tennis / baseball / etc.*
levantar pesas	*to lift weights*
nadar	*to swim*
navegar en rápidos	*to go whitewater rafting*
patinar sobre hielo	*to ice skate*
practicar / hacer alpinismo	*to (mountain) climb, hike*
practicar / hacer surfing	*to surf*

Más palabras sobre los deportes

la competencia	*competition*
el equipo	*team*
ganar	*to win*
el lago	*lake*
el partido	*game, match*
el peligro	*danger*
peligroso(a)	*dangerous*
la pelota	*ball*
la piscina	*pool*
el río	*river*
seguro(a)	*safe*

 Flashcards

Otros deportes

el fútbol

el tenis

el béisbol

el hockey sobre hierba

el volibol

el fútbol americano

el básquetbol

el ciclismo

remar

pescar

montar a caballo

montar en bicicleta

hacer ejercicio

patinar en línea

Sports vocabulary in Spanish contains a lot of words that come from English, for example, **jonrón, gol, béisbol, bate, derbi,** and **fútbol.** It is important to remember that the spelling, pronunciation, and grammatical use of these borrowed words follow the rules of Spanish. All the vowels and consonants of *homerun* are adapted to create **jonrón**; it is pronounced with the rolling "r" **(la erre),** and its plural is **jonrones.**

There are pastimes other than sports that you might be interested in: **el póker en línea** *(online poker),* **jugar a las cartas** *(to play cards),* **los juegos de mesa** *(board games),* **el bridge** *(bridge),* **el ajedrez** *(chess),* **las damas** *(checkers),* **el billar americano** *(pool),* **el billar inglés** *(snooker),* **el solitario** *(solitaire),* and **los juegos interactivos** *(interactive games).* If there are other games that you would like to know how to say in Spanish, go to an online word reference forum and find out their Spanish equivalent.

Las estaciones

>> Actividades

1 **En las montañas** Mira la siguiente tabla. Luego, indica qué deportes se pueden practicar en cada lugar. En algunos casos, puede haber varias posibilidades. Limita tus respuestas a un máximo de tres actividades o deportes por cada lugar.

el parque	el océano	el lago	la cancha
las montañas	el gimnasio	la piscina	el río

2 **Atletas famosos** Con un(a) compañero(a) de clase, hagan una lista de atletas y otros jugadores famosos. Luego, digan con qué deporte o juego se asocia cada persona.

MODELOS: *Misty May-Treanor*
Misty May-Treanor juega volibol.

Michael Phelps
Michael Phelps practica la natación.

3 ¡Peligro! Con un(a) compañero(a) de clase, digan qué deportes creen que son peligrosos y cuáles no lo son. Hagan una lista. Luego, intercambien su lista con la de otra pareja. ¿Tienen las mismas opiniones?

4 El deporte o juego preferido En grupos de tres o cuatro estudiantes, hagan una lista de sus tres actividades o deportes preferidos. Luego hagan una lista de los tres deportes o actividades que no les gustan mucho. Cada grupo tiene que darle sus resultados a la clase.

MODELO: *En nuestro grupo, el fútbol, el esquí acuático y el surfing son los deportes preferidos.*
En nuestro grupo el golf, la natación y el béisbol son los deportes que menos nos gustan.

5 Las estaciones ¿Sabes que los hemisferios norte y sur están en estaciones opuestas durante todo el año? Cuando es el verano en el hemisferio norte, es el invierno en el hemisferio sur. Con un(a) compañero(a) de clase, mira la tabla e indica la estación que corresponde con cada país y mes.

País / mes	Estación
1. Argentina, julio	
2. España, febrero	
3. México, octubre	
4. Uruguay, septiembre	
5. Paraguay, diciembre	
6. Cuba, octubre	
7. Panamá, agosto	
8. Bolivia, octubre	

6 En el otoño... Trabaja con un(a) compañero(a) de clase. Digan qué deportes y actividades les gusta hacer en cada estación.

1. en la primavera
2. en el verano
3. en el otoño
4. en el invierno

Web Search /
Interactive Practice /
Ace the Test

Vocabulario útil ②

JAVIER: Hola, Beto. Qué milagro verte por aquí.

BETO: Ya sé. ¡Odio el gimnasio! No **tengo ganas** de hacer ejercicio en estas malditas máquinas.

SERGIO: ¡Pobre Beto!... ¿Les **tienes miedo** a las "maquinitas"?

BETO: No, ¡no seas ridículo!

00:00:00

Expresiones con *tener*

tener cuidado	*to be careful*
tener ganas de	*to have the urge to, to feel like*
tener miedo (de, a)	*to be afraid (of)*
tener razón	*to be right, correct*
tener vergüenza	*to be embarrassed*

Flashcards

>> Actividades

7 **¡Tengo sueño!** Indica cómo te sientes en las siguientes situaciones. En algunos casos hay más de una respuesta posible.

1. Tienes un examen muy difícil.
2. Es el verano y no tienes aire acondicionado.
3. Tienes una nueva raqueta de tenis.
4. Ya son las ocho de la noche y todavía no has cenado (*haven't eaten dinner*).
5. Acabas de jugar básquetbol por tres horas.
6. Ves una película de terror.
7. Son las tres de la mañana y acabas de estudiar.
8. Es el invierno y no llevas chaqueta.
9. Ya son las diez y tu clase de cálculo empieza a las 9:40.
10. Sabes las respuestas correctas a todas las preguntas.

8 **¿Qué tienes?** Usa la siguiente lista. Pasea por la clase y busca una persona que tenga una de las emociones que se describen en la lista. Escribe los nombres al lado de las emociones. Luego escribe un resumen de tu encuesta. (¡Es posible que no encuentres nombres para todas las categorías!)

Esta persona...	Nombre
siempre tiene calor:	
tiene miedo de las serpientes:	
tiene ganas de viajar a Nepal:	
tiene vergüenza cuando tiene que hablar enfrente de mucha gente:	
nunca tiene sueño:	
siempre tiene razón:	
nunca tiene prisa:	
tiene ganas de hacer surfing:	

Interactive Practice /
Ace the Test

MODELO: *Kelly y Sandra siempre tienen calor. Y Jessie…*

Vocabulario útil ③

BETO: Yo prefiero jugar tenis, pero hoy no puedo porque **está lloviendo.**

JAVIER: Tienes razón. Y además, **hace mucho viento.** Ayer salí a correr pero hoy no tuve otra opción que venir aquí.

BETO: Sí. ¡**Hace mal tiempo** desde el lunes!

▶ 00:00:00

El tiempo

¿Qué tiempo hace?	*What's the weather like?*
Hace buen tiempo.	*It's nice weather.*
Hace mal tiempo.	*It's bad weather.*
Hace fresco.	*It's cool.*
Hace sol.	*It's sunny.*

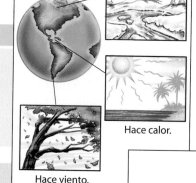

Hace frío.

Hace calor.

Hace viento.

La temperatura

grados Celsio(s) / centígrados	*degrees Celsius*
grados Fahrenheit	*degrees Fahrenheit*
La temperatura está a 20 grados Celsio(s) / centígrados.	*It's 20 degrees Celsius.*
La temperatura está a 70 grados Fahrenheit.	*It's 70 degrees Fahrenheit.*

Flashcards

Está nevando. Nieva.

Está nublado.

Está lloviendo. Llueve.

Note that **grados Celsio(s)** and **centígrados** both refer to measurements on the Celsius scale. **Centígrados** is an older term that has been replaced by **Celsio(s)**. Also notice that whether the plural form of **Celsio** is used varies from country to country.

To convert between Fahrenheit and Celsius:

Grados C → Grados F: $(C° \times 1,8) + 32 = F°$
Ejemplo: $(30°C \times 1,8) + 32 = 86°F$

Grados F → Grados C: $(F° - 32) \div 1,8 = C°$
Ejemplo: $(86° F - 32) \div 1,8 = 30°C$

>> Actividades

9 **El tiempo** Di qué tiempo hace por lo general durante las estaciones o meses indicados.

1. el mes de marzo en tu ciudad
2. el mes de agosto en tu ciudad
3. el mes de enero en tu ciudad
4. el mes de octubre en tu ciudad
5. en invierno en Buenos Aires
6. en invierno en Seattle
7. en verano en Miami
8. en invierno en Chicago

10 **Prefiero…** Trabaja con un(a) compañero(a) de clase. Identifiquen por lo menos dos actividades que les gusta hacer y dos que no les gusta hacer cuando hace el tiempo indicado. Luego, escriban oraciones completas para hacer un resumen de sus preferencias.

1. cuando hace calor
2. cuando hace frío
3. cuando hace mucho viento
4. cuando nieva
5. cuando llueve

Interactive Practice / Ace the Test

>> ¡Fíjate! >>  Web Links

¿Qué tiempo hace?

Cuando hablas del tiempo y de la temperatura en español, hay varias cosas importantes que debes saber. Primero, como viste en la **Actividad 5,** los países al norte y al sur del ecuador están en estaciones opuestas. Es decir, cuando en el norte estamos en invierno, los países al sur están en verano. Cuando es otoño en EEUU, allá es primavera.

Segundo, EEUU y los países de habla española usan dos sistemas diferentes para medir *(to measure)* la temperatura. Aquí usamos el sistema Fahrenheit, mientras que en Latinoamérica y España usan el sistema Celsio.

Finalmente, México, los países del Caribe y varios países de Centroamérica y Sudamérica tienen temporadas de lluvias y temporadas secas *(dry)*. Aunque esto es más común en los países más cerca del ecuador, también puede ocurrir cuando corrientes del océano crean condiciones especiales, como en el noroeste Pacífico de EEUU y en Perú.

Práctica Miren las siguientes tablas y contesten las preguntas sobre el tiempo en las dos ciudades. (**tormenta** = *thunderstorm*, **chaparrón** = *cloudburst, downpour*)

1. ¿Cuál es la temperatura máxima en San José? ¿Y la temperatura mínima?

2. ¿Crees que se dan estas temperaturas en grados Celsio o Fahrenheit?

3. ¿Qué tiempo hace en San José el martes 28 de agosto? ¿Qué tiempo va a hacer el miércoles? ¿Y el sábado?

4. ¿Cuál es la temperatura máxima en la Ciudad de Panamá? ¿Y la temperatura mínima?

5. ¿Hace más calor en la Ciudad de Panamá o en San José?

6. ¿Cuál es el pronóstico para los días entre el jueves y el sábado en la Ciudad de Panamá?

7. ¿Cuándo es la temporada de lluvias en cada país?

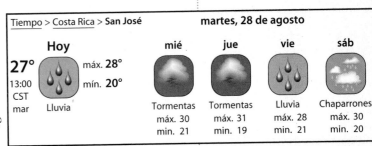

Tiempo > Costa Rica > **San José** — **martes, 28 de agosto**

	Hoy	mié	jue	vie	sáb
27° 13:00 CST mar	máx. **28°** mín. **20°** Lluvia	Tormentas máx. 30 min. 21	Tormentas máx. 31 min. 19	Lluvia máx. 28 min. 21	Chaparrones máx. 30 min. 20

Tiempo > Panamá > **Ciudad de Panamá** — **martes, 28 de agosto**

	Hoy	mié	jue	vie	sáb
	máx. **33°** mín. **26°** Chaparrones	Tormentas máx. 32 min. 25	Chaparrones máx. 34 min. 23	Chaparrones máx. 33 min. 26	Chaparrones máx. 34 min. 25

Antes de ver el video

1 Mira las fotos y el texto en las páginas 206, 210 y 212 del **Vocabulario útil**. Luego, completa las siguientes oraciones sobre las personas de las fotos.

1. Javier y Sergio hablan de _____.
 a. los cursos
 b. los deportes
 c. el gimnasio

2. Sergio prefiere _____ sobre el boxeo.
 a. el fútbol nacional
 b. el hockey sobre hielo
 c. el esquí alpino

3. Según Beto, él no les tiene _____ a las máquinas del gimnasio.
 a. frío
 b. hambre
 c. miedo

4. Además, Beto no tiene _____ de hacer ejercicio en el gimnasio.
 a. razón
 b. ganas
 c. vergüenza

5. Beto no puede jugar tenis porque está _____.
 a. lloviendo
 b. nevando
 c. nublado

6. Hoy también hace _____.
 a. calor
 b. sol
 c. viento

2 Mira la siguiente tabla y fíjate en la información que necesites del video para completarla.

	A Javier	A Sergio	A Beto	A Dulce
le gusta...				
no le gusta...				

Estrategia

Listening for details

Previously you have learned to listen for the main idea of a video segment. By doing **Activity 2,** you will focus on finding specific information. Knowing in advance what to listen for helps you focus on finding key pieces of information. For example, when you ask for directions, you might focus on listening to what turns to take or street names and important landmarks.

El video

Ahora mira el segmento del video para el **Capítulo 7** y completa la tabla de la **Actividad 2.** Si el video no tiene la información necesaria, pon una X en la parte correspondiente de la tabla.

Después de ver el video

3 Escribe frases completas sobre cada persona que sale en el segmento del video, según la información que usaste *(you used)* para completar la tabla de la **Actividad 2**.

MODELO: *A Javier le gusta la natación,...*

4 Con un(a) compañero(a) de clase, contesta las siguientes preguntas sobre el video.

1. ¿De qué hablan Javier y Sergio al principio de la escena?
2. ¿Va Beto al gimnasio con frecuencia?
3. ¿Qué dice Sergio sobre la condición física de Beto?
4. ¿Por qué empieza Beto a hacer ejercicio con mucho entusiasmo?
5. ¿Qué le dice Beto a Dulce sobre su rutina diaria? ¿Es cierto o falso?
6. ¿Qué hace Dulce cuando hace ejercicio?

5 Imagínate una conversación entre Dulce y Beto después de verse en el gimnasio. ¿Qué va a hacer Beto? ¿Va a invitar a Dulce a jugar tenis o va a confesarle que en realidad no se entrena en el gimnasio todos los días? Escribe una conversación breve entre los dos. ¡Usa la imaginación!

Interactive Practice / Ace the Test

Voces de la comunidad

 Web Links

NAME Julieta Granada

❝ Mi mamá y mi papá se sacrificaron *(sacrificed themselves)* tanto por mí. Pasamos por tiempos muy duros *(hard)*, pero siempre mantuvimos *(maintained)* la familia unida. ❞

Julieta Granada tiene la distinción de ser la primera mujer golfista en recibir un premio *(prize)* de más de un millón de dólares. Ella recibió este premio al ganar el torneo de LPGA Playoffs en el 2006. Nacida *(Born)* en Paraguay, Granada inmigró a EEUU a la edad de 14 años. Sus primeras experiencias en este país fueron *(were)* muy duras. —No hablaba *(I didn't speak)* inglés, no tenía *(I didn't have)* amigos, no me gustaba *(I didn't like)* la comida —dice la golfista. Sin embargo, cuatro años más tarde, en el 2004, Granada fue *(was)* seleccionada como la mejor jugadora de la American Junior Golf Association, cuando ganó *(won)* el campeonato juvenil femenino de EEUU. En el 2007, la joven atleta dio a Paraguay el primer título mundial femenino, el de la Copa Mundial de Golf Femenino.

> En tu opinión, ¿cuáles son los deportes más populares de tu país? ¿Qué valores nacionales reflejan estos deportes?

¡Prepárate!

Gramática útil ❶
Talking about what you did:
The preterite tense of regular verbs

¿Quién **ganó**?

Spanish uses another past tense called the *imperfect* to talk about past actions that were routine or ongoing. You will learn more about this tense in **Chapter 9**.

Video Tutorial

Flashcards

Cómo usarlo

> **Lo básico**
>
> A *verb tense* is a form of a verb that indicates whether an action occurred in the past, present, or future. You have already been using the present indicative (**Estudio en la biblioteca**) and the present progressive (**Estoy hablando por teléfono**) tenses.

When you want to talk in Spanish about actions that occurred and were completed in the past, you use the *preterite tense*. The preterite is used to describe

- actions that began and ended in the past;
- conditions or states that existed completely within the past.

Me desperté, leí el periódico y **salí** para el gimnasio.	*I woke up, I read the newspaper, and I left for the gym.*
Fui secretario bilingüe por dos años.	*I was a bilingual secretary for two years.*
Estuve muy cansada ayer.	*I was very tired yesterday.*

Cómo formarlo

1. To form the preterite tense of regular **-ar, -er,** and **-ir** verbs (including reflexive verbs), you simply remove that ending from the infinitive and add the following endings to the verb stem.

	-ar verb: **bailar**		**-er** and **-ir** verbs: **comer / escribir**		
yo	**-é**	bail**é**	**-í**	com**í**	escrib**í**
tú	**-aste**	bail**aste**	**-iste**	com**iste**	escrib**iste**
Ud. / él / ella	**-ó**	bail**ó**	**-ió**	com**ió**	escrib**ió**
nosotros / nosotras	**-amos**	bail**amos**	**-imos**	com**imos**	escrib**imos**
vosotros / vosotras	**-asteis**	bail**asteis**	**-isteis**	com**isteis**	escrib**isteis**
Uds. / ellos / ellas	**-aron**	bail**aron**	**-ieron**	com**ieron**	escrib**ieron**

2. Notice that the preterite forms of **-er** and **-ir** verbs are the same.

3. Notice that only the **yo** and **Ud. / él / ella** forms are accented.

4. The **nosotros** forms of the preterite and the present indicative of **-ar** and **-ir** verbs are the same. You can tell which is being used by context.

Bailamos todos los fines de semana. (present)
Bailamos salsa con Mario ayer. (past)

5. All stem-changing verbs that end in **-ar** or **-er** are regular in the preterite.

Me desperté a las ocho cuando **sonó** el teléfono.	*I woke up* at 8:00 when the telephone *rang*.
Volví temprano de mis vacaciones porque **perdí** mi pasaporte.	*I returned early* from my vacation because *I lost* my passport.

> Stem-changing verbs that end in **-ir** also have stem changes in the preterite. You will learn these forms in **Chapter 8.**

6. Many of the verbs you have already learned are regular in the preterite tense. A few have some minor changes.

- Verbs that end in **-car, -gar,** and **-zar** have a spelling change in the **yo** form to maintain the correct pronunciation.

-car:	c → qu	sacar: **saqué,** sacaste, sacó, sacamos, sacasteis, sacaron
-gar:	g → gu	llegar: **llegué,** llegaste, llegó, llegamos, llegasteis, llegaron
-zar:	z → c	cruzar: **crucé,** cruzaste, cruzó, cruzamos, cruzasteis, cruzaron

- Verbs that end in **-eer,** as well as the verb **oír,** change **i** to **y** in the two third-person forms. Note the accent on the **-íste, -ímos,** and **-ísteis** endings.

leer: leí, leíste, leyó, leímos, leísteis, leyeron
creer: creí, creíste, creyó, creímos, creísteis, creyeron
oír: oí, oíste, oyó, oímos, oísteis, oyeron

7. You have already learned the word **ayer.** Here are some other useful time expressions to use with the preterite tense: **anoche** (*last night*), **anteayer** (*the day before yesterday*), **la semana pasada** (*last week*), **el mes pasado** (*last month*), **el año pasado** (*last year*).

>> Actividades

1 **¿Presente o pasado?** Escucha las oraciones e indica si las actividades que se describen ocurren en el presente o el pasado.

	Presente	Pasado
1. esquiar	_____	_____
2. entrenarse	_____	_____
3. navegar en rápidos	_____	_____
4. pescar	_____	_____
5. remar	_____	_____
6. jugar golf	_____	_____
7. patinar sobre hielo	_____	_____
8. nadar	_____	_____

2 **El calendario de Rosario** Usa el siguiente calendario para decir qué hizo *(did)* Rosario la semana pasada.

lunes 17	martes 18	miércoles 19	jueves 20	viernes 21	sábado 22	domingo 23
AM: estudiar con Lalo	**AM:** trabajar en la biblioteca	**AM:** almorzar con Neti	**AM:** leer en la biblioteca	**AM:** correr dos millas	**AM:** desayunar con Sergio	**AM:** ¡descansar!
PM: jugar tenis con Fernando	**PM:** salir con Lalo	**PM:** sacar la basura	**PM:** escribir el ensayo para la clase de literatura	**PM:** ¡bailar en la discoteca!	**PM:** entrenarse en el gimnasio	**PM:** comer con Lalo

MODELOS: *El lunes por la mañana Rosario estudió con Lalo.*
O: *El lunes por la mañana Rosario y Lalo estudiaron.*

3 **Ayer** Di qué hicieron *(did)* las siguientes personas ayer.

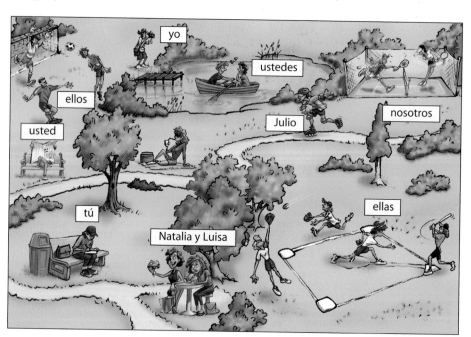

4 **La semana pasada** Ahora, usa el horario de la **Actividad 2** como modelo y complétalo con tu propia información sobre la semana pasada. Luego, trabaja con un(a) compañero(a) de clase para hablar de sus actividades de la semana pasada.

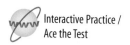
Interactive Practice / Ace the Test

MODELO: Tú: *¿Qué hiciste* (What did you do) *el lunes por la mañana?*
Compañero(a): *Jugué golf. ¿Y tú? ¿Qué hiciste el miércoles por la tarde?*

Gramática útil ②

Talking about what you did:
The preterite tense of some common irregular verbs

Cómo usarlo

As you learned in **Gramática útil 1,** the preterite is a Spanish past tense form that is used to talk about actions that occurred and were completed in the past. It describes actions that began and ended in the past as well as conditions that existed completely within the past.

Fuimos al restaurante.
Hicimos deporte todo el día.
¡Estuvimos bien cansados!

We went to the restaurant.
We played sports all day.
We were really tired!

¿**Viste** el partido de fútbol entre Argentina y México ayer?

 Video Tutorial

 Flashcards

Cómo formarlo

1. Here are the irregular preterite forms of some frequently used verbs.

	estar	hacer	ir	ser
yo	estuve	hice	fui	fui
tú	estuviste	hiciste	fuiste	fuiste
Ud. / él / ella	estuvo	hizo	fue	fue
nosotros / nosotras	estuvimos	hicimos	fuimos	fuimos
vosotros / vosotras	estuvisteis	hicisteis	fuisteis	fuisteis
Uds. / ellos / ellas	estuvieron	hicieron	fueron	fueron

	dar	ver	decir	traer
yo	di	vi	dije	traje
tú	diste	viste	dijiste	trajiste
Ud. / él / ella	dio	vio	dijo	trajo
nosotros / nosotras	dimos	vimos	dijimos	trajimos
vosotros / vosotras	disteis	visteis	dijisteis	trajisteis
Uds. / ellos / ellas	dieron	vieron	dijeron	trajeron

> **Ver** is irregular only because it does not carry accents in the **yo** and **Ud. / él / ella** forms. **Dar** is irregular because it uses the regular **-er / -ir** endings rather than the **-ar** endings.

2. Verbs that end in **-cir** follow the same pattern as **traer** and **decir.**

conducir: conduje, condujiste, condujo, condujimos, condujisteis, condujeron

producir: produje, produjiste, produjo, produjimos, produjisteis, produjeron

traducir: traduje, tradujiste, tradujo, tradujimos, tradujisteis, tradujeron

3. Notice that although these irregular verbs do for the most part use the regular endings, they have internal changes to the stem that must be memorized.

4. Notice that none of these verbs requires accents in the preterite.

5. Notice that **ser** and **ir** have the same forms in the preterite. But because the verbs have such different meanings, it is usually fairly easy to tell which one is being used.

Fuimos estudiantes durante esos años.	*We were students during those years.*
Todos **fuimos** a una fiesta muy alegre.	*We all went to a really fun party.*

>> Actividades

5 **¿Qué hicieron?** Haz oraciones completas para decir qué pasó la semana pasada.

MODELO: **ir**
ellos / al parque a jugar tenis
Ellos fueron al parque a jugar tenis.

estar

1. tú y yo / en las montañas para hacer alpinismo
2. Mónica y Sara / en el gimnasio todos los días
3. usted / en la costa para hacer surfing

ir

4. ustedes / al gimnasio a entrenarse
5. yo / a la biblioteca a estudiar
6. Jorge / al parque a jugar básquetbol

ver

7. yo / una película muy buena
8. nosotros / a Mónica y a Sara en el gimnasio
9. tú / una serpiente en el parque

traer

10. Luis / su pelota de béisbol a mi casa para jugar
11. ellos / su equipo (*equipment*) para jugar hockey sobre hierba
12. tú / tus pesas para entrenarte

6 **¿Quién fue?** Con un(a) compañero(a) de clase, digan quiénes fueron las personas indicadas. (En algunos casos, hay más de una respuesta posible.)

MODELO: Abraham Lincoln
¿Quién fue Abraham Lincoln?
Fue presidente de Estados Unidos.

Respuestas posibles: presidente, futbolista, actor / actriz, científico(a), político(a), revolucionario(a)

1. Monsieur y Madame Curie
2. Albert Einstein
3. Sarah Bernhardt y Gloria Swanson
4. George Washington y John F. Kennedy
5. Mahatma Gandhi
6. Che Guevara
7. Jack Lemmon y James Stewart
8. Pelé

7 **Las vacaciones** Averigua qué hizo tu compañero(a) de clase durante sus vacaciones del año pasado. Pregúntale si hizo las siguientes cosas y cuánto las hizo.

1. hacer viajes (¿cuántos?)
2. gastar dinero (¿cuánto?)
3. ir a la playa (¿cuántas veces?)
4. ver un partido deportivo (¿cuántas veces?)
5. hacer ejercicio (¿cuántas veces?)

Luego, pide que tu compañero(a) te haga las mismas preguntas. Juntos, determinen la siguiente información.

1. ¿Quién hizo más viajes?
2. ¿Quién gastó más dinero?
3. ¿Quién fue a la playa más?
4. ¿Quién vio más partidos deportivos?
5. ¿Quién hizo más ejercicio?

8 **La reunión** Escucha mientras Cecilia describe qué pasó la semana pasada en la reunión de ex alumnos de su colegio. Primero, completa la tabla con la información necesaria. Luego, escribe oraciones completas según el modelo.

Persona	¿Qué dijo?
yo (Cecilia)	
tú (Rosa Carmen)	
José María	
Marcos	*Es periodista.*
Laura y Sebastián	
Leticia	
Pilar y Antonio	

MODELO: Marcos
Marcos dijo que es periodista.

1. yo
2. tú
3. José María
4. Laura y Sebastián
5. Leticia
6. Pilar y Antonio

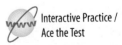

Interactive Practice /
Ace the Test

Gramática útil ③
Referring to something already mentioned: Direct object pronouns

Cómo usarlo

> **Lo básico**
>
> A *direct object* is a noun or noun phrase that receives the action of a verb: I buy *a book*. We invite *our friends*. *Direct object pronouns* are pronouns that replace direct object nouns or phrases: I buy *it*. We invite *them*. Often you can identify the direct object of the sentence by asking *what?* or *whom?*: We buy *what?* (a book / it) / We invite *whom?* (our friends / them).

You use direct object pronouns in both Spanish and English to avoid repetition and to refer to things or people that have already been mentioned. Look at the following passage in Spanish and notice how much repetition there is.

> **Quiero hablar con María. Llamo a María por teléfono e invito a María a visitar a mis padres. Visito a mis padres casi todos los fines de semana.**

Now read the passage after it's been rewritten using direct object pronouns to replace some of the occasions when the nouns **María** and **padres** were used previously. (The direct object pronouns appear underlined.)

> **Quiero hablar con María. La llamo por teléfono y la invito a visitar a mis padres. Los visito casi todos los fines de semana.**

Video Tutorial

Flashcards

Cómo formarlo

1. Here are the direct object pronouns in Spanish.

Singular		Plural	
me	*me*	**nos**	*us*
te	*you (fam.)*	**os**	*you (fam.)*
lo	*you (form. masc.), him, it*	**los**	*you (form. masc.), them, it*
la	*you (form., fem.), she, it*	**las**	*you (form. fem.), them, it*

2. The third-person direct object pronouns in Spanish must agree in gender and number with the noun they replace.

Compramos **el libro.**	→	**Lo** compramos.
Compramos **la raqueta.**	→	**La** compramos.
Compramos **los libros.**	→	**Los** compramos.
Compramos **las raquetas.**	→	**Las** compramos.

Pues, te perdiste un partido buenísimo. Yo **lo** vi en casa de Arturo.

3. Pay particular attention to these **lo / la** and **los / las** forms, because they can have a variety of meanings.

> **Los** llamo. → I call them *(group of all men, or men and women)*.
> I call you *(polite form, more than one person, at least one man in group)*.
>
> **Las** llamo. → I call them *(group of all women)*.
> I call you *(polite form, all women)*.

4. Direct object pronouns always come *before* a *conjugated verb* used by itself.

> **Me** llamas el viernes, ¿no?   *You'll call **me** on Friday, right?*
> **Te** invito a la fiesta.   *I'm inviting **you** to the party.*
> No voy a leer este libro. ¿**Lo** quieres?   *I'm not going to read this book. Do you want **it**?*

5. When a direct object pronoun is used with an *infinitive* or with the *present progressive*, it may come *before* the conjugated verbs or it may be *attached* to the infinitive or to the present participle.

> **Te** voy a llamar.   OR: Voy a llamar**te**.
> **Te** estoy llamando.   OR: Estoy llamándo**te**.

> Notice that when the direct object pronoun attaches to the present participle, you must add an accent to the next-to-last syllable of the present participle to maintain the correct pronunciation: **llamándote**.

6. When a direct object pronoun is used with a *command form*, it *attaches to the end of the affirmative command* but *comes before the negative command* form.

> **Hágalo** ahora, por favor.   BUT: **No lo haga** ahora, por favor.

> Again, notice that when the direct object pronoun attaches to the command form, you must add an accent to the next-to-last syllable of command forms of two or more syllables in order to maintain the correct pronunciation: **hágalo**.

7. When you use direct object pronouns with *reflexive pronouns*, the *reflexive pronouns come before the direct object pronouns*.

> Me estoy lavando **la cara**.   *I am washing **my face**.*
> Me **la** estoy lavando.   *I am washing **it**.*
>
> Estoy lavándome **la cara**.   *I am washing **my face**.*
> Estoy lavándome**la**.   *I am washing **it**.*

>> Actividades

9 **El domingo por la tarde** Tú y tu familia tuvieron una reunión en casa el domingo por la tarde. Todos contribuyeron de diferentes maneras. Repite lo que hicieron todos usando los complementos directos correctos. Sigue el modelo.

MODELO: Mi mamá y yo compramos <u>la comida</u>.
          <u>La</u> compramos.

1. Mi hermana y yo limpiamos <u>la casa</u>.
   _____ limpiamos.

2. Mi papá invitó a <u>los primos</u>.
   _____ invitó.

3. Yo compré <u>los refrescos</u>.
   _____ compré.

4. Mi hermano trajo <u>la música</u>.
   _____ trajo.

5. Mis tíos prepararon <u>la ensalada</u>.
   _____ prepararon.

6. Mi tía hizo <u>las tortillas</u>.
   _____ hizo.

10 **El día horrible de Manuel** Lee sobre el día horrible de Manuel. Sustituye las palabras **en negrilla** (*boldface*) con complementos directos, según el modelo.

MODELO: Compré **los libros.**
Los compré.

Un día horrible

¡Ayer estuve muy ocupado! Empezaron las clases y tuve que comprar los libros. Compré **los libros** en la librería de la universidad. Pero no encontré el libro para mi clase de cálculo. Tuve que ir a otra librería que me recomendaron. Busqué **la librería,** pero, como no me dieron buenas indicaciones para llegar, ¡no encontré **la librería** hasta después de dos horas! Por fin, vi el libro de clase y compré **el libro.**

Después fui al supermercado para comprar algunos comestibles, pero no pude comprar **los comestibles** porque no encontré mi tarjeta de crédito (*credit card*). Volví a la librería para buscar mi tarjeta, pero no encontré **la tarjeta** allí.

Decidí ir a la residencia estudiantil para descansar un poco y hacer un poco de trabajo. Vi a mi compañero de cuarto en la entrada. Saludé **a mi compañero de cuarto.** Él me dijo que me escribió una nota. Escribió **la nota** para decirme que la computadora no funciona bien. Examiné **la computadora**, pero no pude (*I couldn't*) reparar **la computadora.** Tenemos que llevar **la computadora** al centro de computación para hacerle reparaciones. ¡Otra cosa que tengo que hacer!

---

11 **Pobre Manuel** Contesta las preguntas sobre el día horrible de Manuel. Usa un complemento directo en tu respuesta.

MODELO: ¿Encontró Manuel el libro en la librería de la universidad?
No, no lo encontró.

1. ¿Encontró Manuel la librería que le recomendaron sus amigos?
2. ¿Compró los comestibles?
3. ¿Encontró su tarjeta de crédito?
4. ¿Vio a su compañero de cuarto en la residencia estudiantil?
5. Cuando llegó a la residencia estudiantil, ¿pudo hacer su trabajo?
6. ¿Usó la computadora en su cuarto?
7. ¿Tuvo que llevar la computadora al centro de computaciones?
8. ¿Tuvo un día tranquilo?

12 Natalia El padre de Natalia y Nico es muy exigente *(demanding)*. Les hace muchas preguntas. Haz el papel de Natalia y contesta las preguntas de su padre.

MODELOS: Padre: ¿Limpiaron el baño? (sí)
Natalia: *Sí, lo limpiamos.*
Padre: ¿Limpiaste tu cuarto? (no)
Natalia: *No, pero estoy limpiándolo ahora mismo.*

1. ¿Hiciste la tarea? (sí)
2. ¿Prepararon el almuerzo? (no)
3. ¿Hicieron los planes para la fiesta? (no)
4. ¿Leíste la nota de tu mamá? (sí)
5. ¿Viste la lista de comida que debes comprar en el supermercado? (sí)
6. ¿Llamaste a tu abuela? (sí)
7. ¿Tomaron sus vitaminas? (no)
8. ¿Te lavaste los dientes? (no)

13 ¿Lo leíste? Trabaja con un(a) compañero(a) de clase. Háganse preguntas y contéstenlas usando complementos directos. Sigan el modelo.

MODELO: leer / el nuevo libro de Stephen King
Compañero(a): *¿Leíste el nuevo libro de Stephen King?*
Tú: *Sí, lo leí.* O: *No, no lo leí.*

1. ver / la nueva película de Pedro Almodóvar
2. leer / el nuevo libro de Tom Clancy
3. ver / los partidos de básquetbol del WNBA
4. traer / computadora portátil a clase
5. entender / la tarea de la clase de español
6. comprar / las pelotas de tenis
7. comprar / el nuevo CD de Coldplay
8. ver / los últimos episodios de *American Idol*
9. ver / tus hermanas el mes pasado
10. ¿...?

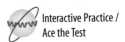

Interactive Practice /
Ace the Test

🔴🔴🔴 **Expresión** En grupos de tres o cuatro estudiantes, hagan una lista de las reglas (*rules*) de cortesía para el teléfono y el correo electrónico. ¿Qué se debe y no se debe hacer?

MODELO: Cuando llamas por teléfono...
No debes llamar muy temprano por la mañana.
Cuando escribes correo electrónico...
Debes escribir mensajes cortos.

Gramática útil ④
Telling friends what to do: **Tú** command forms

SI NO QUIERES EQUIVOCARTE VEN A

En ciclobike encontrarás un grupo de expertos dispuestos a darte el mejor servicio y la información más completa. Pon tu bicicleta en manos de verdaderos profesionales en las últimas tecnologías.

Y TODO POR MUCHO MENOS DE LO QUE IMAGINAS EN...
C/ FRANCISCA MORENO, N° 3 • MADRID 28001 • ☎ (91)431-93-27 • HORARIO DE LUNES A SÁBADO

Can you find two **tú** command forms in this ad? Are they regular or irregular?

Cómo usarlo

1. You have already learned how to use polite (**usted** and **ustedes**) command forms in **Chapter 6**. Now you will learn the informal command forms that correspond to people you would normally address as **tú**. (You've been seeing these forms in activity direction lines in the last few chapters.)

   Habla con Claudia.   *Talk* to Claudia.
   Pero **no hables** con Leo.   *But **don't talk** to Leo.*

2. Because you are using informal command forms to address people who are friends (or small children and animals), you don't need to worry as much about making your requests sound as polite as you do with **usted** forms. However, it never hurts to use one of the softening expressions you learned in **Chapter 6**! Here they are again, revised to fit an informal context.

   ¿Me puedes decir… / Me dices…?   *Can you tell me . . . ?*
   ¿Puedes + *infinitive*… ?   *Can you* + infinitive . . . ?
   ¿Quieres / Quisieras + *infinitive*…? *Would you like to* + infinitive . . . ?
   ¿Te importa…?   *Would / Does it matter to you . . . ?*
   ¿Te molesta…?   *Would / Does it bother you . . . ?*

> The **vosotros** command forms, which are the plural informal command forms used in Spain, are not provided in this textbook because **ustedes** forms are used more universally. Remember that outside of Spain you always use the **ustedes** command form to address more than one person, regardless of whether they are people you would address as **tú** or **usted**.

Video Tutorial

 Flashcards

Cómo formarlo

1. Unlike the **usted** forms that you learned in **Chapter 6, tú** commands have one form for affirmative commands and one form for negative commands.

2. To form the affirmative **tú** command form, simply use the **usted / él / ella** present-tense form of the verb.

Affirmative **tú** command forms		
-ar verb	**-er** verb	**-ir** verb
tomar → **toma**	beber → **bebe**	escribir → **escribe**

3. To form the negative **tú** command form, take the affirmative **tú** command, and replace the final vowel with **-es** for **-ar** verbs and with **-as** for **-er / -ir** verbs.

> Notice that the negative **tú** commands are the same as the **usted** command forms, but with an -s added. **Usted** command: **hable**; negative **tú** command: **no hables.**

Negative **tú** command forms			
	-ar verb **hablar**	**-er** verb **beber**	**-ir** verb **escribir**
affirmative **tú** command	habla	bebe	escribe
negative **tú** command	no **hables**	no **bebas**	no **escribas**

4. These **tú** command forms are irregular and must be memorized.

> Notice that the **tú** command for **ser** (**sé**) is the same as the first person of **saber** (**sé**). Context will clarify which is meant: **¡Sé bueno!** vs. **Sé que Manuel es bueno.** The same is true for the command forms of **ir** (**ve**) and **ver** (**ve**): **Ve a clase.** vs. **Ve ese programa.**

	Affirmative **tú** command	Negative **tú** command
decir	di	no digas
hacer	haz	no hagas
ir	ve	no vayas
poner	pon	no pongas
salir	sal	no salgas
ser	sé	no seas
tener	ten	no tengas
venir	ven	no vengas

5. As with **usted** command forms, *reflexive pronouns* and *direct object pronouns* attach to affirmative **tú** commands and come before negative **tú** commands. Note that you need to add an accent to the next-to-last syllable of the command form when attaching pronouns.

¡Despiértate, ya es tarde!	***Wake up,*** *it's late!*
¡No te acuestes ahora!	***Don't go to bed*** *now!*
Llámame.	***Call me.***
No me llames después de las once.	***Don't call me*** *after 11:00.*

>> Actividades

14 **El campamento** La semana que viene, tu hermanito va a ir a un campamento de verano. Tú le das algunos consejos antes de salir. Los primeros cuatro consejos se los das en el afirmativo. Los segundos cuatro consejos se los das en el negativo.

MODELOS: acostarte / temprano   nadar / en el océano
        Acuéstate temprano.   *No nades en el océano.*

Afirmativo

1. patinar en línea / con casco (*helmet*)
2. jugar / con los otros niños
3. ducharse / después de nadar en el lago
4. tener cuidado / al nadar en el lago

Negativo

5. montar en bicicleta / en la carretera (*highway*)
6. caminar / en el parque por la noche
7. hacer / deportes peligrosos
8. nadar / después de comer

15 **¡Primo!** Vas a quedarte en la casa de tu primo para el verano. Le haces preguntas sobre la casa y tus quehaceres. Escribe sus respuestas según el modelo.

MODELO: ¿Apago las luces antes de acostarme?
       Sí, apágalas, por favor.

1. ¿Cierro la puerta del garaje por la noche?
2. ¿Abro las ventanas si hace calor?
3. ¿Pongo los comestibles en el refrigerador?
4. ¿Contesto el teléfono cuando no estás en casa?
5. ¿Apago la computadora antes de acostarme?
6. ¿Saco la basura los lunes por la noche?

Ahora, contesta las preguntas de arriba con un mandato informal negativo.

MODELO: ¿Apago las luces antes de acostarme?
       No, no las apagues.

16 **Los consejos** Da un consejo para cada situación.

MODELO: Juan quiere desarrollar sus músculos.
       Levanta pesas dos veces por semana.
       Magda quiere perder peso pero no quiere hacer ejercicio.
       No comas papitas fritas.

1. María desea perder cinco kilos.
2. Pedro quiere entrenarse para un maratón.
3. Pablo quiere mejorar su capacidad aeróbica.
4. Margarita quiere correr más rápido.
5. Francisco quiere ponerse en forma pero no tiene mucho tiempo para hacer ejercicio.

17 Trabajen en grupos de tres o cuatro personas. Imagínense que un(a) estudiante nuevo(a) acaba de llegar a su residencia estudiantil. Él (Ella) nunca ha vivido (*has lived*) fuera de su casa paterna. Denle consejos importantes para no tener problemas con sus compañeros de residencia. Sigan el modelo.

MODELO: *No pongas la radio después de las once de la noche.*

Interactive Practice /
Ace the Test

¡Explora y exprésate!

Exploraciones culturales

Panamá y Costa Rica

Similares pero diferentes Lee los textos sobre Panamá y Costa Rica en las páginas 231–232. Luego completa un diagrama Venn como el de abajo. Pon los números de los comentarios sobre Panamá a la izquierda y los números de los comentarios sobre Costa Rica a la derecha. Los números de los comentarios que se refieren a los dos países van en el centro del diagrama.

¿Adivinaste? Answers to the questions on page 205: 1. Panamá, Costa Rica 2. Panamá 3. Costa Rica 4. Costa Rica

1. Los indígenas son una parte importante de la cultura.
2. Los grupos indígenas son los chorotega, huetar y brunca.
3. Tiene un teatro famoso en la ciudad capital.
4. Las famosas molas de los kunas se venden a personas de todo el mundo.
5. Cristóbal Colón exploró este país en 1502.
6. Es un país democrático que no tiene fuerzas armadas.
7. La población de ascendencia africana vive en la costa del Mar Caribe.
8. Consiguió su independencia de España en 1821.
9. Fue víctima de muchos ataques de piratas.
10. Tiene muchísimas islas.
11. Es muy popular entre los ecoturistas.
12. La población criolla o mestiza es el grupo étnico más grande del país.

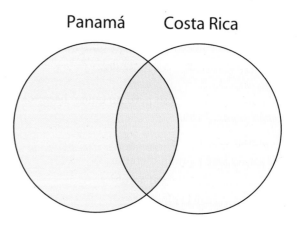

Panamá   Costa Rica

PANAMÁ

Grupos étnicos

- Los criollos, o mestizos, es el grupo étnico más grande.

- Los indígenas tienen muchas variantes determinadas por las diversas tribus. De estas tribus, tal vez la más famosa son los kunas, conocidos por la fabricación de sus molas tradicionales de colores vivos que se venden internacionalmente.

- La población negra son los descendientes de africanos. Ellos forman las poblaciones de Colón en el Caribe y Darién en la costa pacífica.

Historia

- Vasco Núñez de Balboa y Cristóbal Colón exploraron el país en 1501 y 1502. Buscando el oro y las riquezas de una civilización indígena legendaria, Balboa "descubrió" el Océano Pacífico en 1513.

- Las colonias españolas sufrieron ataques de piratas ingleses y holandeses durante el siglo XVII. En 1671 el pirata inglés Henry Morgan destruyó la Ciudad de Panamá y confiscó sus tesoros (treasures).

- Después de ganar la independencia de España en 1821, Panamá pasó por mucha turbulencia política. En 1904, Estados Unidos empezó la construcción del canal de Panamá. En 1999, EEUU cedió el canal al gobierno panameño.

Sitios de interés

- El archipiélago de San Blas, donde viven los kunas, son unas de las 1.600 islas que pertenecen a Panamá.

- El Parque Nacional de Darién es una de las selvas tropicales más densas y bellas de Centroamérica.

- La Ciudad de Panamá es famosa por su celebración del Carnaval y también por los espectáculos de danza y música que se presentan el Teatro Nacional.

Una vista de la Ciudad de Panamá

Costa Rica

Grupos étnicos

- La gran mayoría de la población es criolla— mestizos de ascendencia española e indígena.

- La población negra, que constituye menos del 2 por ciento de la población, vive en su mayoría en la costa caribeña.

- Los grupos indígenas componen menos del 1 por ciento de la población y se distinguen en tres etnias indígenas: chorotega, huetar y brunca.

Historia

- Cristóbal Colón fue el primer europeo en llegar a esta área en 1502. Esperando encontrar

El cráter del volcán Poas en Costa Rica

riquezas naturales y otros metales preciosos, observó los adornos de oro de los indígenas y nombró el país Costa Rica.

- Costa Rica ganó la independencia de España en 1821, y después de unos conflictos políticos, llegó a ser una democracia en 1889.

- En 1949, el Partido Liberación Nacional creó una constitución nacional, dio el derecho *(right)* de votar a las mujeres y a los afrocostarricenses y abolió las fuerzas armadas.

Sitios de interés

- Costa Rica es uno de los países de mayor diversidad geográfica del mundo. Su extenso sistema de parques nacionales es famoso por todo el mundo e incluye más de 6.132 km² de parques con volcanes, selvas tropicales y playas. Es un lugar muy popular para los ecoturistas.

- El Teatro Nacional, en la capital de San José, es una atracción arquitectónica famosa y también sirve como un centro nacional para el arte, la música y otros eventos culturales.

- Sarchí, un pueblo cerca de San José, es el centro de artesanías costarricenses. Es famoso por sus carretas *(wooden carts)* pintadas en colores brillantes.

 >> ¡Conéctate! **Web Links / Web Search**

●● **Práctica** En parejas, busquen información en Internet sobre uno de los siguientes temas. Luego, preparen un breve informe para dar a la clase. Usen los enlaces sugeridos en el sitio web de *Nexos*.

1. la construcción o la historia del canal de Panamá
2. cómo los indios kunas fabrican sus molas (como la de la página 204)
3. por qué Costa Rica decidió abolir las fuerzas armadas
4. las carretas pintadas de Sarchí
5. uno de los parques nacionales de Costa Rica
6. la historia de Balboa en Panamá

>> Tú en el mundo hispano

Para explorar oportunidades de usar el español para estudiar o hacer trabajos voluntarios o aprendizajes en Costa Rica y Panamá, sigue los enlaces en el sitio web de *Nexos*.

Ritmos del mundo hispano

Para escuchar música de Panamá y Costa Rica, sigue los enlaces en el sitio web de *Nexos*.

A leer

Antes de leer

1 Mira el siguiente artículo y la foto sobre la navegación en rápidos en Costa Rica y ojea *(scan)* el artículo rápidamente para encontrar la siguiente información.

1. cuántos ríos costarricenses se mencionan
2. los niveles *(levels)* de dificultad que se usan para describir los rápidos de los ríos

2 Después de anotar la información de la **Actividad 1**, di cuál es, en tu opinión, el propósito *(purpose)* de la lectura.

a. describir el paisaje *(scenery)* a lo largo de los ríos de Costa Rica
b. informar a los aficionados de la navegación en rápidos sobre los ríos de Costa Rica
c. darles a los viajeros a Costa Rica una lista de posibles deportes acuáticos

3 Las siguientes palabras aparecen *(appear)* en el artículo. Aunque estas palabras no son cognados, tienen una relación semántica con sus equivalentes en inglés. A ver si puedes identificar el equivalente en inglés de cada palabra a la izquierda.

1. _____ media docena
2. _____ principiantes
3. _____ codueño
4. _____ haber pasado
5. _____ poblado
6. _____ trechos
7. _____ apacible

a. *co-owner*
b. *peaceful*
c. *half dozen*
d. *beginners*
e. *stretches*
f. *to have passed (navigated)*
g. *town, village*

Lectura

4 Ahora, lee el artículo rápidamente para buscar la idea principal. Luego mira la **Actividad 5** para ver qué información necesitas para completarla. Vuelve al artículo y busca esa información. No olvides usar los cognados, el formato del artículo y la foto para ayudarte a entender el texto.

Costa Rica
Aventuras en los rápidos

Pocos países pueden contar con tan excelentes condiciones para la navegación en rápidos como Costa Rica, donde los retos de este conocido deporte se complementan con la belleza y diversidad de los bosques tropicales.

Quizás[1] las aguas más bravas del país sean aptas sólo para expertos remeros —media docena de equipos olímpicos de kayaks utilizan a Costa Rica como base de entrenamiento—, pero la mayoría de sus ríos rápidos ofrecen condiciones perfectas también para principiantes.

Los navegantes de balsas y kayaks poseen un sistema para evaluar el grado de dificultad de los rápidos y ríos individuales, en una escala que va de la Clase I a la Clase VI —donde el 0 es similar a una piscina y el VII, a las Cataratas del Niágara. Los rápidos de Clase II y III son, por lo general, suficientes para acelerar el ritmo cardíaco. Los de Clase IV pueden ser un poco más peligrosos, mientras que los de Clase V están ya cerca de lo imposible. Los ríos de Clase II y III son magníficos para principiantes. No obstante, resulta recomendable haber pasado, al menos, por un río antes de intentar lanzarse[2] en los de Clase II–IV. Los de Clase IV–V requieren una buena condición física y más experiencia con las balsas.

Las rutas de navegación

El río **Reventazón** posee numerosos tramos[3] navegables. El más popular es la sección Tucurrique (Clase III), que ofrece una excursión segura y emocionante, lo suficientemente fácil para un viaje de primera vez. La sección Peralta (Clase V) es la ruta más difícil de Costa Rica para este tipo de navegación, con rápidos indetenibles y bastante peligro, razón por la cual sólo está abierta para expertos.

El río **Pacuare** (Clase III–IV) es una de las maravillas naturales más impresionantes de Costa Rica. Es un río emocionante de navegar, con numerosos y provocadores rápidos de Clase IV. El Pacuare se navega mejor en un viaje de dos o tres días, lo cual permite un contacto más cercano con el bosque[4] tropical —un área excelente para la observación de pájaros[5].

El **Sarapiquí** (Clase III) es un río hermoso que fluye por el norte de la Cordillera Montañosa Central. La sección de rápidos entre La Virgen y Chilamae proporciona una aventura de navegación en balsa de Clase III, que pasa a través de muchos bosques tropicales y cataratas. La parte más baja del Sarapiquí es un flotador suave que resulta perfecto para niños pequeños.

El **Naranjo** (Clase III–IV) es un río emocionante y provocador que exige[6] cierta experiencia de navegación en balsa. Puede navegarse sólo en meses lluviosos. Queda[7] a un día desde Manuel Antonio y Quepos.

El **Corobicí** (Clase I–II) es un río completamente apacible. Es excelente para los amantes[8] de la naturaleza y puede ser navegado por personas de cualquier edad. En el bosque que viste sus orillas[9] se pueden ver iguanas, monos[10] y una rica variedad de pájaros.

---

[1]*Perhaps* [2]**intentar...** *to try to throw oneself* [3]*sections* [4]*forest* [5]*birds* [6]*demands* [7]*It is located* [8]*lovers* [9]*shores* [10]*monkeys*

Después de leer

5 Completa la siguiente tabla con información del artículo. Si te es necesario, vuelve al artículo para buscarla.

Río	Clase	Una cosa interesante
Reventazón	III–V	
	I–II	
		Una parte es perfecta para los niños pequeños.
Naranjo		
		Tiene uno de los paisajes más bellos del país.

6 Trabajen en grupos de tres o cuatro estudiantes para hablar de los cinco ríos que se describen en el artículo. ¿Cuál les interesa más? Escojan (*Choose*) un lugar para ir de vacaciones con el grupo. Para ayudarles con la decisión, contesten las siguientes preguntas.

1. ¿Cuánta experiencia con la navegación en rápidos tienen las distintas personas del grupo?
2. ¿Van a viajar durante la temporada de lluvia (verano) o durante el invierno?
3. ¿A qué distancia de San José están dispuestos (*willing*) a viajar?
4. ¿Cuánto tiempo quieren pasar en el río?
5. ¿Qué les interesa más, la belleza natural o la aventura de los rápidos?

MODELOS: *A mí me gusta....*
Yo prefiero... porque...
Vamos a viajar en...

A escribir

Antes de escribir

1 Trabaja con un(a) compañero(a) de clase. Van a escribir un artículo de tres párrafos para el periódico universitario, que describa un pasatiempo interesante que se puede hacer en su pueblo o ciudad. Para empezar, hagan una lista de actividades posibles. (Usen el artículo de la página 234 como modelo.)

2 Cuando tengan la lista de ideas, escojan *(choose)* la que les guste más. Juntos, escojan tres aspectos específicos para desarrollar *(to develop)* en los tres párrafos del artículo. Escriban una oración temática para cada uno.

Párrafo 1:

Párrafo 2:

Párrafo 3:

Composición

3 Usando las oraciones temáticas que escribieron para la **Actividad 2,** escribe los tres párrafos que forman el primer borrador *(draft)* del artículo. Escribe libremente, sin preocuparte por los errores, la organización, la ortografía ni la gramática.

Después de escribir

4 Trabaja con tu compañero(a) otra vez. Intercambien sus borradores. Usen las dos versiones para crear un solo artículo.

5 Ahora, miren la nueva versión. Usen la lista para revisarla *(to edit it).*

- ¿Tiene el artículo toda la información necesaria?
- ¿Es interesante e informativo también?
- ¿Usaron pronombres de complemento directo para eliminar la repetición?

- ¿Usaron bien el pretérito?
- ¿Usaron las formas correctas de todos los verbos?
- ¿Hay errores de ortografía?

Interactive Practice

Vocabulario

Los deportes *Sports*

el básquetbol	basketball
el béisbol	baseball
el boxeo	boxing
el ciclismo	cycling
el esquí acuático	water skiing
el esquí alpino	downhill skiing
el fútbol	soccer
el fútbol americano	football
el golf	golf
el hockey sobre hielo	ice hockey
el hockey sobre hierba	field hockey
la navegación en rápidos	whitewater rafting
la natación	swimming
el tenis	tennis
el volibol	volleyball

Actividades deportivas *Sport activities*

entrenarse	to train
esquiar	to ski
hacer ejercicio	to exercise
jugar (ue) (al) (tenis, béisbol, etc.)	to play (tennis, baseball, etc.)
levantar pesas	to lift weights
montar a caballo	to ride horseback
montar en bicicleta	to ride a bike
nadar	to swim
navegar en rápidos	to go whitewater rafting
patinar en línea	to inline skate (rollerblade)
patinar sobre hielo	to ice skate
pescar	to fish
practicar / hacer alpinismo	to (mountain) climb, hike
practicar / hacer surfing	to surf
remar	to row

Más palabras sobre los deportes
More words relating to sports

la competencia	competition
el equipo	team
ganar	to win
el lago	lake
el partido	game, match
el peligro	danger
peligroso(a)	dangerous
la pelota	ball
la piscina	pool
el río	river
seguro(a)	safe

Las estaciones *Seasons*

el invierno	winter
la primavera	spring
el verano	summer
el otoño	fall, autumn

Expresiones con *tener*

tener calor	to be hot
tener cuidado	to be careful
tener frío	to be cold
tener ganas de	to have the urge to, to feel like
tener hambre	to be hungry
tener miedo (a, de)	to be afraid (of)
tener prisa	to be in a hurry
tener razón	to be right
tener sed	to be thirsty
tener sueño	to be sleepy
tener vergüenza	to be embarrassed, ashamed

El tiempo *Weather*

¿Qué tiempo hace?	What's the weather like?
Hace buen / mal tiempo.	It's nice / bad weather.
Hace calor.	It's hot.
Hace fresco.	It's cool.
Hace frío.	It's cold.
Hace sol.	It's sunny.
Hace viento.	It's windy.
Está lloviendo. (Llueve.)	It's raining.
Está nevando. (Nieva.)	It's snowing.
Está nublado.	It's cloudy.

La temperatura *Temperature*

grados Celsio(s) / centígrados	degrees Celsius / Centigrade
grados Fahrenheit	degrees Fahrenheit
La temperatura está a 20 grados Celsio(s) / Centígrados.	It's 20 degrees Celsius / Centigrade.
La temperatura está a 68 grados Fahrenheit.	It's 68 degrees Fahrenheit.

Palabras relativas al tiempo

anoche	last night
anteayer	the day before yesterday
el año pasado	last year
el mes pasado	last month
la semana pasada	last week

Capítulo 8

¿En qué puedo servirle?

> Estilo personal

¿Tienen mucha importancia para ti la ropa y el estilo personal? ¿Crees que la ropa es una forma de expresión o es solamente para cubrirse? Para mucha gente, la ropa es una forma importante de presentarse al mundo e identificarse con los demás. En este capítulo vamos a explorar varios aspectos de la moda.

Arriba: En Chinchero, Perú unas mujeres venden ropa indígena en un mercado al aire libre. **A la derecha:** El centro comercial Larcomar en Lima; Perú es un sitio bueno para comprar la ropa moderna.

> Communication

By the end of this chapter you will be able to

- talk about clothing and fashion
- shop for various articles of clothing and discuss prices
- describe recent purchases and shopping trips
- talk about buying items and doing favors for friends
- make comparisons

> Cultures

By the end of this chapter you will have learned about

- Perú and Ecuador
- traditional clothing vs. popular clothing
- Chinese immigration to Perú and the U.S.
- attitudes towards jeans around the world

> Los datos

Mira la información. Luego completa cada oración con la mejor respuesta.

El guanaco

Animal silvestre, progenitor de las llamas, las alpacas y las vicuñas. Unos 500.000 viven en las altas montañas de Argentina y Chile. Es una especie en peligro de extinción.

← pelo más suave (*soft*)   pelo menos suave →

La vicuña

Animal domesticado. Más de 120.000 en el centro y sur de Perú. Su pelo se considera una de las fibras más valiosas del mundo.

La alpaca

Animal domesticado. Más de 3,5 millones en Perú. Su pelo es de varios colores y se usa para ropa ligera (*light*) pero caliente.

La llama

Animal domesticado. Más de 3,5 millones en Sudamérica, con la mayoría en Perú. Se usa su pelo en la industria textil.

Un guanaco

¡Las llamas y las alpacas fueron domesticadas por los incas hace 6.000 años!

❶ El guanaco es una especie más _____ que las llamas.
   a. moderna
   b. antigua
   c. fuerte

❷ Hay un número casi igual de _____ en el mundo.
   a. guanacos y vicuñas
   b. vicuñas y alpacas
   c. alpacas y llamas

❸ _____ es una especie en peligro de extinción.
   a. El guanaco
   b. La vicuña
   c. La llama

> ¡Adivina!

¿Qué sabes de Perú y Ecuador? Indica a qué país o países se refiere cada oración. (Las respuestas están en la página 264.)

❶ En este país están las ruinas del famoso sitio inca de Machu Picchu.
❷ Este país recibió su nombre de un delineador geográfico.
❸ Este país ha tenido (*has experienced*) problemas políticos durante las últimas décadas.
❹ Este país tiene como capital la ciudad de Quito, un lugar famoso por su hermosa arquitectura colonial.

¡Imagínate!

Vocabulario útil ➊

00:00:00

DEPENDIENTE:	¿En qué puedo servirle, señor?
JAVIER:	Pues, estoy buscando un regalo para mi madre pero no sé, no veo nada.
DEPENDIENTE:	Pues, si le gusta la **ropa** fina, esta **blusa de seda** es muy bonita y además está rebajada.
JAVIER:	No, no le gusta ese color.
DEPENDIENTE:	¿Quizás este **suéter**?
JAVIER:	No. Tampoco necesita suéter.
DEPENDIENTE:	Y las **joyas**, ¿a quién no le gustan las joyas?... ¿Quizás estos **aretes**? Son de **oro** y le dan ese toque de elegancia a cualquier **vestido**.

Las prendas de ropa

Las telas

Está hecho(a) de...		*It's made out of . . .*	
Están hechos(as) de...		*They're made out of . . .*	
el algodón	*cotton*	a cuadros	*plaid*
la lana	*wool*	a rayas / rayado(a)	*striped*
el lino	*linen*	bordado(a)	*embroidered*
la mezclilla	*denim*	de lunares	*polka-dotted*
la piel / el cuero	*leather*	de un solo color	*solid, one single color*
la seda	*silk*	estampado(a)	*print*

Los accesorios

Las joyas

la cadena	*chain*
... (de) oro	*... (made of) gold*
... (de) plata	*... (made of) silver*

Flashcards

>> Actividades

1 **¡Llevo...!** Describe qué ropa llevas hoy. ¡No te olvides de incluir los colores!

MODELO: *Llevo unos pantalones negros, una camiseta azul y unos zapatos negros.*

2 **Me gustan...** Para cada prenda de ropa, indica el tipo de tela y diseño que prefieres. Sigue el modelo.

MODELO: el vestido
Me gustan los vestidos de seda.
O: *Me gustan los vestidos estampados.*

1. el suéter
2. los zapatos de tenis
3. la blusa
4. los pantalones
5. el traje
6. la falda
7. la camiseta
8. la chaqueta

3 **¿Ropa formal o informal?** Trabaja con un(a) compañero(a) de clase. Digan qué les gusta llevar en las siguientes situaciones. Sean tan específicos como puedan.

1. para estudiar
2. para salir a bailar
3. para trabajar en el jardín
4. para visitar a la familia
5. para ir a clases
6. para ir al gimnasio

4 **Las estrellas** Trabajen en grupos de tres o cuatro estudiantes. Primero, hagan una lista de tres personas que son famosas por su manera de vestirse. Luego, usen la imaginación para describir qué llevan en este momento. Incluyan tantos detalles como puedan.

Personas posibles: Mary Kate Olsen, Brad Pitt, Johnny Depp, Jennifer López, Gwen Stefani, Gwyneth Paltrow, etc.

5 Los accesorios ¿Quién lleva las siguientes cosas? Para cada accesorio indicado, identifica quién(es) en la clase lo lleva(n). Si nadie lleva el accesorio indicado, di a quién le gusta llevarlo generalmente, o da el nombre de una persona famosa que lo lleva frecuentemente.

MODELOS: una cadena de oro
Stacy lleva una cadena de oro hoy.
O: *Generalmente Stacy lleva una cadena de oro, pero hoy no la lleva.*
los guantes
Nadie lleva guantes ahora mismo. A Michael Jackson le gusta llevar un solo guante.

1. una cadena de oro
2. gafas de sol
3. un sombrero
4. un reloj
5. un pañuelo de seda
6. un brazalete
7. un cinturón de cuero
8. aretes de plata

6 ¿Qué me pongo? Descríbele a tu compañero(a) qué ropa y accesorios llevas en las siguientes situaciones. Luego, él o ella hace lo mismo.

1. Es tu primera cita *(date)* con alguien que te gusta mucho.
2. Vas a una recepción para recibir un premio *(prize)*.
3. Vas al gimnasio con tu mejor amigo(a).
4. Vas a un concierto de música hip-hop con un grupo de amigos.
5. Vas a una entrevista para un trabajo de verano.
6. Vas a ir a esquiar en las montañas el fin de semana.

7 ¡Qué anticuado! Trabaja con un(a) compañero(a) de clase. Juntos hagan una lista de ropa y accesorios que están de moda en este momento y otra de los que están pasados de moda. Luego, comparen su lista con la de otra pareja. ¿Incluyeron las mismas prendas?

De moda	Pasado de moda

Web Search /
Interactive Practice /
Ace the Test

Vocabulario útil ②

00:00:00

DEPENDIENTE:	Buenas, señorita. **¿En qué puedo servirle?**
CHELA:	La verdad es que estoy buscando un regalo para el cumpleaños de mi mamá pero no tengo ni la menor idea qué comprarle.
DEPENDIENTE:	Su mamá seguro es una mujer de muy buen gusto. Tal vez esta blusa de seda...
CHELA:	Uy, no, ¡a mamá no le gusta ese color!...
DEPENDIENTE:	¡Ya sé exactamente lo que busca!... Estos aretes de oro son preciosos y **están a muy buen precio** hoy.
CHELA:	¡Qué bonitos! Sí, creo que sí le van a gustar a mamá. **Voy a llevármelos.**

> In many countries you will hear an alternate female form for **la dependiente: la dependienta.** Both are used interchangeably.

Ir de compras

El (La) dependiente

¿En qué puedo servirle?	*How can I help you?*
¿Cuál es su talla?	*What is your size?*
Está rebajado(a).	*It's reduced (on sale).*
Está en venta.	*It's for sale.*
Es muy barato(a).	*It's very inexpensive.*
Está a muy buen precio.	*It's a very good price.*
de buena (alta) calidad	*of good (high) quality*
el descuento	*discount*
la oferta especial	*special offer*

> Notice that when you use the phrases **Voy a probármelo(la / los / las)** and **Voy a llevármelo(la / los / las)**, the pronoun that you use must match the object you are referring to: **Me gusta este <u>vestido</u>. Voy a probármel<u>o</u>. Me encantan estos <u>zapatos</u>. Voy a llevármel<u>os</u>.**

> If you want to know if an item is returnable, you can say **¿Puedo devolverlo si hay un problema?**

El (La) cliente

¿Cuánto cuesta(n)?	*How much does it (do they) cost?*
¿Lo (La / Los / Las) tiene en una talla...?	*Do you have this in a size . . . ?*
Voy a probármelo (la / las / los).	*I'm going to try it / them on.*
Me queda bien / mal.	*It fits nicely / badly.*
Me queda grande / apretado.	*It's too big / too tight.*
Voy a llevármelo(la / las / los).	*I'm going to take it / them.*
Es (demasiado) caro.	*It's (too) expensive.*

La moda

(no) estar de moda	*(not) to be fashionable*
pasado(a) de moda	*out of style*

 Flashcards

>> Actividades

8 **Por favor...** ¿Qué dices en las siguientes situaciones? Escribe una pregunta o una respuesta para cada situación. En muchos casos, hay más de una respuesta posible.

MODELO: Ves una blusa bonita, pero no tiene precio.
¿Cuánto cuesta, por favor?

1. Te pruebas una chaqueta, pero es grande.
2. Decides comprar dos blusas.
3. Ves unos zapatos que te gustan, pero no estás seguro(a) si están rebajados.
4. Te pruebas unos zapatos y decides comprarlos.
5. Quieres probarte un vestido en otra talla y se lo pides a la dependiente.
6. Ves unos pantalones que te gustan, pero quieres otro color.
7. El suéter de vicuña es muy fino, pero no sabes si tienes suficiente dinero para comprarlo.
8. Necesitas una talla más grande.

9 **Situaciones** Trabaja con un(a) compañero(a) de clase. Representen las siguientes situaciones. Túrnense para hacer los papeles del (de la) dependiente y del (de la) cliente.

Situación 1: Buscas un regalo para tu novio(a). Quieres algo de muy alta calidad pero a muy buen precio.

Situación 2: Tienes que ir a una fiesta formal y no sabes qué llevar. Pídele ayuda al (a la) dependiente y compra lo que necesitas.

Situación 3: Eres un(a) estudiante nuevo(a) en la universidad. Vas a un almacén popular para comprar ropa. ¿Qué debes comprar? Pídele consejos al (a la) dependiente y compra por lo menos dos prendas de ropa.

Situación 4: Tu prima acaba de tener un bebé. Quieres comprarle un regalo, pero no sabes qué comprar. Escucha las sugerencias del (de la) dependiente y luego compra el regalo.

¿Tú or usted? In some Latin American countries, formal address is used even at home, between parents and children, and husbands and wives. In other countries, it is reserved for the elderly and for differences in social class. To be safe, use the formal address until permission to use the informal is granted. Using the informal when the formal is expected can cause negative reactions.

Notice: The word **bebé** is always masculine.

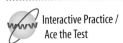
Interactive Practice / Ace the Test

Vocabulario útil ③

DEPENDIENTE:	Tiene muy buen gusto, señorita. **¿Cómo desea pagar? En efectivo,** ¿verdad?
CHELA:	Sí, gracias.

00:00:00

Métodos de pago

¿Cómo desea pagar?	*How do you wish to pay?*
Al contado. / En efectivo.	*In cash.*
Con cheque.	*By check.*
Con cheque de viajero.	*With a traveler's check.*
Con un préstamo.	*With a loan.*
Con tarjeta de crédito.	*With a credit card.*
Con tarjeta de débito.	*With a debit card.*

Cien is used to express the quantity of exactly *one hundred*, as well as before **mil** and **millones. Ciento** is used in combination with other numbers to express quantities from 101–199. Note that with numbers using **-cientos,** the number agrees with the noun it modifies: **doscientas tiendas** but **doscientos mercados.**

 Flashcards

Los números mayores de 100

100 cien	800 ochocientos(as)
101 ciento uno	900 novecientos(as)
102 ciento dos, etc.	1.000 mil
200 doscientos(as)	2.000 dos mil, etc.
300 trescientos(as)	5.000 cinco mil
400 cuatrocientos(as)	10.000 diez mil
500 quinientos(as)	100.000 cien mil
600 seiscientos(as)	1.000.000 un millón
700 setecientos(as)	2.000.000 dos millones, etc.

>> Actividades

10 Para pagar Por lo general, ¿cómo vas a pagar en las siguientes situaciones? Di cuánto crees que te va a costar cada compra.

MODELO: Compras un café grande.
Dos dólares y treinta centavos.

1. Compras un vestido / un traje nuevo.
2. Compras los libros para las clases.
3. Compras un pasaje *(ticket)* de avión.
4. Compras frutas en el mercado.
5. Compras una cadena de oro.
6. Compras unos recuerdos *(souvenirs)* durante tus vacaciones.

7. Cenas en un restaurante muy elegante.
8. Vas al cine para ver una película.
9. Pagas el alquiler *(rent)* de tu apartamento.
10. Compras una casa nueva.
11. Compras un automóvil nuevo.

11 De compras Trabaja con un(a) compañero(a) de clase. Juntos escojan seis objetos del dibujo y representen una escena como la del modelo. Túrnense para hacer el papel del (de la) dependiente y el (la) cliente. Sigan el modelo.

MODELO: el café
Tú: *Un café grande, por favor.*
Compañero(a): *Muy bien. Son dos dólares y veinticinco centavos.*
¿Cómo desea pagar?
Tú: *En efectivo. Aquí lo tiene.*

 Interactive Practice / Ace the Test

Antes de ver el video

1 Mira las páginas 240, 244 y 246 para familiarizarte con los tres personajes del video de este capítulo. Luego, contesta las preguntas. Algunas oraciones se relacionan con los segmentos de video de capítulos anteriores.

1. ¿Qué sabes de Javier? Di si las siguientes oraciones son ciertas (**C**) o falsas (**F**).

a. _____ A Javier le gustan los deportes y también le gusta cocinar.

b. _____ Javier conoce a Dulce.

c. _____ Javier no conoce a Sergio.

d. _____ Javier tiene novia *(girlfriend)*.

e. _____ A Javier le interesan la natación, el ciclismo y el boxeo.

2. ¿Qué sabes de Chela? Di si las siguientes oraciones son ciertas o falsas.

a. _____ Chela es reportera para la estación de la universidad.

b. _____ A Chela no le gusta ir al gimnasio.

c. _____ Chela es una persona muy frívola.

d. _____ Chela conoce a Anilú.

e. _____ Chela tiene novio *(boyfriend)*.

3. ¿Se conocen Chela y Javier?

2 En el episodio para este capítulo, Chela y Javier independientemente buscan un regalo para sus madres. Mira otra vez las fotos y las conversaciones en las secciones del **Vocabulario útil.**

1. ¿Para quién buscan un regalo Chela y Javier?

2. ¿En qué tipo de tienda están?

3. ¿Cuáles de los accesorios y prendas de ropa del vocabulario pueden ser un regalo bueno para la mamá de Chela y la de Javier?

4. ¿Cuáles de los accesorios y prendas de ropa del vocabulario no son un regalo bueno para la mamá de Chela y la de Javier, según ellos?

Estrategia

Using background knowledge to anticipate content

Often, if you have a rough idea of what a video segment is about before you watch it, you can predict what some of its content will be. Think about the topic and think about what kinds of situations will be likely to arise. Ask yourself what kind of language you associate with these situations. By organizing your thoughts in advance, you prepare yourself to understand the content more easily.

Your background knowledge about this video segment includes the knowledge that Javier and Chela are both shopping for a gift for their mothers in a clothing store. How does that help you prepare for viewing the video?

3 Basándose en la información de las **Actividades 1 y 2,** hagan una predicción sobre qué va a ocurrir en el video para este capítulo. (Ideas: ¿Qué tipo de preguntas van a hacer Chela y Javier? ¿Qué palabras y frases van a usar? ¿Qué tipos de regalos van a considerar? ¿Van a conocerse por fin?)

Predicción sobre Javier y Chela:

Predicción sobre los regalos:

El video

 Ahora mira el episodio para el **Capítulo 8.** No te olvides de enfocarte en las predicciones que hiciste sobre Javier, Chela y los regalos posibles.

Después de ver el video

4 Ahora contesta las siguientes preguntas sobre el video.

1. ¿Acertaste con tus predicciones sobre Javier y Chela?
2. ¿Cómo te ayudó la información anterior *(background knowledge)* a entender el contenido del video?

5 Contesta las siguientes preguntas para ver si entendiste bien el segmento de video.

1. ¿Compró Javier una blusa para su mamá? ¿Y Chela?
2. ¿Compró Javier un suéter para su mamá? ¿Y Chela?
3. ¿Qué compraron Javier y Chela para sus mamás?
4. ¿Por qué no les gustó la blusa a Javier y a Chela? ¿Y el suéter?
5. ¿Sabemos cuánto costaron los aretes?
6. ¿Cómo pagaron Javier y Chela?
7. ¿Qué pensó el dependiente sobre la relación entre Javier y Chela?

6 Escribe un resumen corto de lo que ocurrió en el video para este capítulo. Escribe por lo menos seis oraciones que describan la conversación entre el dependiente y Javier y luego entre el dependiente y Chela. Usa las formas del pretérito que aprendiste en el **Capítulo 7.**

Interactive Practice /
Ace the Test

¡Prepárate!

Gramática útil ①

Talking about what you did:
The preterite tense of more irregular verbs

Cómo usarlo

1. In Spanish, as in most languages, many of the verbs you use most often are irregular. In this chapter you will learn the preterite forms of **andar, haber, poder, poner, querer, saber, tener,** and **venir.** Notice that many of these verbs are also irregular in the present indicative.

2. The verbs **conocer, saber, poder,** and **querer** have slight changes in meaning when they are used in the preterite (as opposed to their meaning in the present indicative).

	present indicative meaning	preterite meaning
conocer	*to know someone, to be acquainted with*	*to meet*
saber	*to know a fact*	*to find out some information*
poder	*to be able to do something*	*to accomplish something*
no poder	*not to be able to*	*to try to do something and fail*
querer	*to want; to love*	*to try to do something*
no querer	*to not want, love*	*to refuse to do something*

Elena **quiso** llamarme pero **no pudo** encontrar su celular.	Elena **tried** to call me but **was unable (failed)** to find her cell phone.
Conocí al padre de Beto y **supe** que Beto está en Colombia.	**I met** Beto's father and **found out** that Beto is in Colombia.
Pude completar el trabajo pero **no quise** ir a la oficina.	**I succeeded in** finishing the work, but **I refused** to go to the office.

3. Notice that while the rest of these verbs are irregular in the preterite, **conocer** is regular in this tense. Its only irregularity is its **yo** form in the present tense: **conozco.**

 Video Tutorial

 Flashcards

Cómo formarlo

Here are the preterite forms of these irregular verbs. Some verbs are somewhat similar in their irregular stems, so they are grouped together to help you memorize them more easily.

andar:	anduv-	anduve, anduviste, anduvo, anduvimos, anduvisteis, anduvieron
tener:	tuv-	tuve, tuviste, tuvo, tuvimos, tuvisteis, tuvieron
poder:	pud-	pude, pudiste, pudo, pudimos, pudisteis, pudieron
poner:	pus-	puse, pusiste, puso, pusimos, pusisteis, pusieron
saber:	sup-	supe, supiste, supo, supimos, supisteis, supieron
haber:	sup-	hubo *(invariable)*
querer:	quis-	quise, quisiste, quiso, quisimos, quisisteis, quisieron
venir:	vin-	vine, viniste, vino, vinimos, vinisteis, vinieron

Hubo is the past-tense of **hay.** Like **hay,** it is a third-person form that is used whether the subject is singular or plural: **Hubo unas ofertas increíbles en las tiendas la semana pasada. Haber** is the infinitive from which **hay** and **hubo** come. You'll learn more about **haber** in **Chapter 13.**

Notice that although these verbs change their stems, they share the same endings (-e, -iste, -o, -imos, -isteis, -ieron).

>> Actividades

1 **En el centro comercial** Di qué pasó en el centro comercial hoy según el dibujo. Sigue el modelo.

MODELO: Mario (beber un refresco grande)
Mario bebió un refresco grande.

1. Adela (comer pizza)
2. Ernesto (andar mucho)
3. Arcely (poder encontrar muchas cosas)
4. Miguel (conocer a Marisa)
5. Leo (poner la mochila en la mesa)
6. Néstor (querer tomar una siesta pero no poder)
7. Beti (saber las últimas noticias)

2 **La vida universitaria** Con un(a) compañero(a) de clase, háganse y contesten las siguientes preguntas.

1. ¿Cómo supiste que te habían aceptado (*had accepted*) en la universidad? ¿Cuándo lo supiste?

2. ¿Viniste a la universidad como estudiante nuevo(a), estudiante de intercambio o te transferiste de otra universidad? ¿Te gustó la universidad cuando llegaste por primera vez?

3. ¿Pudiste traer todas tus cosas a la universidad? ¿Qué cosas no pudiste traer?

4. ¿Conociste a muchas personas la primera semana de clases? ¿Cuántas, más o menos?

5. ¿Tuviste que estudiar mucho el semestre / trimestre pasado? ¿Recibiste buenas notas?

6. ¿Aprendiste algo interesante el semestre / trimestre pasado? ¿Qué fue?

7. ¿Tuviste tiempo para hacer mucho ejercicio? ¿Anduviste mucho el semestre / trimestre pasado?

8. ¿Pudiste tomar todas tus clases preferidas?

3 **El semestre o trimestre pasado** Mira el siguiente formulario. Luego, pregúntales a tus compañeros de clase si hicieron las actividades indicadas el semestre o trimestre pasado. Si encuentras a alguien que responde que sí, escribe su nombre en el espacio correspondiente. Sigue el modelo.

MODELO: venir a la universidad con mucha ropa nueva
—¿*Viniste a la universidad con mucha ropa nueva?*
—*No, no vine con mucha ropa nueva.* O:
—*Sí, vine con mucha ropa nueva.* (Escribe su nombre en el formulario.)

¿Quién...?	Nombre
tener que estudiar todos los fines de semana	
no conocer a su compañero(a) de cuarto antes de llegar a la universidad	
poner un refrigerador y un televisor en su cuarto	
venir a las clases sin hacer la tarea	
no poder dormir antes de los exámenes importantes	
venir a la universidad con mucha ropa nueva	
tener sueño en las clases	
no querer comer la comida de la cafetería	

Interactive Practice /
Ace the Test

Gramática útil ②

Talking about what you did:
The preterite tense of **-ir** stem-changing verbs

Cómo formarlo

Video Tutorial

Flashcards

1. As you learned in **Chapter 7,** the only stem-changing verbs that also change in the preterite are verbs that end in **-ir.** Present-tense stem-changing verbs that end in **-ar** and **-er** do not change their stem in the preterite.

2. In the preterite, **-ir** stem-changing verbs only experience the stem change in the third-person singular **(usted / él / ella)** and third-person plural **(ustedes / ellos / ellas)** forms.

   ■ Verbs that change **e → ie** in the present change **e → i** in the preterite.

> Starting with this chapter, all **-ir** stem-changing verbs will be shown with both of their stem changes in parentheses. The first letter or letters show the present-tense stem change and the second letter shows the preterite stem change.

---

preferir: preferí, preferiste, **prefirió,** preferimos, preferisteis, **prefirieron**

Similar verbs you already know: **divertirse, sentirse**

New verb of this kind: **sugerir (ie, i)** *to suggest*

   ■ Verbs that change **e → i** in the present also change **e → i** in the preterite.

---

pedir: pedí, pediste, **pidió,** pedimos, pedisteis, **pidieron**

Similar verbs you already know: **despedirse, reírse, repetir, seguir, servir, vestir, vestirse**

New verbs of this kind: **conseguir (i, i)** *to get, to have;* **sonreír (i, i)** *to smile*

   ■ Verbs that change **o → ue** in the present change **o → u** in the preterite.

---

dormir: dormí, dormiste, **durmió,** dormimos, dormisteis, **durmieron**

New verb of this kind: **morirse (ue, u)** *to die*

>> Actividades

4 **Olivia y Belkys** Completa la conversación con la forma correcta del pretérito de los verbos indicados. Después, di si, en tu opinión, Belkys tiene razón en sentirse tan avergonzada *(embarrassed).*

OLIVIA: ¿Qué tal tu día de compras? ¿(divertirse) _____ ?

BELKYS: No, no (divertirse) _____ ni un poquito y además no compré nada.

OLIVIA: ¡No te lo creo! ¿Tú, sin comprar nada? ¡Imposible!

BELKYS: Pero es la verdad. Yo (ir) _____ con Gerardo porque él (insistir) _____ en acompañarme. Él (sugerir) _____ ir al centro porque le gustan los trajes en una tienda allí.

OLIVIA: ¿Pero ustedes no (conseguir) _____ comprar nada?

BELKYS: No. Los dos (ver) _____ unas cosas bonitas, pero no (poder) _____ encontrar nada a buen precio. Por eso, (preferir) _____ no comprar nada.

OLIVIA: ¡Qué pena!

BELKYS: Y lo peor es que Gerardo (vestirse) _____ con un traje viejo, muy pasado de moda, verde, con rayas amarillas. Yo casi me muero de vergüenza.

OLIVIA: ¡Pobrecita! ¡Imagínate el horror!

BELKYS: Bueno, tú te ríes, ¡pero te digo que yo no (reírse) _____ en toda la tarde! Nosotros (seguir) _____ buscando en todas las tiendas del centro. Por fin (despedirse) _____ y yo (venir) _____ directamente aquí para contarte toda la historia.

OLIVIA: Ay, chica, tranquila. Por lo menos, ¡tú me (hacer) _____ reír un poco!

5 **Me sentí...** Di cómo se sintieron las siguientes personas en las situaciones indicadas.

MODELO: tu tía / después de perder el trabajo
Se sintió desilusionada.

Emociones posibles: contento, triste, cansado, nervioso, preocupado, ocupado, furioso, aburrido, desilusionado, animado, feliz

1. tú / antes de tus exámenes finales
2. tú y tu mejor amigo(a) / al final del semestre o trimestre
3. tu mejor amigo(a) / cuando estuvo enfermo(a)
4. tus padres / cuando saliste para la universidad
5. tu primo(a) / después de perder el partido de fútbol
6. tus amigos / en una película de tres horas y media
7. tu compañero(a) de cuarto / antes de la visita de sus padres
8. tú / después de conocer a una persona simpática

6 **En la U.** Con un(a) compañero(a) de clase, háganse las siguientes preguntas sobre su llegada a la universidad y luego contéstenlas.

1. ¿Cómo te sentiste cuando llegaste a la universidad la primera vez?
2. ¿Qué te sugirió tu familia cuando viniste a la universidad?
3. ¿Le pediste ayuda a tu familia para traer todas tus cosas a la universidad?
4. ¿Te divertiste el primer semestre / trimestre? ¿Qué hiciste?
5. ¿Preferiste vivir en una residencia estudiantil o en un apartamento?
6. ¿Conseguiste un trabajo el primer semestre / trimestre?
7. ¿Siguieron tú y tus amigos la misma carrera de estudios?

Interactive Practice /
Ace the Test

Gramática útil ③
Saying who is affected or involved: Indirect object pronouns

Cómo usarlo

Lo básico

- An *indirect object* is a noun or noun phrase that indicates for whom or to whom an action is done: *I bought a gift for* **Beatriz**. *We asked* **the teachers** *a question.*

- *Indirect object pronouns* are used to replace indirect object nouns: *I bought a gift for* **her**. *We asked* **them** *a question.* Often you can identify the indirect object of the sentence by asking *to or for whom?* about the verb: *We bought a gift* **for whom?** (Beatriz / her) *We asked a question* **to whom?** (the teachers / them).

---

1. In **Chapter 7** you learned how to use direct object pronouns to avoid repetition. In this chapter you will learn how you can also use indirect object pronouns to avoid repetition and to clarify what person is being referred to.

2. Look at the following passage and see if you can figure out to whom the boldface indirect object pronouns refer.

> Fui al almacén el miércoles. Tenía una lista larga de compras. **Le** compré unos jeans y una camisa a Miguel. También **le** compré una corbata. A Susana y a Carmen **les** compré unas camisetas. También tuve que comprar**les** calcetines. Además **me** compré una falda bonita y un reloj.

Video Tutorial

Flashcards

Cómo formarlo

1. Although English uses the same set of pronouns for direct object pronouns and indirect object pronouns, in Spanish there are two slightly different sets.

2. Notice that the only difference between the direct object pronouns and the indirect object pronouns is in the two third-person pronouns. Instead of **lo / la**, the indirect object pronoun is **le**. And instead of **los / las**, the indirect object pronoun is **les**. The indirect object pronouns **le** and **les** do not have to agree in gender with the nouns they replace, as do the direct object pronouns **lo, la, los,** and **las.**

¿En qué puedo **servirle,** señor?

Indirect object pronouns			
me	*to / for me*	**nos**	*to / for us*
te	*to / for you*	**os**	*to / for you (fam. pl.)*
le	*to / for you (form. sing) / him / her*	**les**	*to / for you (form., pl.) / them*

Notice that these are the same pronouns you learned to use with **gustar** and similar verbs in **Chapters 2 and 4.**

3. As with direct object pronouns, indirect object pronouns always come before a conjugated verb used alone.

Te traje el periódico.   *I brought **you** the newspaper.*
Nos dieron un regalo bonito.   *They gave **us** a nice gift.*

4. When an indirect object pronoun is used with an infinitive or with the present progressive, it may come before the conjugated verb, or it may be attached to the infinitive or to the present participle.

Te voy a dar el libro.   OR: Voy a dar**te** el libro.
Te estoy comprando el CD.   OR: Estoy comprándo**te** el CD.

5. When an indirect object pronoun is used with a command form, it attaches to the end of the affirmative command but comes before the negative command form.

Cómprame / Cómpreme el   BUT: **No me compres / No me compre** el
libro ahora, por favor.   libro ahora, por favor.

6. As you learned in **Chapter 4**, if you want to emphasize or clarify to or for whom something is being done, you can use **a** + the person's name, or **a** + prepositional pronoun (**mí, ti, usted, nosotros, vosotros, ustedes, ellos, ellas**). Note that when **a** pronoun is used, there is often no direct translation in English.

Les escribo una carta **a ustedes**.   *I'm writing **you** a letter.*
Le doy el regalo **a Lucas**.   *I'm giving the gift **to Lucas**.*
Les traigo el periódico **a mis padres**.   *I bring the newspaper **to my parents**.*

>> Actividades

7 **Regalos** Varias personas les regalaron varias cosas a diferentes miembros de su familia. Identifica el pronombre del complemento indirecto en cada oración.

1. Yo le regalé una gorra de lana a mi mamá.
2. Ana les compró unas pulseras a sus hermanas.
3. Arturo te dio unos guantes de cuero.
4. Mi tía nos trajo unas camisetas del Perú.
5. Abuela les mandó una tarjeta postal a mis primos.
6. Papá nos compró unos pantalones cortos a mí y a mi hermano.
7. Andrés te trajo una cadena de plata.
8. Nilemy le regaló un reloj a su tía.

Notice that when the indirect object pronoun attaches to the present participle, you must add an accent to the next-to-last syllable of the present participle to maintain the correct pronunciation.

Again notice that when the indirect object pronoun attaches to the command form, you must add an accent to the next-to-last syllable of command forms of two or more syllables in order to maintain the correct pronunciation.

Prepositional pronouns can follow *any* preposition, not just **a**. Other prepositions you know include **con:** *with* (with **con, mí** and **ti** change to **conmigo** and **contigo**); **de:** *from, of;* **sin:** *without*.

8 **¡Ay, Hernando!** Completa la siguiente conversación con el complemento indirecto correcto. Después de completarla, léela otra vez para ver si entiendes por qué se usa cada complemento indirecto.

HERNANDO: Oye, tengo que ir al centro. ¿Quieres acompañarme?

SEBASTIÁN: Cómo no. Tengo que (1) comprar_____ un regalo a mi hermanito para el día de su santo.

HERNANDO: Y yo (2) _____ voy a comprar unos jeans y una camiseta nueva.

SEBASTIÁN: ¿Tú con interés en la moda? Hombre, ¿qué (3) _____ pasa?

HERNANDO: Es Lidia. Ahora que salimos juntos los fines de semana (4) _____ dice que toda mi ropa está pasada de moda.

SEBASTIÁN: ¡No (5) _____ digas! A las mujeres... ¡(6) _____ importa demasiado la ropa!

HERNANDO: Y lo peor es que no tengo mucho dinero. ¿Crees que (7) _____ den un descuento en la tienda donde trabaja Julio?

SEBASTIÁN: Oye, vale la pena (it's worthwhile) ir a ver. ¿(8) _____ dijiste a Julio que necesitas comprar ropa?

HERNANDO: Sí. Pero (9) _____ dijo que debemos ir al almacén en el centro. Además dijo que los precios en su tienda son demasiado caros y la calidad no es muy buena.

SEBASTIÁN: Bueno, parece que él no nos puede ayudar. Entonces, ¿vamos directamente al almacén?

HERNANDO: De acuerdo. Oye, ¿no (10) _____ puedes prestar un poco de dinero?

SEBASTIÁN: ¡Hombre! Nunca cambias…

9 **De compras** Marisela les compra varias prendas de ropa y accesorios a diferentes miembros de su familia y a varias amistades. Escucha mientras ella describe sus compras. Luego, escribe oraciones que expliquen qué le compró a cada quién. Primero estudia el modelo.

MODELO: Escuchas: A mi tía le encantan las blusas bordadas. Cuando estaba de vacaciones en Ecuador, le compré una blusa bordada muy bonita.
Escribes: *Le compró una blusa bordada a su tía.*

1. _____ compró una cartera a _____.
2. _____ compró camisetas a _____.
3. _____ compró una pulsera de oro a _____.
4. _____ compró unos guantes de piel (_____).
5. _____ compró unos pantalones cortos a _____.
6. _____ compró unos zapatos de tenis (_____).

10 De vez en cuando Con un(a) compañero(a) de clase, digan para quiénes hacen las actividades indicadas. Usen cada verbo por lo menos una vez.

MODELO: comprar un café
De vez en cuando le compro un café a mi compañero(a) de cuarto.
O: *Nunca le compro un café a nadie.*

Acción	Objeto directo	Objeto indirecto
escribir	cartas	mi madre / padre
dar	flores	mis padres
comprar	regalos	mi amigo(a)
contar	chismes	mis amigos
mandar	notas de agradecimiento	mi profesor(a)
pedir	favores	mis profesores
hacer	chistes	mi novio(a)
traer	ayuda	mi compañero(a) de cuarto
¿...?	ropa	mis compañeros(as) de cuarto
	¿...?	

Frases útiles: de vez en cuando *(sometimes)*, frecuentemente, muchas veces, todas las semanas, todos los días, rara vez *(hardly ever)*, nunca, casi

11 ¿Quién? Con un(a) compañero(a), háganse preguntas sobre las acciones de sus compañeros de clase. Pueden usar las ideas de la lista o pueden inventar otras. Asegúrense de usar verbos que requieren el uso del objeto indirecto.

MODELO: Tú: *¿Quién le regaló ropa a su novio(a)?*
Compañero(a): *Dahlia le regaló un traje a su novio Jesús.*

1. regalar ropa
2. decir siempre la verdad
3. pagar los estudios
4. escribir mensajes electrónicos
5. ayudar con la tarea
6. ¿...?

> ¿Te gusta la idea de vestirte con ropa de diseñadores famosos? ¿Por qué sí o por qué no? ¿Tienes algunas prendas de ropa de diseñadores famosos?

 Interactive Practice / Ace the Test

Voces de la comunidad

 Web Links

(24)

NAME Carolina Herrera

66 Si mi trabajo con *The Right to Food Campaign Initiative Against Malnutrition* (IMSAM) salva la vida de sólo un niño entre los 40.000 que mueren de malnutrición y enfermedades *(illnesses)* relacionadas cada día, yo lo consideraré el mejor trabajo de mi vida. 99

Carolina Herrera es una de las figuras más importantes de la moda contemporánea, con una extensa línea de ropa, accesorios y perfumes.

Desde su primera colección en 1980, sus diseños han contado con *(have received)* la admiración de un público internacional. Hoy en día, personalidades tales como Courtney Cox, Renée Zellweger y Salma Hayek lucen *(wear)* sus famosos diseños y sus boutiques se encuentran en las ciudades más importantes de Europa, EEUU y Latinoamérica. Pero Herrera es mucho más que una talentosa diseñadora y mujer de negocios. Ella es también embajadora de buena voluntad *(goodwill ambassador)* de *The Right to Food Campaign Initiative Against Malnutrition*, una organización que trabaja en contra del hambre y la malnutrición. Originalmente de Caracas, Venezuela, Herrera reside en Nueva York, desde donde maneja su gran imperio internacional con Adriana, su hija menor, quien, según la diseñadora, es su más importante colaboradora.

Gramática útil ④

Making comparisons: Comparatives and superlatives

AR MODA

¡Canasta!

LOS BOLSOS DE MIMBRE, RAFIA Y CUERDA SON EL ACCESORIO BÁSICO DEL VERANO, TANTO PARA IR A LA PISCINA COMO SI SALES DE NOCHE

FOTOS: **GEMA LÓPEZ** ESTILISMO: **JUAN ANTONIO FRÍAS**

> Can you find the comparative words in this text? Are they making an equal or unequal comparison?

Cómo usarlo

Lo básico

Comparatives compare two or more objects. *Superlatives* indicate that one object exceeds or stands above all others. In English we use *more* and *less* with adjectives, adverbs, nouns, and verbs to make comparisons, and we also add *-er* to the end of most one- or two-syllable adjectives: *more expensive, cheaper*. To form superlatives we use *most / least* with adjectives or add *-est* to the end of most one- or two-syllable adjectives: *the most expensive, the cheapest*.

1. Comparatives in Spanish use **más** *(more)* and **menos** *(less)* to make comparisons between people, actions, and things. **Más** and **menos** can be used with nouns, adjectives, verbs, and adverbs.

Nouns:	Hay **más libros** en esta tienda que en aquélla.
	*There are **more books** in this store than in that one.*
Adjectives:	Este libro es **menos interesante** que ése.
	*This book is **less interesting** than that one.*
Verbs:	Yo **leo menos** que él.
	*I **read less** than he (does).*
Adverbs:	Él lee **más lentamente** que yo.
	*He reads **more slowly** than I (do).*

¿En qué puedo servirle? **259**

2. Superlative forms indicate that something exceeds all others: *the most, the least.*

Este libro es **interesantísimo**. Es **el más interesante** de todos.	*This book is **really interesting**. It's the **most interesting** of all of them.*

Video Tutorial

Flashcards

Cómo formarlo

1. **Regular comparatives.** Comparisons can be *equal* (as many as) or *unequal* (more than, less than). Comparatives can be used with nouns, adjectives, adverbs, and verbs.

> Notice that of all the words used in these comparative forms (**tanto, tan, más, menos, como,** and **que**) only **tanto** changes to reflect number and gender.

	Equal Comparisons	Unequal Comparisons
noun	**tanto** + noun + **como** (**Tanto** agrees with the noun.) Tengo **tanto dinero como** tú. Tengo **tantas tarjetas de crédito como** tú.	**más / menos** + noun + **que** (**Más / menos** do not agree with the noun.) Tengo **más dinero que** tú. Tengo **menos tarjetas de crédito que** tú.
adjective	**tan** + adjective + **como** Este reloj es **tan caro como** ése.	**más / menos** + adjective + **que** Este reloj **es más caro que** ése, pero es **menos caro que** aquél.
verb	verb + **tanto como** **Compro tanto como** tú.	verb + **más / menos** + **que** Ella **compra menos que** yo, pero él **compra más que** yo.
adverb	**tan** + adverb + **como** Pago mis cuentas **tan rápidamente como** tú.	**más / menos** + adverb + **que** Ella paga sus cuentas **más rápidamente que** yo, pero él paga **menos rápidamente que** yo.

2. **Irregular comparatives.** Some adjectives and adverbs have irregular comparative forms.

- Adjectives

bueno → mejor:	Este libro es **bueno,** pero ese libro es **mejor.**
malo → peor:	Esta tienda es **mala,** pero esa tienda es **peor.**
joven → menor:	Los dos somos **jóvenes,** pero Remedios es **menor** que yo.
viejo → mayor:	Martín no es **viejo,** pero es **mayor** que Remedios.

- Adverbs

> **Menor** and **mayor** are usually used to refer to people, although they can be used in place of **más grande** (**mayor**) and **más pequeño** (**menor**) when referring to objects. If you wish to say that one object is *older* or *newer* than another, use **más viejo** or **más nuevo.**

bien → mejor:	Lorena canta muy **bien,** pero Alfonso canta **mejor.**
mal → peor:	Nosotros bailamos **mal,** pero ellos bailan **peor.**

3. Superlatives

- To say that a person or thing is extreme in some way, add **-ísimo** to the end of an adjective. (If the adjective ends in a vowel, remove the vowel first.)

> fácil → **facilísimo** *(very easy)*   contento → **contentísimo** *(extremely happy)*

- To say that a person or thing is the *most . . .* or *the least . . .* use the following formula. (Do not use this formula with the **-ísimo** ending—choose one or the other!)

> article + noun + **más / menos** + adjective + **de**

Roberto es **el estudiante más popular de** la universidad.
Ellas son **las dependientes más trabajadoras del** almacén.

These superlative forms must change to reflect the gender and number of the nouns they modify: **unos aretes carísimos, unas camisetas baratísimas,** etc.

Notice that the accent is always on the first **í** of **-ísimo.** If the adjective has an accent, it is dropped when you add **-ísimo: difícil** → **dificilísimo.**

Notice that the article and the adjective must agree with the noun: **el estudiante popular, las dependientes trabajadoras.**

>> Actividades

12 El almacén Toneti Escucha el anuncio sobre Toneti, un almacén grande. Pon una X al lado de cada objeto que se menciona. **¡Ojo!** Asegúrate de que la descripción de cada objeto es la correcta.

1. _____ las mochilas más baratas
2. _____ las mochilas más grandes
3. _____ la selección más grande de zapatos
4. _____ los zapatos de tenis más populares
5. _____ los pantalones menos caros del centro
6. _____ los pantalones más caros del centro
7. _____ las camisetas de la más alta calidad
8. _____ las camisetas más bonitas del centro

13 La rebaja Haz comparaciones entre los precios de varias prendas de ropa y accesorios. Sigue el modelo.

MODELO: caro: las botas ($50) / los zapatos de tenis ($40)
Las botas son más caras que los zapatos de tenis.
Los zapatos de tenis son menos caros que las botas.

1. caro: los suéteres ($25) / las camisetas ($15)
2. caro: las camisetas ($15) / los vestidos ($50)
3. caro: las blusas ($30) / las camisetas ($15)
4. caro: las botas ($50) / los vestidos ($50)
5. barato: los vestidos ($50) / los suéteres ($25)
6. barato: las blusas ($30) / las botas ($50)
7. barato: los vestidos ($50) / los zapatos de tenis ($40)
8. barato: las camisetas ($15) / las blusas ($30)

14 Las personas famosas Haz comparaciones según el modelo.

MODELO: cantar: Faith Hill o Carrie Underwood
Faith Hill canta peor que Carrie Underwood.
O: *Faith Hill canta mejor que Carrie Underwood.*
O: *Faith Hill canta tan bien como Carrie Underwood.*

1. cantar: Jennifer López o Gwen Stefani
2. bailar: Ricky Martin o Gloria Estefan
3. cocinar: tu mejor amigo(a) o tu madre
4. jugar tenis: Venus Williams o Serena Williams
5. jugar golf: Tiger Woods o tu padre
6. patinar sobre hielo: tú o tu mejor amigo(a)
7. nadar: tú o tu hermano(a)
8. jugar béisbol: Albert Pujols o Manny Ramírez
9. hacer esquí acuático: tú o tus amigos
10. tocar la guitarra: Eric Clapton o Carlos Santana

●● **15 En el centro comercial** Trabaja con un(a) compañero(a) de clase. Juntos miren el dibujo y hagan todas las comparaciones que puedan. Usen las palabras y expresiones útiles por lo menos una vez cada una.

Palabras y expresiones útiles: tanto como, más, menos, tan... como, mejor, peor, el (la) más... de todos, el (la) menos... de todos

Comparaciones: alto / delgado; hablar; hacer compras; comer

16 **Nuestros amigos** Trabaja con un(a) compañero(a) de clase. Primero piensen en seis personas que conozcan los dos. Luego hagan comparaciones según el modelo.

MODELOS: cómico
Sean es más cómico que Jason.
hablar rápido
Sean habla más rápido que Jason.

Palabras y frases útiles: cómico, joven, viejo, alto, extrovertido, introvertido, hablar rápido, comer despacio *(slowly)*, viajar frecuentemente, jugar tenis (u otro deporte) bien, correr rápido, entrenarse frecuentemente

Interactive Practice /
Ace the Test

:) Sonrisas

Expresión En grupos de tres o cuatro estudiantes, trabajen para completar la comparación **"Es más loco(a) que un..."** de una manera diferente. Después de crear una lista de posibilidades, escojan una y hagan una tira cómica semejante a la de arriba.

Exploraciones culturales

Perú y Ecuador

Influencias andinas Mira la siguiente tabla y la lista de palabras que aparece arriba de la tabla. Los siguientes textos contienen información sobre cada uno de estos lugares o cosas. Mientras lees, ¿puedes poner diez de las palabras de la lista en la columna correcta de la tabla? (¡**Ojo**! En algunos casos, una cosa o un lugar puede referirse a los dos países.)

> **¿Adivinaste?** Answers to the questions on page 239: 1. Perú 2. Ecuador 3. Perú y Ecuador 4. Ecuador

> Although most reference books and written texts usually use just **Perú** to refer to the country, you will often hear native speakers say **el Perú.** This use of **el** sometimes occurs with **Ecuador** also.

el cuy (*guinea pig*)   los aimaraes   los bananos   los nazca
las flores   la vicuña   los Andes   el cultivo genético
las papas   el quechua   el algodón   la alpaca
el volcán Cotopaxi   los incas   la irrigación   el cóndor
el café   el cacao   el tomate   Charles Darwin

	Ecuador	Perú
idiomas		
flora y fauna		
geografía y ciencia		
grupos indígenas		

Ecuador, un país mágico

Ecuador es un pequeño país de gran diversidad. En medio de sus montañas altas hay ciudades que reflejan la influencia española, pero que también celebran su pasado indígena. La población indígena desciende de las grandes civilizaciones inca y aimara. Cada valle tiene sus costumbres, tradiciones, música, comida e incluso dialectos individuales. Los idiomas predominantes son el quechua, la lengua de los incas, y el español, la lengua que enseñan en las escuelas. Muchos ecuatorianos son perfectamente bilingües.

Es el territorio de la llama, de la vicuña, de la alpaca y del cóndor. La gran altitud del país resulta en una abundancia de luz solar, que permite cultivar una gran variedad de flores que se exportan a todo el mundo. En la costa hay cultivos típicos de los trópicos —bananos, arroz, cacao, café y piñas.

Siendo un país montañoso, Ecuador ofrece vistas y paisajes espectaculares. Cotopaxi, el volcán activo más alto del planeta, se encuentra aquí. A 1.000 kilómetros de la costa están las Islas Galápagos, que son únicas por su belleza pero aun más por su flora y fauna. Las condiciones naturales de las islas no han cambiado (*have not changed*) hace siglos, resultando en ecosistemas permanentes que permitieron a Charles Darwin demostrar su teoría de la evolución, usando la flora y la fauna de estas islas.

Unas iguanas de las Islas Galápagos

Perú lo tiene todo.

Perú es un país de contrastes. Desde los impresionantes picos de los Andes hasta los valles secretos de la selva amazónica, la mayor parte del país se mantiene en estado virgen. Aunque sus ciudades grandes son muy modernas, los habitantes del resto del país mantienen sus costumbres ancestrales.

Las alturas de la ciudad incaica de Machu Picchu

Se considera a la civilización incaica de Perú como una de las civilizaciones más antiguas del mundo. Los incas fueron uno de los primeros grupos en desarrollar la agricultura y el cultivo de animales domesticados. Hace unos 10.000 años los incas inventaron sistemas de irrigación e hicieron modificaciones genéticas en las plantas que cultivaron. Entre sus más grandes contribuciones están el cultivo de 128 plantas nativas, como la papa, el algodón, el tomate y la papaya, y animales como la llama, la vicuña, la alpaca y el cuy.

El territorio que hoy día llamamos Perú también fue la cuna (cradle) de otras civilizaciones aun más antiguas como las de Chavín, Tiahuanaco, Vicús, Nazca, Paracas y Mochica-Chimú, convirtiéndose en el más grande y poderoso (powerful) imperio de Sudamérica en la época prehispánica. La mayoría de la población peruana habla español y quechua, las lenguas oficiales, pero también existe una variedad de lenguas nativas, de las cuales el quechuas y el aimara son los idiomas más hablados. Los indígenas de la selva amazónica tienen sus propias lenguas con sus propios dialectos también.

>> Conexión cultural

Mira el segmento que está al final del episodio. Luego, en grupos de tres o cuatro, hablen de lo que hace la gente en su tiempo libre. ¿Cuáles son las actividades más populares entre sus amigos? ¿Son algunas las mismas que son populares en el mundo hispano?

>> ¡Conéctate! Web Links

Práctica Después de leer la lectura sobre Ecuador y Perú, trabaja con un(a) compañero(a) de clase. Hagan una investigación por Internet para buscar información sobre uno de los siguientes temas. Incluyan por lo menos tres datos interesantes sobre el tema. Usen los enlaces sugeridos en el sitio web de Nexos para ir a otros sitios web posibles.

1. la mítica ciudad incaica de Machu Picchu
2. la exótica flora y fauna de las Islas Galápagos
3. productos de la vicuña o la alpaca

>>Tú en el mundo hispano

Para explorar oportunidades de usar el español para estudiar o hacer trabajos voluntarios o aprendizajes en Perú, sigue los enlaces en el sitio web de Nexos.

♪ Ritmos del mundo hispano

Para escuchar música de Perú y Ecuador, sigue los enlaces en el sitio web de Nexos.

>> ¡Fíjate! >>

 Web Links / Web Search

La inmigración en Perú

Es común considerar a EEUU como un país de gran diversidad étnica, a causa de su larga historia de inmigración desde otros países. Sin embargo *(Nevertheless)*, mucha gente no sabe que los países de Latinoamérica también son sitios de gran inmigración. En el siglo XIX, por ejemplo, Perú tuvo una ola *(wave)* de inmigración desde China,

Línea férrea en Perú

similar a la que ocurrió en EEUU durante los años 1840 hasta 1880. Hoy día hay muchas comunidades chinas y asiáticas en las ciudades principales de Perú, y, aunque en menor grado, en otras partes de Sudamérica y América Central también.

La época de la inmigración china a Perú empezó en el año 1849 cuando el gobierno *(government)* autorizó la inmigración relacionada con la agricultura. Entre los años 1849 y 1974 llegaron más de 100.000 chinos a Perú, la mayoría para trabajar en las haciendas de agricultura en la costa. La ola más grande de inmigrantes chinos ocurrió entre 1861 y 1875, cuando miles de trabajadores vinieron para construir los ferrocarriles *(railroads)* y participar en el cultivo de algodón.

Hoy la presencia china es muy fuerte en Perú. La fusión de costumbres y tradiciones chinas y peruanas se nota, por ejemplo, en la preferencia por el arroz en la comida. Existe una variedad de organizaciones chino-peruanas que promueven la armonía y la fusión entre las dos culturas.

Práctica En grupos de tres o cuatro personas, hablen de los siguientes temas.

1. ¿Pueden pensar en otros países que tengan una historia con mucha inmigración? ¿Qué eventos históricos causaron esos períodos de inmigración?

2. En su opinión, ¿hay beneficios por tener muchos inmigrantes en un país? ¿Hay desventajas *(disadvantages)*? ¿Existen diferencias entre los distintos grupos de inmigrantes y las razones por las cuales decidieron inmigrar?

3. Hablen sobre los orígenes étnicos de sus familias. ¿De dónde inmigraron originalmente sus antepasados *(ancestors)*?

A leer

Antes de leer

1 Las siguientes palabras están en el artículo de la página 268, que trata de la popularidad de los jeans por todo el mundo. ¿A qué palabras inglesas son similares?

1. overoles
2. cachemira
3. apliques

2 El artículo que vas a leer en este capítulo trata de la influencia de los jeans en la moda internacional. Antes de leer el artículo, escribe de cinco a siete palabras que tú asocies con los jeans y con la mezclilla.

3 Las siguientes frases del artículo contienen palabras que no conoces. A ver si puedes emparejar *(match)* las frases de las dos columnas para adivinar el sentido de las palabras **en negrilla.**

1. _____ algo moderno, permanente y **novedoso...**

2. _____ El jean es muy dúctil... lo puedes **doblar...**

3. _____ puedes **guardarlo** sin que ocupe mucho espacio

4. _____ Hace ver **varonil** a cualquier hombre.

a. *you can **store** it without it taking up much space*

b. *It makes any man look **manly**.*

c. *something modern, permanent, and **novel**.*

d. *A pair of jeans is very flexible . . . you can **fold** it . . .*

Lectura

④ Lee el siguiente artículo de un periódico ecuatoriano. ¿Hay palabras que escribiste para la **Actividad 2** en el artículo?

El jean impone su encanto

Hace un siglo, el jean se creó para usarse en sectores laborales estadounidenses donde el trabajo arduo hizo de la ropa fuerte una necesidad. Ahora, al pasar los siglos, este material sigue siendo algo moderno, permanente y novedoso...

Los atractivos del jean han sobrepasado[1] los límites del tiempo y de las fronteras. Los clásicos pantalones jeans y los overoles todavía son populares y, además, les dan la posibilidad a sus usuarios de combinarlos de mil maneras. Se pueden usar hasta en ocasiones más elegantes si se usan con una chaqueta o con una blusa de seda o un saco de cachemira. Los beneficios de esta tela son innumerables. Por ejemplo, es común ver carteras de jean, zapatos con tacones de mezclilla y gorras, chalecos, chompas[2], sombreros, mochilas, monederos y otros accesorios de moda que rompen con los diseños tradicionales y se modernizan al usar esta tela tan tradicional y moderna a la vez.

Pero, ¿qué es lo que puede ofrecer el jean a los hombres y a las mujeres de esta época? Escuchemos sus testimonios.

▶ "Usar jean es sentirse más joven, a pesar de la edad real que tengas".

▶ "El jean es muy dúctil, por lo que lo puedes doblar y guardarlo sin que ocupe mucho espacio".

▶ "Es resistente a cualquier trato".

▶ "Se lava y sigue como si nada..."

▶ "Puedes llevar libros o bloques de cemento, sabe cuál es su función".

▶ "El cuero es para gente mayor. El jean siempre será[3] joven".

▶ "Hace ver varonil a cualquier hombre".

▶ "Es de los materiales más durables y que además no pasa de moda. Un jean puedes llevarlo años y mientras más rasgado, más en onda[4]".

▶ "Los brazaletes de jean son súper chéveres[5]".

▶ "El jean es discreto cuando debe serlo, pero también sensual cuando le has dado ese papel[6]".

▶ "Sobre el jean puedes poner cualquier tipo de apliques..."

▶ "Es de lo más práctico para vestir. Sólo necesitas un pantalón y falda y la mitad de tus problemas están resueltos[7]".

[1]**han**... *have surpassed* [2]**suéteres** [3]**va a ser** [4]**más rasgado**... *the more ripped, the more in style* [5]*cool* [6]**le**... *you have given it that role* [7]*solved*

Después de leer

5 Vuelve a la lista de palabras y asociaciones que hiciste para la **Actividad 2**. ¿Te ayudó pensar en este tema antes de leer el artículo? ¿Pudiste predecir algunas de las ideas del texto? ¿Por qué sí o por qué no?

6 Trabaja con un grupo de tres o cuatro estudiantes. Juntos contesten las siguientes preguntas sobre la lectura.

1. ¿Con qué país asocia el autor del artículo los jeans?
2. ¿Con qué prendas de ropa sugiere el autor combinar los jeans?
3. ¿Qué otras prendas o accesorios son de mezclilla?
4. Hagan una lista de por lo menos cinco aspectos positivos de los jeans que se mencionan en los "testimonios".

7 En la opinión de la gente de otros países, los jeans son un símbolo de los Estados Unidos (¡junto con la hamburguesa y los autos grandes!). Hablen en grupo sobre las siguientes preguntas. Luego, cada persona debe escribir un resumen corto de la conversación.

1. ¿Hay una diferencia entre una prenda de ropa muy popular y una prenda de ropa "tradicional"? Por ejemplo, en Perú y Ecuador, la ropa tradicional generalmente se refiere a la ropa que usa la gente indígena de la región andina. Los peruanos que viven en las ciudades usan estilos más modernos e internacionales.
2. En la opinión de ustedes, ¿existe una "ropa tradicional americana"? (Piensen en las regiones geográficas y en los grupos étnicos del país.) Si existe, ¿cómo es?
3. Cuando la gente de otros países piensa en "la ropa americana", ¿a qué tipo de ropa se refieren? En la opinión de ustedes, ¿es correcta o falsa esta imagen del estilo estadounidense?

www Interactive Practice

Vocabulario

Las prendas de ropa *Articles of clothing*

el abrigo	*coat*
la blusa	*blouse*
las botas	*boots*
los calcetines	*socks*
la camisa	*shirt*
la camiseta	*t-shirt*
el chaleco	*vest*
la chaqueta	*jacket (outdoor, non-suit coat)*
la falda	*skirt*
el impermeable	*raincoat*
los jeans	*jeans*
los pantalones	*pants*
los pantalones cortos	*shorts*
el saco	*jacket, sports coat*
la sudadera	*sweatpants*
el suéter	*sweater*
el traje	*suit*
el traje de baño	*bathing suit*
el vestido	*dress*

Los zapatos *Shoes*

las botas	*boots*
las sandalias	*sandals*
los zapatos	*shoes*
los zapatos de tacón alto	*high-heeled shoes*
los zapatos de tenis	*tennis shoes*

Las telas *Fabrics*

Está hecho(a) de...	*It's made out of . . .*
Están hechos(as) de...	*They're made out of . . .*
el algodón	*cotton*
el cuero / la piel	*leather*
la lana	*wool*
el lino	*linen*
la mezclilla	*denim*
la seda	*silk*

a cuadros	*plaid*
a rayas / rayado(a)	*striped*
bordado(a)	*embroidered*
de lunares	*polka-dotted*
de un solo color	*solid (color)*
estampado(a)	*print*

Los accesorios *Accessories*

la bolsa	*purse*
la bufanda	*scarf*
la cartera	*wallet*
el cinturón	*belt*
las gafas de sol	*sunglasses*
la gorra	*cap*
los guantes	*gloves*
el sombrero	*hat*

Las joyas *Jewelry*

el anillo	*ring*
los aretes / los pendientes	*earrings*
el brazalete / la pulsera	*bracelet*
la cadena	*chain*
el collar	*necklace*
el reloj	*watch*
el oro	*gold*
la plata	*silver*

La moda *Fashion*

(no) estar de moda	*(not) to be fashionable*
pasado(a) de moda	*out of style*

Ir de compras *Going shopping*

El (La) dependiente *The clerk*

¿Cuál es su talla?	*What is your size?*
¿En qué puedo servirle?	*How can I help you?*
Es muy barato.	*It's very inexpensive.*
Está a muy buen precio.	*It's a very good price.*
Está en venta.	*It's for sale.*
Está rebajado(a).	*It's reduced / on sale.*
de buena (alta) calidad	*of good (high) quality*
el descuento	*discount*
la oferta especial	*special offer*

El (La) cliente   *The customer*

¿Cuánto cuesta(n)?	How much does it (do they) cost?
Es (demasiado) caro.	It's (too) expensive.
¿Lo (La / Los / Las) tiene en una talla...?	Do you have it / them in a size . . .?
Me queda bien / mal.	It fits nicely / badly.
Me queda grande / apretado(a).	It's too big / too tight.
Voy a llevármelo(la / los / las).	I'm going to take it / them.
Voy a probármelo(la / los / las).	I'm going to try it / them on.

Métodos de pago   *Forms of payment*

¿Cómo desea pagar?	How do you wish to pay?
Al contado. / En efectivo.	In cash.
Con cheque.	By check.
Con cheque de viajero.	With a traveler's check.
Con un préstamo.	With a loan.
Con tarjeta de crédito.	With a credit card.
Con tarjeta de débito.	With a debit card.

Los números mayores de 100
Numbers above 100

cien	one hundred
ciento uno	one hundred and one
ciento dos, etc.	one hundred and two, etc.
doscientos(as)	two hundred
trescientos(as)	three hundred
cuatrocientos(as)	four hundred
quinientos(as)	five hundred
seiscientos(as)	six hundred
setecientos(as)	seven hundred
ochocientos(as)	eight hundred
novecientos(as)	nine hundred
mil	one thousand
dos mil, etc.	two thousand, etc.
cinco mil	five thousand
diez mil	ten thousand
cien mil	one hundred thousand
un millón	one million
dos millones, etc.	two million, etc.

Comparaciones

más [noun / adjective / adverb] que	more [noun / adjective / adverb] than
menos [noun / adjective / adverb] que	less [noun / adjective / adverb] than
[verb] más / menos que	[verb] more / less than
tan [adjective / adverb] como	as [adjective / adverb] as

tanto(a) [noun] como	as much [noun] as
tantos(as) [noun] como	as many [noun] as
[verb] tanto como	[verb] as much as

mayor	older; more
mejor	better
menor	younger; less
peor	worse

Pronombres de complemento indirecto

me	to / for me
te	to / for you (fam. sing.)
le	to / for you (form. sing.), him, her, it
nos	to / for us
os	to / for you (fam. pl.)
les	to / for you (form., pl.), them

Pronombres preposicionales

mí	me
ti	you (fam. sing.)
usted	you (form. sing.)
él	him
ella	her
nosotros(as)	us
vosotros(as)	you (fam. pl.)
ustedes	you (form. pl.)
ellos	them (male or mixed group)
ellas	them (female)
conmigo	with me
contigo	with you

Verbos

andar	to walk
conseguir (i, i)	to get, to obtain
morirse (ue, u)	to die
sonreír (i, i)	to smile
sugerir (ie, i)	to suggest

Capítulo 9

¿Qué te apetece?

▶ Sabores

¿Comes para vivir o vives para comer? La comida da sabor *(flavor)* a las reuniones entre familia y amigos y juega un papel integral en todas las culturas del mundo. En este capítulo, vamos a examinar la comida y la importancia que tiene en nuestra vida.

Una mujer boliviana vende vegetales en un mercado al aire libre.

Unas salteñas

▶ Communication

By the end of this chapter you will be able to
- talk about food and cooking
- shop for food
- order in a restaurant
- talk about what you used to eat and cook
- say what you do for others

▶ Cultures

By the end of this chapter you will have learned about
- Bolivia and Paraguay
- traditional foods
- ordering in a restaurant
- bilingual countries in North and South America

Sergio dijo que la sopa estaba congelada, que el bróculi no estaba fresco y ¡que la carne estaba cruda!

▶ Los datos

Mira la información de la tabla. Luego contesta las siguientes preguntas.

	Bolivia	Paraguay
Comidas típicas	el chuño (un tipo de papa), el satja (una sopa de pollo), la salteña (una empanada de carne), el bife, el maíz *(corn)*, la batata *(sweet potato)*	el bori de gallina (sopa de pollo), la so'o (una sopa de verduras y albóndigas *[meatballs]*), el mbeju (un panqueque con queso), el bife, el maíz, la batata
Productos agrícolas principales	el algodón, el arroz, el café, la caña de azúcar, la madera *(wood)*, el maíz, las patatas, las sojas *(soybeans)*	el algodón, el bife, la caña de azúcar, las casavas, los huevos, la leche, el maíz, la madera, el puerco, las sojas, el tabaco, el trigo *(wheat)*

❶ ¿Qué comidas típicas tienen en común los dos países?

❷ ¿En qué país es popular un tipo de sopa de pollo?

❸ ¿Qué es la so'o? ¿y la salteña?

❹ ¿Cuáles de estas comidas tienen nombres indígenas?

❺ Piensa en cinco comidas "típicas" de EEUU. ¿Cuál es el origen de cada una?

❻ ¿Qué productos agrícolas tienen en común estos dos países? ¿Cuáles son diferentes?

▶ ¡Adivina!

¿Qué sabes de Bolivia y Paraguay? Indica a qué país o países se refiere cada oración. (Las respuestas están en la página 296.)

❶ Este país es uno de los pocos países con una biosfera no muy contaminada.

❷ Este país recibió su nombre del libertador Simón Bolívar.

❸ El mayor complejo hidroeléctrico del mundo se encuentra en este país.

❹ Este país no tiene costas.

❺ Este país es el único en el mundo que tiene dos ciudades capitales.

❻ Este país tiene dos idiomas oficiales, el español y el guaraní.

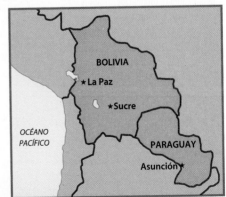

273

¡Imagínate!

Vocabulario útil ①

CHELA: Quedamos en vernos a las ocho en punto en el **restaurante**. No llegó hasta las ocho y media. Cuando llegó, no ofreció explicaciones y no se disculpó. El **camarero** nos trajo los **menús** pero en ese momento sonó el celular de Sergio. Habló por teléfono —no sé con quién— por diez minutos enteros mientras yo esperaba. Por fin colgó y **ordenamos**. Yo pedí el **pollo asado** y él pidió el **lomo de res**.

`00:00:00`

Usage and meaning of **bocadillo** and **sandwich** vary throughout the Spanish-speaking world. In general, a **bocadillo** is made with crusty bread similar to the French baguette. A **sandwich** is typically made of pre-sliced loaf-style bread.

Food terms vary tremendously from country to country and region to region. For example, *cake* can be **pastel** or **torta**; *pork* can be **puerco** or **cerdo**; *banana* can **be plátano**, **banana**, or **guineo**. When you travel, be prepared to come across a variety of foods that you don't recognize and different names for foods that you do.

En el restaurante Miramar

Cómo ordenar y pagar

Camarero(a), ¿me puede traer el menú?	*Waiter (Waitress), could you please bring me the menu?*
¿Me puede recomendar algo ligero / fuerte?	*Can you recommend something light / filling?*
Para plato principal, voy a pedir...	*For the main course, I would like to order . . .*
Para tomar, quiero...	*To drink, I want . . .*
De postre, voy a pedir...	*For dessert, I would like to order . . .*
¿Me puede traer la cuenta, por favor?	*Can you bring me the check, please?*
¿Cuánto debo dejar de propina?	*How much should I leave as a tip?*

With a partner, go through all the items on the menu on page 275 and decide whether they are masculine or feminine. Check your answers in the **Vocabulario** section on pages 304–305.

Green beans are referred to as **habichuelas** only in the Caribbean. In Spain, they are referred to as **judías verdes**, and in other countries you might see them referred to as **vainas verdes**.

EL MENÚ

Desayuno

cereal	*cereal*
huevos revueltos	*scrambled eggs*
huevos estrellados	*eggs, sunny-side up*
pan tostado	*toast*

Almuerzo

Ensaladas

ensalada mixta	*mixed salad*
ensalada de lechuga y tomate	*lettuce and tomato salad*
ensalada de papas	*potato salad*

Sopas

caldo de pollo	*chicken soup*
sopa de fideos	*noodle soup*
gazpacho	*cold, tomato-based soup (Spain)*

Sándwiches (o bocadillos)

sándwich de jamón y queso con aguacate	*ham and cheese sandwich with avocado*
hamburguesa	*hamburger*
hamburguesa con queso	*cheeseburger*
perro caliente	*hot dog*
...con papas fritas	*. . . with French fries*

Bebidas y refrescos

café	*coffee*
té o té helado	*hot or iced tea*
agua mineral	*mineral water*
jugo de fruta	*fruit juice*
leche	*milk*
limonada	*lemonade*
vino blanco/tinto	*white/red wine*
cerveza	*beer*

A la carta

Vegetales

frijoles refritos	*refried beans*
zanahorias	*carrots*
bróculi	*broccoli*
espárragos	*asparagus*
guisantes	*peas*
habichuelas	*green beans*

Postres

flan	*custard*
galletas	*cookies*
pastel	*cake*
helado de vainilla/ chocolate	*vanilla/chocolate ice cream*

Frutas

naranja	*orange*
manzana	*apple*
plátano	*banana*
fresas	*strawberries*
uvas	*grapes*
melón	*melon*

Platos principales

Carnes

lomo de res	*prime rib*
bistec	*steak*
chuleta de puerco	*pork chop*
guisado	*beef stew*
pollo asado	*roasted chicken*
pollo frito	*fried chicken*
arroz con pollo	*chicken with rice*

Mariscos

almejas	*clams*
camarones	*shrimp*
langosta	*lobster*

Pescados

atún	*tuna*
salmón	*salmon*
bacalao	*cod*
trucha	*trout*

www Flashcards

>> Actividades

1 **¡Tengo hambre!** Tienes mucha hambre. ¿Qué vas a pedir para comer y tomar en las siguientes situaciones?

1. Te despertaste tarde y no tienes mucho tiempo para desayunar antes de ir a la oficina.
2. Acabas de correr cinco millas en una carrera para una organización benéfica *(charity)*.
3. Estás en una cita con una persona que es vegetariana y quieres dar una buena impresión.
4. Es tu cumpleaños y estás en un restaurante elegante con varios amigos para celebrarlo.
5. Tu jefe quiere salir a comer contigo para hablar sobre algunos problemas de la oficina.
6. Sales a cenar con tus padres para su aniversario.

2 **El menú** Con un(a) compañero(a), preparen un menú para las siguientes personas. Incluyan tres comidas y también algunas meriendas *(snacks)* si creen que le hacen falta a esa persona. Incluyan todos los detalles necesarios, incluso lo que debe tomar esa persona con cada comida o merienda.

1. una persona que está a dieta
2. una persona muy activa que necesita muchas calorías
3. una pareja que sale a cenar para celebrar su aniversario
4. un estudiante universitario que no tiene mucho dinero
5. una persona que acaba de despertarse y va a correr un maratón hoy

3 **En el restaurante** En grupos de tres, representen una de las siguientes situaciones. Pueden preparar un guión antes de representar la situación a la clase.

Situación 1: Es el cumpleaños de tu novio(a) y están en un restaurante elegante para la celebración. El (La) camarero(a) es un actor (actriz) a quien no le gusta su trabajo y en realidad no debe servirle comida a la gente.

Situación 2: Tu jefe te invita a cenar. Estás un poco nervioso(a) porque no sabes de lo que quiere hablar. El (La) camarero(a) es un(a) viejo(a) amigo(a) tuyo(a) y te hace muchas recomendaciones, pero tú no tienes hambre y no quieres lo que te sugiere.

Interactive Practice /
Ace the Test

Vocabulario útil ②

CHELA: Empezamos a comer. Inmediatamente, Sergio llamó al camarero. ¡Pobre camarero! Sergio fue muy descortés con él. Le dijo que la **sopa** estaba **congelada,** que el **bróculi** no estaba **fresco** ¡y que la **carne** estaba **cruda!** Mandó toda la comida a la cocina. ¡Qué vergüenza! No sabía qué hacer. Mientras esperábamos sus platos, **se enfriaron** los míos.

00:00:00

Las recetas

Los ingredientes

el aceite de oliva	*olive oil*
el ajo	*garlic*
el azúcar	*sugar*
la cebolla	*onion*
la harina	*flour*
la mantequilla	*butter*
la sal y la pimienta	*salt and pepper*
la mayonesa	*mayonnaise*
la mostaza	*mustard*
el vinagre	*vinegar*

Las medidas *Measurements*

un kilo	*kilo (approximately 2.2 lbs.)*
medio kilo	*half a kilo*
la libra	*pound*
el litro	*liter*
el galón	*gallon*
la cucharada	*tablespoonful*
la cucharadita	*teaspoonful*
la docena	*dozen*
el paquete	*package*
el pedazo	*piece, slice*
el trozo	*chunk, piece*

La preparación

a fuego suave / lento	*at low heat*
al gusto	*to taste*
al hilo	*stringed*
al horno	*roasted (in the oven)*
a la parrilla	*grilled*
al vapor	*steamed*
congelado(a)	*frozen*
crudo(a)	*raw*
dorado(a)	*golden; browned*
fresco(a)	*fresh*
frito(a)	*fried*
hervido(a)	*boiled*
molido(a)	*crushed, ground*
picante	*spicy*
agregar, añadir	*to add*
calentar (ie) (en el microondas)	*to heat (in the microwave)*
cocer (ue)	*to cook (on the stove)*
enfriarse	*to get cold*
freír (i, i)	*to fry*
hervir (ie, i)	*to boil*
hornear	*to bake in the oven*
mezclar	*to mix*
pelar	*to peel*
picar	*to chop, mince*
unir	*to mix together, incorporate*

Flashcards

>> Actividades

4 **Picadillo boliviano** Lee la siguiente receta para un picadillo boliviano. Con un(a) compañero(a), contesten las siguientes preguntas para ver si entendieron las instrucciones.

> **Picadillo** is a mincemeat, often spicy, that is typical of Latin America.

PICADILLO

Ingrediente

15 papas peladas y cortadas al hilo
1/2 kg. de cadera de res
5 vainas de ají colorado molido y frito
2 cebollas
1 tomate
1 cucharadita de pimienta
1/4 cucharadita de comino
aceite
sal

Preparación

Pique la carne muy menuda, el tomate en cuadritos y la cebolla finamente picada. En una sartén con poco aceite, fría la cebolla hasta que esté transparente. Añada la pimienta, el comino, la sal al gusto y la carne. Cuando la carne esté dorada, agregue el tomate, deje cocer 5 minutos e incorpore el ají colorado y 1/2 taza de agua. Deje secar a fuego suave el guiso. Aparte fría las papas en abundante aceite caliente. En el momento de servir, una las papas y el guisado de carne. Mezcle bien.

1. ¿Qué debes hacer con las quince papas?
2. ¿Qué debes hacer con la carne antes de freírla?
3. ¿Cómo debes cortar el tomate?
4. ¿Qué debes hacer con la cebolla?
5. ¿Qué le vas a añadir a la cebolla después de freírla?
6. ¿Cuándo puedes agregar el tomate?
7. Después de agregar el tomate, ¿qué más le tienes que añadir al guiso?
8. Mientras el guiso se seca a fuego suave, ¿qué debes hacer con las papas?
9. ¿Qué debes hacer al final?

5 **Telecocina** Escoge una receta sencilla, como la del picadillo boliviano, y escríbela en una tarjeta. ¡Vas a explicarle a la clase cómo preparar tu plato favorito! Pero lo vas a tener que hacer sin estufa ni horno. La clase puede hacerte preguntas durante tu demostración. Imagínate que tu presentación se está transmitiendo por televisión.

Interactive Practice /
Ace the Test

Vocabulario útil ③

CHELA: Después de la cena, otro desastre. El camarero nos servía el café cuando sonó el celular de Sergio otra vez. Decidió tomar la llamada en privado. Al levantarse, se pegó en la **mesa** y tiró el café por todo el **mantel**.

DULCE: ¡Uy, qué horror! ¡Parece de película!

CHELA: Sí, ¡de película de horror! Y no me lo vas a creer, pero después de todo eso, ¡no le dejó propina al pobre camarero! ¡Yo tuve que regresar a dejársela!

`00:00:00`

La mesa

Cómo poner la mesa *Setting the table*

- el mantel
- el vaso
- la taza
- la copa
- el tenedor
- el cuchillo
- el plato hondo
- la servilleta
- la cuchara
- el plato

 Flashcards

>> Actividades

6 **¡Necesito un tenedor!** Un(a) amigo(a) da una cena para varios invitados y te pide que lo (la) ayudes. Al oír los comentarios de los invitados, te das cuenta de que necesitan ciertos utensilios. ¿Qué le hace falta a cada persona?

> **Tomar**, not **comer**, is used to refer to eating soup.

1. "No puedo tomar el caldo de pollo".
2. "Me gustaría tomar un té caliente".
3. "Quisiera un poco de agua mineral, por favor".
4. "Voy a abrir una botella de vino".
5. "No puedo cortar este bistec".
6. "Este arroz se ve delicioso".
7. "¿En qué debo servir el gazpacho?"
8. "Necesito algo para limpiarme las manos".

7 **La cena** En grupos de cuatro, representen la siguiente situación: Tú y tres amigos van a dar una fiesta para celebrar algo importante. Los cuatro se juntan para planear el menú. No están de acuerdo con varias decisiones:

- dónde va a ser la fiesta
- qué platos van a cocinar
- quién va a preparar qué platos
- cómo los van a preparar
- qué refrescos van a servir
- a quiénes van a invitar

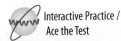 Interactive Practice / Ace the Test

Antes de ver el video

**●● ① ** El video para este capítulo tiene lugar en un restaurante. Chela le describe a Dulce la cena que tuvo la noche anterior con Sergio. Trabaja con un(a) compañero(a) de clase y contesten las siguientes preguntas sobre lo que ya saben de Chela y Sergio.

1. ¿Qué sabes de la personalidad de Chela? Piensa en tres adjetivos que la describan.

2. ¿Qué sabes de la personalidad de Sergio? Piensa en tres adjetivos diferentes que lo describan.

3. En su opinión, ¿son Chela y Sergio compatibles? ¿Por qué sí o por qué no?

Estrategia

Using visuals to aid comprehension

In the video segment you are going to see, you can gain a lot of information from just looking at the visuals on the screen. In some cases, the scenes and images you see also help you to understand the language that you hear. When watching video, it is important to pay attention to the visuals as well as to the spoken conversation.

**② ** Antes de ver el video, mira las siguientes fotos del video. Luego escoge la oración que mejor describa la idea principal de cada foto.

1. _____   2. _____   3. _____

Ideas principales

a. Parece que Sergio llegó muy tarde a la cita.

b. A Chela no le gustó nada la conversación telefónica que tuvo Sergio.

c. Sergio fue muy descortés con el camarero.

El video

Mira el episodio para el **Capítulo 9.** No te olvides de concentrarte en las imágenes del video para ayudarte a entender la acción y los comentarios de Chela.

Después de ver el video

3 Pon en el orden correcto los ejemplos de la descortesía de Sergio, según los comentarios de Chela.

_____"Habló por teléfono —no sé con quién— por diez minutos enteros mientras yo esperaba".

_____"...Sergio llamó al camarero. ¡Pobre camarero! Sergio fue muy descortés con él".

_____"Decidió tomar la llamada en privado. Al levantarse, se pegó en la mesa y tiró el café por todo el mantel".

_____"Quedamos en vernos a las ocho en punto en el restaurante. No llegó hasta las ocho y media".

_____"Habló de sí mismo por una eternidad y mientras hablaba no dejaba de arreglarse el pelo".

_____"... después de todo eso, ¡no le dejó propina al pobre camarero!"

4 En tu opinión, ¿crees que a Sergio le pareció una cena agradable? Escribe una conversación breve entre Sergio y Beto en la que Sergio describa la cena desde su punto de vista.

 Interactive Practice / Ace the Test

Voces de la comunidad

www Web Links

NAME Aarón Sánchez

❝Hay que pensar en la comida latinoamericana en términos de varias superpotencias culinarias: la influencia afro-caribeña; el maíz, el arroz y los frijoles de Centroamérica; de Suramérica tenemos frutos frescos de mar *(seafood)*; Perú, la cuna *(cradle)* de las papas, y en Chile y Argentina, la influencia europea. ❞

Hijo y nieto de dos promi-nentes chefs mexicanos, Aarón Sánchez es la personificación del proverbio "de tal palo, tal astilla" *("a chip off the old block")*. Este joven originario de El Paso, Texas, es dueño *(owner)* de dos restaurantes de inspiración pan-latina, *Paladar* en la ciudad de Nueva York y *Mixx* en Atlantic City. Además, fue co-animador *(co-presenter)* de "The Melting Pot", un programa de la Food Network, y es autor de *La comida del barrio*. En este libro, Sánchez explora la comida y cultura de La Pequeña Habana, Spanish Harlem, The Mission y otros barrios latinos. Sus recetas se enfocan en platillos caseros *(home-cooked dishes)* tales como la ensalada de nopales y camarones, la sopa de frijoles negros y el fricasé de pollo.

¿Cómo refleja la comida las tradiciones y costumbres de un país? En tu opinión, ¿es importante mantener las tradiciones culinarias del pasado? ¿Por qué sí o por qué no?

¡Prepárate!

Gramática útil 1

Talking about what you used to do:
The imperfect tense

Habló por teléfono, no sé
con quién, por diez minutos
enteros mientras yo
esperaba.

Cómo usarlo

1. You have already learned to talk about completed actions and past events using the *preterite tense* in Spanish.

2. Spanish has another past-tense form known as the *imperfect tense*. The imperfect is used to talk about *ongoing actions* or *conditions* in the past.

3. Use the *imperfect tense* to talk about the following events or situations in the past.

   ■ to talk about what you *habitually did* or *used to do*

Todos los días, **desayunaba** a las ocho y luego **caminaba** a la escuela.	*Every day **I used to eat breakfast** at eight and then **I walked** to school.*

   ■ to describe an *action in progress* in the past

Vivíamos en Asunción con mi prima Enedina y sus padres.	***We were living** in Asunción with my cousin Enedina and her parents.*

   ■ to *tell the time* in the past

Por lo general, **eran** las diez de la noche cuando **comíamos.**	***It was usually** ten at night when **we would eat dinner.***

   ■ to describe *emotional or physical conditions* in the past

Todos **estábamos** muy contentos y nadie se enfermó ese año. **Nos sentíamos** muy afortunados.	***We were** all very happy and no one got sick that year. **We felt** very fortunate.*

   ■ to describe *ongoing weather conditions* in the past

Llovía mucho en Paraguay en esa época.	***It rained** a lot in Paraguay during that time.*

   ■ to tell someone's *age* in the past

Enedina **tenía** quince años ese año.	*Enedina **was** fifteen that year.*

4. The imperfect tense is generally translated into English in different ways. For example, **comía** can be translated as *I ate* (routinely), *I was eating, I would eat,* or *I used to eat.*

Cómo formarlo

Video Tutorial

Flashcards

1. Here are the imperfect forms of regular verbs, which include almost all Spanish verbs. Notice that **-er** and **-ir** verbs share the same endings, and that the **yo** and **usted / él / ella** forms are identical for all verbs.

	cenar	**comer**	**pedir**
yo	cen**aba**	com**ía**	ped**ía**
tú	cen**abas**	com**ías**	ped**ías**
usted / él / ella	cen**aba**	com**ía**	ped**ía**
nosotros / nosotras	cen**ábamos**	com**íamos**	ped**íamos**
vosotros / vosotras	cen**abais**	com**íais**	ped**íais**
ustedes / ellos / ellas	cen**aban**	com**ían**	ped**ían**

> Notice the use of accents on the **nosotros / nosotras** form of -ar verbs, and on *all* forms of the -er and -ir verbs.

2. There are no stem changes in the imperfect tense.

3. There are only three irregular verbs in the imperfect.

	ir	**ser**	**ver**
yo	iba	era	veía
tú	ibas	eras	veías
usted / él / ella	iba	era	veía
nosotros / nosotras	íbamos	éramos	veíamos
vosotros / vosotras	ibais	erais	veíais
ustedes / ellos / ellas	iban	eran	veían

> **Ver** is irregular only in that the **e** is maintained before adding the regular **-er / -ir** imperfect endings.

>> Actividades

1 **Sergio** Sergio describe su vida cuando tenía catorce años y estaba en el colegio. Cambia los verbos en sus oraciones al imperfecto para saber cómo era su vida.

1. <u>Me levanto</u> a las seis de la mañana todos los días.
2. <u>Tomo</u> el desayuno en casa.
3. <u>Salgo</u> a correr dos millas antes de ir al colegio.
4. <u>Voy</u> al colegio en autobús.
5. <u>Almuerzo</u> en la cafetería del colegio.
6. <u>Tengo</u> clases hasta las cuatro de la tarde.
7. <u>Estudio</u> en la casa de mi novia hasta las ocho y media de la noche.
8. <u>Me acuesto</u> a las diez de la noche.

2 En la secundaria Entrevista a un(a) compañero(a). Quieres saber más de su vida cuando estaba en la secundaria. Puedes usar las siguientes preguntas para tu entrevista, o puedes hacerle las preguntas que quieras. Túrnense para hacer la entrevista.

1. ¿A qué hora empezaban las clases?
2. ¿A qué hora te levantabas / desayunabas?
3. ¿Comías en la cafetería de la escuela o llevabas tu propia comida?
4. Si llevabas tu propio almuerzo, ¿quién lo preparaba?
5. ¿Qué comías de almuerzo?
6. ¿Trabajabas después de la escuela?
7. ¿Cuántas horas de tarea hacías?
8. ¿Participabas en algún deporte?
9. ¿Ibas a fiestas los fines de semana? ¿Solo(a) o con tus amigos?
10. ¿Eras miembro de algún club u organización en tu escuela?
11. ¿Tenías novio(a)?
12. ¿Qué hacías con tus amigos?

3 Los veranos de mi niñez ¿Cómo pasabas los veranos cuando eras niño(a)? Escribe una descripción de lo que recuerdas de los veranos de tu niñez o de un verano en particular que fue importante u horrible. Léele tu descripción a un(a) compañero(a) y escucha la descripción de él (ella). Usa las siguientes preguntas como guía si quieres.

- ¿Dónde pasabas los veranos? ¿Con quién(es)?
- ¿Qué hacías?
- ¿Qué te gustaba hacer? ¿Por qué?
- ¿Qué no te gustaba hacer? ¿Por qué?
- ¿Cuáles eran tus actividades preferidas del verano?
- ¿...?

Interactive Practice /
Ace the Test

Gramática útil ②
Talking about the past: Choosing between the preterite and the imperfect tenses

Cómo usarlo

1. As you have learned, the preterite tense is generally used in Spanish to express past actions and describe past events that are viewed as completed and over. The imperfect is used to describe past actions or conditions that are viewed as habitual or ongoing.

2. Sometimes the choice between the preterite and the imperfect is not clear-cut. It may depend on the speaker's judgment of the event. However, here are some general guidelines for using the two tenses.

No **sabía** qué hacer. Mientras **esperábamos** sus platos, **se enfriaron** los míos.

Preterite	Imperfect
1. Relates a *completed past action* or *a series of completed past actions*. **Comimos** en ese restaurante la semana pasada. Ayer, **fuimos** al restaurante, **pedimos** el menú, **comimos** y luego **salimos** para ir al teatro.	1. Describes *habitual or routine past actions*. **Comíamos** en ese restaurante todas las semanas. Siempre **íbamos** al restaurante, **pedíamos** el menú, **comíamos y** luego **salíamos** para ir al teatro.
2. Focuses on the *beginning* or *end* of a past event. La cena **comenzó** a las nueve, pero no **terminó** hasta medianoche.	2. Focuses on the *duration* of the event in the past, rather than its beginning or end. **Cenábamos** desde las nueve hasta medianoche.
3. Relates a *completed past condition* that is viewed as completely over and done with at this point in time (usually gives a time period associated with the condition). Manuel **estuvo** enfermo por dos semanas después de comer en ese restaurante, pero ahora está bien.	3. Describes *past conditions*, such as time, weather, emotional states, age, and location, that were ongoing at the time of description (no focus on beginning or end of condition). El restaurante **era** famoso por su comida latinoamericana y **estábamos** muy contentos con los platos que pedimos.
4. Relates an *action that interrupted* an ongoing action. Ya comíamos el postre cuando por fin Miguel **llegó** al restaurante.	4. Describes *ongoing background events* in the past that were interrupted by another action. Ya **comíamos** el postre cuando por fin Miguel llegó al restaurante.

3. Notice that certain words and phrases related to time may suggest when to use the imperfect and when to use the preterite. These are not hard-and-fast rules, but general indicators.

Preterite	Imperfect
de repente (*suddenly*)	**generalmente / por lo general**
por fin (*finally*)	**normalmente**
ayer	**todos los días / meses / años**
la semana pasada	**todas las semanas**
el mes / el año pasado	**frecuentemente**
una vez / dos veces, etc.	**típicamente**

4. In **Chapter 8** you learned that some verbs (**querer, poder, conocer,** and **saber**) have a different meaning in the preterite tense. This change in meaning does not occur in the imperfect tense.

Quise traer un plato boliviano a la fiesta, pero **no pude** encontrar los ingredientes.

> *I **tried** to bring a Bolivian dish to the party, but I **failed** to find the ingredients.*

Quería ir a la fiesta, pero **no podía** salir de la oficina.

> *I **wanted** to go to the party, but I **couldn't** leave the office.*

Durante la cena en el restaurante, **conocí** a un hombre que es cocinero profesional y **supe** cómo hacer salteñas perfectas.

> *During the dinner at the restaurant, I **met** a man who is a professional chef and I **found out** how to make the perfect salteñas.*

En Bolivia, **conocía** a un hombre que era cocinero profesional y él **sabía** cómo hacer salteñas perfectas.

> *In Bolivia I **knew** a man who was a professional chef and he **knew how** to make perfect salteñas.*

 Video Tutorial

 Flashcards

Cómo formarlo

Review the preterite forms presented in **Chapters 7** and **8**, as well as the imperfect forms presented in **Gramática útil 1** (on page 283 of this chapter).

>> Actividades

4 Picadillo boliviano ¡Pobre Amelia! Ella describe lo que le pasó cuando estaba preparando un picadillo boliviano para su familia. Escribe las oraciones según el modelo. Ponle mucha atención al uso del pretérito y el imperfecto.

MODELO: picar la carne / sonar el teléfono
Picaba la carne cuando sonó el teléfono.

1. pelar las papas / empezar a llover
2. freír la cebolla / entrar mi hermano a la cocina empapado (*drenched*)
3. cortar el tomate en cuadritos / llegar papá del trabajo muerto de hambre
4. añadir la sal, la pimienta y el comino / mi hermanito poner la tele
5. agregar el tomate / mi hermanita decidir ayudarme
6. dorar la carne / (ellos) anunciar en la tele que venir un huracán
7. secar el guiso a fuego suave / llegar mamá de la oficina
8. freír las papas en aceite caliente / empezar la tormenta
9. mezclar las papas y el guisado / sentarse todos a la mesa
10. servir el picadillo / cortarse la electricidad

5 **Los veranos de Chela** Escucha mientras Chela describe cómo pasaba los veranos cuando era niña. En un papel aparte, mira los verbos de la lista (abajo) y escríbelos en dos columnas como las siguientes. Mientras escuchas, escribe las formas de los verbos de la siguiente lista que oyes. Escribe las formas del pretérito en la primera columna y las formas del imperfecto en la segunda columna. **¡OJO!** Vas a escuchar más verbos de los que están en la lista. Sólo presta atención a los verbos de la lista.

Acciones: visitar a los abuelos, vivir en un pueblito, llevar su computadora, sorprenderse, levantarse muy temprano, ir a dar una vuelta por el centro, estar triste, la computadora no funcionar, salir juntos, jamás usar la computadora

Completed action in the past	Action in progress or habitual action in the past
	visitaba

6 **¡Qué decepción!** Anoche, Ricardo y Elena fueron a un restaurante a cenar. Elena le describe la cita a su amiga Fernanda. Completa su descripción con las formas correctas del pretérito y del imperfecto de los verbos entre paréntesis.

Anoche Ricardo y yo (1. ir) a un restaurante elegante. No (2. tener) reservación y por eso no (3. sentarse) hasta las diez de la noche. Los dos (4. estar) muertos de hambre. Yo (5. ordenar) una ensalada mixta, pollo asado con habichuelas, flan y un café. Ricardo (6. pedir) una ensalada de papa, lomo de res y un helado de vainilla. Nosotros (7. hablar) de la película que (8. acabar) de ver cuando (9. regresar) el camarero a la mesa. Él nos (10. explicar) que no (11. haber) ni lomo ni pollo y nos (12. preguntar) si (13. querer) una hamburguesa. Ricardo (14. enojarse) mucho y le preguntó si por favor no nos (15. poder) recomendar algo más apetitoso. El camarero (16. sonreír) y (17. decir) que todo lo que (18. quedar) en la cocina (19. ser) ¡hamburguesas y papas fritas! Con el hambre que (20. tener) los dos, (21. decidir) ordenar las hamburguesas. Yo no (22. querer) dejarle buena propina porque había sido *(had been)* un poco descortés, pero Ricardo (23. insistir) en que no (24. ser) su culpa y le (25. dejar) una propina exagerada.

7 **¡Qué horror!** A veces salimos con alguien que no conocemos muy bien y la cita es un desastre. Esto le pasó a Chela cuando salió con Sergio en el video. ¿Has tenido alguna vez una cita desastrosa? Escribe una narración que describa esa cita o una cita imaginaria. Incluye muchos detalles y pon atención al uso del pretérito y del imperfecto.

- ¿Adónde fueron?
- ¿Qué hicieron?
- ¿Qué pasó durante la cita?
- ¿Qué hizo él / ella que te avergonzó *(embarrassed you)* o molestó?
- ¿Cómo te sentías?
- ¿Cómo respondiste?
- ¿...?

Interactive Practice / Ace the Test

Gramática útil ③

Avoiding repetition: Double object pronouns

¿BUSCAS MÚSICA DIFÍCIL DE ENCONTRAR? NOSOTROS TE LA CONSEGUIMOS. PREGUNTA SOBRE NUESTRO SERVICIO DE PEDIDO ESPECIAL.

PARA LA TIENDA MÁS CERCANA, LLAMA SIN CARGO AL 1-888-606-3342.

Tu SONIDO LATINO samgoody

La disponibilidad y el precio de los producto pueden variar en www.samgoody.com

samgoody.com

MEDIA PLAY   On·Cue MUSIC·BOOKS·MOVIES   musicland

316780 3216 | Arista, Elektra, EMI, Fonovisa, Jive, LaFace, Paramount, Sony Discos, Sony Music

> How many object pronouns can you find in this ad? Are they direct or indirect object pronouns? How can you tell?

Cómo usarlo

1. You have already learned to use direct object pronouns (**me, te, lo, la, nos, os, los, las**) in **Chapter 7**. In **Chapter 8** you learned to use indirect object pronouns (**me, te, le, nos, os, les**).

2. Remember that you use direct object pronouns to replace the direct object of a sentence. The direct object receives the action of the verb.

   Preparé **la comida.** → **La** preparé.

3. Remember that you use indirect object pronouns to replace the indirect object of a sentence. The indirect object says who the object or action is for.

   Preparé la comida (para **ti**). → **Te** preparé la comida.

4. Sometimes you will want to use direct and indirect object pronouns together. In this situation, they are called *double object pronouns*.

   Preparé la comida (para **ti**). → **Te la** preparé.
   Organicé un almuerzo especial (para **ellos**). → **Se lo** organicé.

Video Tutorial

Flashcards

Cómo formarlo

1. Here are the indirect and direct object pronouns in Spanish. They stay the same when used together, except for the third-person singular and third-person plural. In those two cases, **se** replaces **le** and **les** as the indirect object pronoun.

Indirect object	Direct object
me	me
te	te
le ⟶ se	lo / la
nos	nos
os	os
les ⟶ se	los / las

2. When you use double object pronouns, follow these rules.

- The *indirect object pronoun* comes *before* the *direct object pronoun*. This is true whether the pronouns are used before the verb or attached to the end of the verb (infinitives, affirmative command forms, present participles).

  Pedí una sopa. **Me la** sirvieron inmediatamente.
  Luego pedí una ensalada. Le dije al camarero: "Por favor, **tráigamela** con un poco de pan".

- Remember that with *negative command forms*, the double object pronouns must come *before the verb*.

  Quiero un postre, pero **no me lo traiga** inmediatamente.

- When double object pronouns are used with conjugated verbs and infinitives, they may go *before the conjugated verb* or *attach to the infinitive*.

  Me lo van a servir en unos minutos.   O: Van a **servírmelo** en unos minutos.

- When using the direct object pronouns **lo, la, los,** and **las** with the indirect object pronouns **le** or **les**, change **le / les** to **se**. (Notice that you use **se** to replace both **le** and **les**.)

  Ileana **le** preparó **una ensalada** a Susana.

  Ileana **se la** preparó (a Susana).

  Susana **le** llevó **los ingredientes** a Ileana.

  Susana **se los** llevó (a Ileana).

  Ileana y Susana **les** prepararon **la cena** a sus padres.

  Ileana y Susana **se la** prepararon (a sus padres).

> Remember, when pronouns are attached to the end of infinitives, command forms, and present participles, an accent is placed on the verb to maintain the original pronunciation: **tráigamela.**

>> Actividades

8 **Dulce en el restaurante** Dulce fue a un restaurante a comer. Completa su descripción de la cena con los pronombres dobles correctos.

1. Pedí el menú. El camarero ___ ___ trajo inmediatamente.
2. Para plato principal, pedí una chuleta de puerco. ___ ___ sirvieron un poco después.
3. También pedí unos frijoles refritos. ___ ___ prepararon precisamente cómo me gustan.
4. Para postre, pedí unas galletas de chocolate. ___ ___ trajeron con helado.
5. Para tomar, pedí un té helado. ___ ___ sirvieron bien frío.
6. Por fin pedí la cuenta. El camarero ___ ___ trajo rápidamente.

9 **Miguel** La mamá de Miguel le pregunta si ha hecho varias cosas para los diferentes miembros de su familia. ¿Cómo contesta Miguel? Sigue el modelo.

MODELO: ¿Le serviste la leche a tu prima?
Sí, se la serví.

1. ¿Le preparaste el café a tu abuelo?
2. ¿Les compraste las galletas a tus tíos?
3. ¿Le serviste la sopa de fideos a tu hermano?
4. ¿Nos trajiste las servilletas?
5. ¿Te compraste los plátanos?
6. ¿Me diste la receta para el picadillo?
7. ¿Les calentaste las tortillas a tus primos?
8. ¿Les dieron las gracias tus primos a tu hermana y a ti?

10 **Adán y Adelita** El padre de Adán y Adelita cree que sus hijos sólo deben comer comida nutritiva. Nunca les compra comida rápida y no les permite comer postres llenos de azúcar. Primero, haz el papel del padre y contesta las preguntas de sus hijos. Luego, di si les compró o no les compró las comidas que querían.

MODELO: **Adán:** Papá, quiero un perro caliente.
Papá: *Hijo, no te lo voy a comprar.* O: *Hijo, no voy a comprártelo.*
Tú: *Adán quería un perro caliente. Su papá no se lo compró.*

1. **Adelita:** Papá, quiero un helado.
2. **Adán y Adelita:** Papá, queremos unas hamburguesas.
3. **Adán:** Quiero unos plátanos.
4. **Adelita:** Papá, quiero una ensalada mixta.
5. **Adán y Adelita:** Papá, queremos unas papas fritas.
6. **Adelita:** Papá, quiero unas fresas.
7. **Adán:** Papá, quiero una galleta.

28 **11** **A la hora de comer** Es la hora de comer en casa de Emilia Gutiérrez. La señora Gutiérrez le da instrucciones a Emilia. Escucha lo que le dice y escoge la frase que mejor complete sus instrucciones.

1. _____   a. Ábremelo, por favor.
2. _____   b. Prepáraselo, por favor.
3. _____   c. Sírvesela, por favor.
4. _____   d. Sírveselo, por favor.
5. _____   e. ¿Nos las calientas, por favor?
6. _____   f. Llévaselas, por favor.
7. _____   g. Dáselo, por favor.
8. _____   h. Tráemelo, por favor.

12 **¿Qué quieres para tu cumpleaños?** Con un(a) compañero(a), túrnense para representar la siguiente situación. Usen los pronombres dobles por lo menos dos veces en su conversación. Pueden practicar antes de representarle la situación a la clase. (Nota que los verbos **dar, traer, servir, preparar** y **comprar** frecuentemente requieren dos pronombres porque indican una acción hacia otra persona.)

Es tu cumpleaños y tus amigos quieren saber qué regalos quieres. Te van a dar una fiesta y también quieren saber qué comidas quieres que preparen. Eres muy exigente (*demanding*): quieres muchas cosas y te gusta una variedad de comidas. Pide todo lo que te apetezca (*you desire*).

MODELO: Amigo(a): *¿Qué quieres para tu cumpleaños?*
Tú: *Me gustaría tener el último CD de Shakira.*
Amigo(a): *Vamos a comprártelo. ¿Y qué más quieres?*
Tú: ...

Interactive Practice /
Ace the Test

Gramática útil ④

Indicating for whom actions are done and what is done routinely: The uses of **se**

Cómo usarlo

You have used the pronoun **se** in several different ways. Here's a quick review of the uses you already know (items 1 and 2 in the chart), and one new use (item 3).

Use **se** . . .	
1. to replace **le** or **les** when used with a direct object pronoun.	Marta **le** dio un regalo a Selena. Marta **se** lo dio.
2. with reflexive verbs, when using **usted / ustedes** and **él / ella / ellos / ellas** forms.	Ustedes **se** vistieron y salieron para la oficina. Ella **se** vistió después de duchar**se**.
3. to give general and impersonal information about "what is done."	**Se sirve** comida paraguaya en ese restaurante. ¡**Se come** muy bien allí!

Al levantarse, **se** pegó en la mesa y tiró el café por todo el mantel.

Cómo formarlo

 Video Tutorial

 Flashcards

Se can be used to express actions with no specific subject and to say what "one does" in general. **Se** is always used with a third-person form of the verb.

- If a noun immediately follows the **se** + verb construction, the verb agrees with the noun.

Se sirve el desayuno todo el día.　　***Breakfast is served** all day.*
Se vend<u>en</u> empanadas aquí.　　***Empanadas are sold** here.*

- If no noun immediately follows **se** + verb, the third-person singular form of the verb is used.

Se come muy bien aquí.　　***One eats** well here.*
Se duerme mal después de　　***One sleeps** badly after a heavy
una comida fuerte.　　*meal.*

>> Actividades

13 **Observaciones** Usando la construcción impersonal con **se**, di cómo es la experiencia de uno en las siguientes situaciones.

MODELO: (Ver) muy bien desde aquí.
          Se ve muy bien desde aquí.

1. (Trabajar) muy duro en la clase de física.
2. (Dormir) muy bien en ese hotel.
3. (Disfrutar) mucho la vista desde esa ventana.
4. (Cansar) mucho en esa caminata.
5. (Cenar) muy bien en el restaurante Paraíso.
6. (Oír) muy bien con esos audífonos.

14 **Los anuncios clasificados** Vas a escribir unos anuncios clasificados para el periódico universitario. Algunas personas te describen lo que necesitan o buscan. Escribe la primera línea de cada anuncio según lo que te dicen.

MODELO: —Me voy a graduar este año y tengo muchos libros usados que
          quiero vender.
          Se venden libros usados.

1. —Soy director y quiero montar *(put together)* una obra de teatro. Busco tres actores y una actriz.
2. —Vamos a hacer un Festival Boliviano y necesitamos voluntarios para ayudar con todos los detalles.
3. —Voy a estudiar al extranjero este semestre y quiero alquilar mi apartamento.
4. —Para las Navidades queremos darles ropa y juguetes a los niños pobres. Aceptamos donaciones de ropa y juguetes usados.

Interactive Practice /
Ace the Test

:) Sonrisas

///

Expresión En grupos de tres o cuatro estudiantes, contesten las siguientes preguntas sobre la tira cómica.

1. ¿Por qué se usa un verbo singular con los dos primeros letreros?
2. ¿Por qué se usa un verbo plural con los dos últimos letreros?
3. ¿Crees que el niño va a recibir dinero de la gente que ve su letrero? ¿Por qué?
4. Piensen en unos letreros cómicos para los siguientes lugares. Luego, compartan sus ideas con otro grupo. ¿Qué grupo tiene los letreros más creativos?

   a. restaurante
   b. tienda
   c. hospital
   d. consultorio (*office*) de un dentista
   e. taller de un mecánico
   f. la pizarra en la clase de español

¡Explora y exprésate!

Exploraciones culturales

Bolivia y Paraguay

La tradición y la innovación Lee los siguientes párrafos sobre Bolivia y Paraguay. Luego, empareja la oración en el cuadro con el párrafo apropiado.

Párrafo	Oración
	1. Una gigante presa *(dam)* es una de las atracciones turísticas más populares de toda Sudamérica.
	2. Este país es un poco diferente de los otros países sudamericanos por dos razones.
	3. Las misiones son una parte importante de la historia de este país.
	4. Las riquezas naturales de este país atraen a muchos turistas.
	5. La gran influencia indígena en este país es obvia por todas partes.
	6. Los instrumentos indígenas forman la base de la música andina.

Bolivia: rica en tradiciones

Párrafo 1

En Bolivia hay más de treinta grupos indígenas; los grupos más grandes son los quechuas, los aimaraes y los tupí-guaraníes. Esta diversidad de culturas produce una variedad de tipos de ropa tradicional, artesanías, bailes y música que atraen a turistas de todo el mundo.

Párrafo 2

Bolivia recibió su nombre de Simón Bolívar, el héroe de la independencia de cinco países sudamericanos. A diferencia de los otros países de Sudamérica, Bolivia no tiene ni costas ni playas. Además, es el único país en Latinoamérica con dos capitales. La Paz es la capital administrativa del gobierno y Sucre es la capital constitucional.

Párrafo 3

La música andina se encuentra por toda Bolivia y es popular por todo el mundo. Unos de los instrumentos indígenas típicos y tradicionales son las quenas, los sicus y las flautas que imitan el sonido *(sound)* del viento en los Andes. El charango es una pequeña guitarra y es muy popular en la música de la región.

Unos músicos de origen quechua tocan la flauta en un festival en Bolivia.

The **charango** is made from the shell of the armadillo.

Paraguay: pasado y futuro

Párrafo 4

Paraguay es uno de los países menos contamina-
dos del planeta. Por eso, hay muchas áreas
naturales que no han cambiado *(haven't changed)*
desde hace siglos, paraísos ecológicos que atraen
a visitantes de todo el mundo. La flora y fauna de
este país son bien conocidas por los ecoturistas,
que llegan para visitar sitios como las ciénagas
(swamps) del altiplano del río Paraná y los secos
llanos *(plains)* del Chaco.

Párrafo 5

Itaipú es el mayor complejo hidroeléctrico del
mundo. Se encuentra en el río Paraná y es una
empresa binacional, construida y administrada por
Brasil y Paraguay. El complejo provee el 19% de
las necesidades de energía eléctrica de Brasil y el

El complejo hidroeléctrico Itaipú

91% de los requisitos del Paraguay. Es una atracción turística inmensa con casi
14.5 millones de visitantes desde su inauguración en 1977.

Párrafo 6

Las misiones jesuitas de Latinoamérica fueron construidas *(were constructed)* por la orden
religiosa Compañía de Jesús entre 1609 y 1768. Estos misioneros jesuitas españoles y
portugueses viajaron a las áreas más remotas de Sudamérica donde establecieron
misiones, convirtieron a los indígenas al catolicismo y les enseñaron su idioma. La Misión
de Trinidad del Paraná en Paraguay es quizás la más interesante de las misiones jesuitas
que quedan, y ha sido declarada Patrimonio Universal de la Humanidad.

 Interactive Practice

>> ¡Conéctate! www Web Search / Web Links

●● **Práctica** Trabaja con un(a) compañero(a) de clase. Hagan una
investigación por Internet para buscar información sobre dos de las
siguientes cosas o lugares. Usen los enlaces sugeridos en el sitio web de *Nexos*.

1. los instrumentos nativos que se usan en la música andina
2. las misiones jesuitas de Paraguay
3. la vida de los guaraníes hoy día en Paraguay
4. la vida de los aimaraes a orillas del lago Titicaca
5. ¿...?

>> Tú en el mundo hispano

Para explorar oportunidades de usar el español para estudiar o hacer trabajos
voluntarios o aprendizajes en Bolivia y Paraguay, sigue los enlaces en el sitio
web de *Nexos*.

♫ Ritmos del mundo hispano

Para escuchar música de Bolivia y Paraguay, sigue los enlaces en el sitio web
de *Nexos*.

A leer

Antes de leer

1 Vas a leer un ensayo *(essay)* humorístico de un periodista boliviano, Hernán Maldonado. Describe un incidente que le dejó sin muchas ganas de comer en la oficina. Hay varias palabras desconocidas en el ensayo. Mira el dibujo para familiarizarte con estos términos.

La jornada laboral

2 En este ensayo, el autor describe la tentación de comer **salteñas** en la oficina, aunque está prohibido por la presidenta de la organización. Con un(a) compañero(a) de clase, contesten las siguientes preguntas para prepararse para algunas de las ideas del ensayo.

1. ¿Les gusta comer mientras estudian o trabajan?

2. ¿Creen que en EEUU es aceptable comer y beber en la oficina o en cualquier otro sitio de trabajo? ¿Hay sitios donde no es aceptable comer y beber? ¿Cuáles son?

3. ¿Creen que en EEUU somos más o menos informales con respecto a la comida que en otros países del mundo? ¿Pueden dar unos ejemplos?

 Web Search

Lectura

3 Ahora, lee el artículo por primera vez. Trata de entender sólo las ideas principales. Pregúntate "¿Qué pasó?" mientras lees. Toma quince minutos y lee el ensayo por completo.

Los bocadillos en las oficinas
por Hernán Maldonado

FINALMENTE PARECE HABERSE superado una etapa[1] en la que no sé todavía por qué razones se prohibía terminantemente en las oficinas comer un bocadillo en medio de una jornada laboral.

Aunque en la mayor parte de las oficinas siempre existe un cuartito que sirve de comedor[2], el 90 por ciento de los empleados, a la hora de su "lunch", comen sobre sus escritorios. Nunca he podido[3] hacer algo similar y yo creo que se trata de un trauma que arrastro desde el primer y único año en que me desempeñé[4] como funcionario público.

Era el año 1969 y fungía[5] como Jefe de Relaciones Públicas del Consejo Nacional del Menor (Coname). Nuestras oficinas funcionaban en el Ministerio del Trabajo. Por razones de espacio, lo que antes era una sola oficina había sido dividida[6] en diez oficinas con paredes de cartón.

Todos los días, a golpe de 10 de la mañana, acudía al edificio una mujer potosina[7] que vendía salteñas. Al comienzo traía sólo una pequeña canasta, pero como sus bocadillos tuvieron amplia aceptación, al poco tiempo apareció con un balay[8].

Todo andaba sobre ruedas[9] hasta que una mañana la presidenta de Coname, la señora Elsa Omiste de Ovando, prohibió que los empleados comieran salteñas en horas de oficina.

Como doña Elsa prefería despachar[10] desde su casa, la prohibición contra las salteñas fue relajándose y poco a poco, todo volvió a ser como antes, de manera que una mañana mi secretaria me dijo: "Señor Maldonado, la potosina está en la puerta, ¿pedimos?" "¡Por supuesto!" le respondí.

Justamente en ese momento se escucharon gritos en la puerta del edificio: "¿Quién me está comiendo salteñas? ¿Me van a hacer caso[11] o no? ¡Boten[12] a esa mujer de aquí!"

Me quedé congelado mientras escuchaba a nuestra presidenta entrar cubículo por cubículo, abriendo personalmente cajones, profiriendo gritos, dando órdenes. Me sentí despedido.

Y entonces se volvió al escritorio de mi secretaria. Hizo la misma revisión, incluyendo el basurero, y yo esperaba que en cualquier segundo gritaría en triunfo al encontrar las cuatro salteñas. Pero no encontró nada y salió furiosa. Yo no podía creerlo.

Mi secretaria estaba con la vista fija en la pared, como hipnotizada. "¿Qué hizo con las salteñas?" le pregunté.

"Estoy sentada sobre ellas, señor Maldonado", me dijo. Estaba petrificada.

[1]**parece...** *an era seems to have passed* [2]*dining room* [3]**Nunca...** *I have never been able* [4]**me desempeñé** yo trabajé [5]trabajaba [6]**había...** *had been divided* [7]**acudía...** llegaba al edificio una mujer de Potosí (ciudad en Bolivia) [8]**balay** *large basket* [9]**Todo...** Todo iba muy bien, sin problemas [10]trabajar [11]**hacer caso** *pay attention, obey* [12]**Boten** *Throw out*

Después de leer

4 Di si las siguientes oraciones sobre la lectura son ciertas o falsas.

1. _____ El autor no come en su oficina a causa de una experiencia traumática que tuvo cuando era joven.

2. _____ La secretaria del autor vendía salteñas en la oficina.

3. _____ A la presidenta de la agencia no le gustaba que los empleados comieran *(would eat)* en la oficina.

4. _____ La presidenta siempre estaba en la oficina, espiando a los empleados.

5. _____ Un día la presidenta vino a la oficina y vio que los empleados comían salteñas.

6. _____ La presidenta buscó las salteñas en todas las oficinas.

7. _____ El autor no tenía miedo de la presidenta.

8. _____ La secretaria del autor no pudo esconder *(to hide)* sus salteñas.

5 Completa las siguientes oraciones sobre la lectura para ver cuánto entendiste.

1. El autor trabajaba en una oficina donde la _____ prohibió el consumo de comida en la oficina.
   a. presidenta
   b. secretaria

2. Una mujer potosina vendía _____ todos los días.
   a. bocadillos
   b. salteñas

3. La presidenta trabajaba fuera _____ la mayoría de los días.
   a. de la oficina
   b. del comedor

4. Como la presidenta no estaba en la oficina, los empleados _____.
   a. comían las salteñas en la oficina
   b. salían temprano de la oficina

5. Un día el autor y su secretaria acababan de _____ cuando entró la presidenta.
   a. comprar salteñas
   b. hablar con la potosina

6. Tuvieron que poner las salteñas _____.
   a. en el basurero
   b. donde la presidenta no podía verlas

7. Cuando salió la presidenta, la secretaria dijo que _____.
   a. se sentó sobre las salteñas
   b. comió todas las salteñas muy rápidamente

6 En grupos de tres o cuatro, contesten las siguientes preguntas sobre las ideas de la lectura.

1. En su opinión, ¿es exagerada la reacción de la presidenta? ¿Por qué sí o por qué no?

2. ¿Creen que esta situación puede ocurrir en una oficina estadounidense ahora? ¿Y hace veinte años *(20 years ago)*?

3. Hay gente que cree que es descortés comer los comestibles que tienen un olor fuerte *(strong smell)* —como la pizza y las palomitas *(popcorn)*— en la oficina. ¿Están de acuerdo? ¿Por qué sí o por qué no?

4. ¿Hay situaciones cuando es descortés comer en público? Por ejemplo: ¿en la iglesia? ¿En una clase? ¿En una ceremonia de graduación? ¿Cómo se decide cuándo es apropiado y cuándo no lo es?

 Interactive Practice

 Web Links

Países plurilingües

Muchos países con poblaciones indígenas tienen una variedad de idiomas nacionales. ¿Pero sabes cuántos países sudamericanos tienen otro idioma oficial, además del español? Tal vez la respuesta te va a sorprender. Hay tres: Bolivia, Perú y Paraguay. En Bolivia se reconoce el quechua y el aimara como lenguas oficiales y en Perú la segunda lengua es el quechua. El guaraní es el segundo idioma oficial en Paraguay.

Esta situación existe en Paraguay porque Paraguay siempre ha sido *(has been)* un país bicultural. La herencia indígena de los guaraníes se ha integrado *(has integrated itself)* casi completamente con la cultura hispanohablante paraguaya.

Las escuelas, las oficinas del gobierno y los medios de comunicación paraguayos se comunican con el pueblo paraguayo en los dos idiomas. Aunque el guaraní siempre ha sido una lengua de tradición oral, ha tenido *(has had)* una tradición escrita desde el siglo XVIII, cuando los misioneros católicos vieron la necesidad de crear un alfabeto guaraní para comunicarse con la gente indígena.

Existen varios diccionarios guaraní-español. Además, a causa de la historia de inmigración de Alemania a Paraguay, también existen diccionarios trilingües —guaraní-español-alemán.

Práctica En grupos de tres o cuatro personas, hablen de los siguientes temas.

1. ¿Les gusta la idea de tener más de un idioma oficial? ¿Por qué?

2. Si EEUU tuviera *(had)* más de una lengua oficial, ¿cuál sería *(would be)* la otra lengua?

3. ¿Cuánto saben de Canadá y sus idiomas oficiales? ¿Saben cuál es el otro idioma, además del inglés? ¿Han viajado *(Have you traveled)* a las partes de Canadá donde lo hablan?

A escribir

Antes de escribir

1 Trabaja con un(a) compañero(a) de clase. Van a escribir tres párrafos cortos que describan una experiencia con la comida. Escojan uno de los siguientes temas y piensen en una historia que quieren contar.

1. la primera vez que cociné
2. la primera vez que fui a un restaurante elegante
3. mis experiencias culinarias en un país extranjero

2 Después de establecer su tema, miren la tabla y complétenla, usando las oraciones modelo como guía.

	Oración temática (que comunica la idea principal del párrafo)	Detalles y ejemplos que ilustran la oración temática
Párrafo 1: Comienzo / fondo *(background)* de la historia (Recuerden que se usa el **imperfecto** para describir.)	*Yo tenía trece años y tenía una familia muy grande.*	*Era el menor de seis hijos y a veces me sentía un poco tímido en la presencia de mis hermanos mayores...*
Párrafo 2: La acción de la historia (Por lo general se usa el **pretérito** para relatar la acción de una historia. Se usa el **imperfecto** para describir las emociones de los participantes y los estados del pasado.)	*Un día tuve que preparar la cena para mi familia entera.*	*Tenía miedo porque no sabía cocinar muy bien y creía que no podía hacerlo. Miraba los libros de recetas...*
Párrafo 3: El fin de la historia y el resultado	*Aunque la cena estaba muy rica, el postre salió crudo.*	*Mis hermanos se rieron, pero no se burlaron de mí (they didn't make fun of me).*

Composición

3 Ahora, escriban su historia. Usen palabras y expresiones de la siguiente lista mientras escriban.

Preterite

de repente *(suddenly)*

por fin *(finally)*

ayer

la semana pasada

el mes / el año pasado

una vez / dos veces, etc.

Imperfect

generalmente / por lo general

normalmente

todos los días / meses / años

todas las semanas

frecuentemente

típicamente

Después de escribir

4 Intercambien su borrador con el de otra pareja de estudiantes. Usen la siguiente lista para ayudarlos a corregirlo *(to edit it)*.

- ¿Tiene su historia toda la información necesaria?
- ¿Es interesante?
- ¿Usaron bien las formas del pretérito? ¿Y las del imperfecto?
- ¿Usaron complementos directos e indirectos para eliminar la repetición?
- ¿Hay errores de ortografía?

 Interactive Practice

Vocabulario

En el restaurante *At the restaurant*

el menú	*menu*

El desayuno *Breakfast*

el cereal	*cereal*
los huevos estrellados	*eggs sunny-side up*
los huevos revueltos	*scrambled eggs*
el pan tostado	*toast*

El almuerzo *Lunch*

Las ensaladas *Salads*

la ensalada de fruta	*fruit salad*
la ensalada de lechuga y tomate	*lettuce and tomato salad*
la ensalada de papa	*potato salad*
la ensalada mixta	*tossed salad*

Las sopas *Soups*

el caldo de pollo	*chicken soup*
el gazpacho	*cold tomato soup (Spain)*
la sopa de fideos	*noodle soup*

Los sándwiches (los bocadillos) *Sandwiches*

con papas fritas	*with French fries*
la hamburguesa	*hamburger*
la hamburguesa con queso	*cheeseburger*
el perro caliente	*hot dog*
el sándwich de jamón y queso con aguacate	*ham and cheese sandwich with avocado*

Los platos principales *Main dishes*

Las carnes *Meats*

el arroz con pollo	*chicken with rice*
el bistec	*steak*
la chuleta de puerco	*pork chop*
el guisado	*beef stew*
el lomo de res	*prime rib*
el pollo asado	*roasted chicken*
el pollo frito	*fried chicken*

Los mariscos *Shellfish*

las almejas	*clams*
los camarones	*shrimp*
la langosta	*lobster*

Los pescados *Fish*

el atún	*tuna*
el bacalao	*cod*
el salmón	*salmon*
la trucha	*trout*

A la carta *À la carte*

Los vegetales *Vegetables*

el bróculi	*broccoli*
los espárragos	*asparagus*
los frijoles (refritos)	*(refried) beans*
los guisantes	*peas*
las habichuelas	*green beans*
las zanahorias	*carrots*

Los postres *Desserts*

el flan	*custard*
la galleta	*cookie*
el helado de vainilla / chocolate	*vanilla / chocolate ice cream*
el pastel	*cake*

Las frutas *Fruit*

las fresas	*strawberries*
la manzana	*apple*
el melón	*melon*
la naranja	*orange*
el plátano	*banana*
las uvas	*grapes*

Las bebidas y los refrescos *Beverages*

el agua mineral	*sparkling water*
el café	*coffee*
la cerveza	*beer*
el jugo de fruta	*fruit juice*
la leche	*milk*
la limonada	*lemonade*
el té / té helado	*hot / iced tea*
el vino blanco / tinto	*white / red wine*

Cómo ordenar y pagar *How to order and pay*

Camarero(a), ¿me puede traer el menú?	*Waiter (Waitress), could you please bring me the menu?*
¿Me puede recomendar algo ligero / fuerte?	*Can you recommend something light / filling?*
Para plato principal, voy a pedir...	*For the main course, I would like to order . . .*
Para tomar, quiero...	*To drink, I want . . .*
De postre, voy a pedir...	*For dessert, I would like to order . . .*
¿Me puede traer la cuenta, por favor?	*Can you bring me the check, please?*
¿Cuánto debo dejar de propina?	*How much should I leave as a tip?*

Las recetas *Recipes*

Los ingredientes *Ingredients*

el aceite de oliva	olive oil
el ajo	garlic
el azúcar	sugar
la cebolla	onion
el comino	cumin
la harina	flour
la mantequilla	butter
la mayonesa	mayonnaise
la mostaza	mustard
la sal y la pimienta	salt and pepper
el vinagre	vinegar

Las medidas *Measurements*

la cucharada	tablespoonful
la cucharadita	teaspoonful
la docena	dozen
el galón	gallon
el kilo	kilo
la libra	pound
el litro	liter
medio kilo	half a kilo
el paquete	package
el pedazo	piece, slice
el trozo	chunk, piece

La preparación *Cooking preparation*

a fuego suave / lento	at low heat
al gusto	to taste
al hilo	stringed
al horno	roasted (in the oven)
a la parrilla	grilled
al vapor	steamed
congelado(a)	frozen
crudo(a)	raw
dorado(a)	golden; browned
fresco(a)	fresh
frito(a)	fried
hervido(a)	boiled
molido(a)	crushed, ground
picante	spicy

agregar	to add
añadir	to add
calentar (ie)	to heat
cocer (ue)	to cook
enfriarse	to get cold
freír (i, i)	to fry
hervir (ie, i)	to boil
mezclar	to mix
pelar	to peel
picar	to chop, mince
unir	to mix together, incorporate

La mesa *The table*

Cómo poner la mesa *Setting the table*

la copa	wine glass, goblet
la cuchara	spoon
el cuchillo	knife
el mantel	tablecloth
el plato	plate
el plato hondo	bowl
la servilleta	napkin
la taza	cup
el tenedor	fork
el vaso	glass

Otras palabras y expresiones

Expresiones para usar con el imperfecto

frecuentemente	frequently
generalmente / por lo general	generally
normalmente	normally
típicamente	typically
todas las semanas	every week
todos los días / meses / años	every day / month / year

Expresiones para usar con el pretérito

ayer	yesterday
de repente	suddenly
el mes / el año pasado	last month / year
por fin	finally
la semana pasada	last week
una vez / dos veces, etc.	once, twice, etc.

Regular Verbs

SIMPLE TENSES

Infinitive	Past participle / Present participle	Present	Imperfect	Preterite	Future	Conditional	Present (Subj.)	Imperfect* (Subj.)
cantar *to sing*	cantado / cantando	canto cantas canta cantamos cantáis cantan	cantaba cantabas cantaba cantábamos cantabais cantaban	canté cantaste cantó cantamos cantasteis cantaron	cantaré cantarás cantará cantaremos cantaréis cantarán	cantaría cantarías cantaría cantaríamos cantaríais cantarían	cante cantes cante cantemos cantéis canten	cantara cantaras cantara cantáramos cantarais cantaran
correr *to run*	corrido / corriendo	corro corres corre corremos corréis corren	corría corrías corría corríamos corríais corrían	corrí corriste corrió corrimos corristeis corrieron	correré correrás correrá correremos correréis correrán	correría correrías correría correríamos correríais correrían	corra corras corra corramos corráis corran	corriera corrieras corriera corriéramos corrierais corrieran
subir *to go up, to climb up*	subido / subiendo	subo subes sube subimos subís suben	subía subías subía subíamos subíais subían	subí subiste subió subimos subisteis subieron	subiré subirás subirá subiremos subiréis subirán	subiría subirías subiría subiríamos subiríais subirían	suba subas suba subamos subáis suban	subiera subieras subiera subiéramos subierais subieran

The Indicative columns are Present, Imperfect, Preterite, Future, Conditional. The Subjunctive columns are Present, Imperfect*.

*In addition to this form, another one is less frequently used for all regular and irregular verbs: cantase, cantases, cantase, cantásemos, cantaseis, cantasen; corriese, corrieses, corriese, corriésemos, corrieseis, corriesen; subiese, subieses, subiese, subiésemos, subieseis, subiesen.

Commands

Person	Affirmative	Negative	Affirmative	Negative	Affirmative	Negative
tú	canta	no cantes	corre	no corras	sube	no subas
usted	cante	no cante	corra	no corra	suba	no suba
nosotros	cantemos	no cantemos	corramos	no corramos	subamos	no subamos
vosotros	cantad	no cantéis	corred	no corráis	subid	no subáis
ustedes	canten	no canten	corran	no corran	suban	no suban

STEM-CHANGING VERBS: -AR AND -ER GROUPS

Type of change in the verb stem	Subject	Indicative Present	Subjunctive Present	Commands Affirmative	Commands Negative	Other -ar and -er stem-changing verbs
-ar verbs e > ie pensar *to think*	yo tú él/ella, Ud. nosotros/as vosotros/as ellos/as, Uds.	pienso piensas piensa pensamos pensáis piensan	piense pienses piense pensemos penséis piensen	— piensa piense pensemos pensad piensen	— no pienses no piense no pensemos no penséis no piensen	atravesar *to go through, to cross;* cerrar *to close;* despertarse *to wake up;* empezar *to start;* negar *to deny;* sentarse *to sit down* Nevar *to snow* is only conjugated in the third-person singular.
-ar verbs o > ue contar *to count, to tell*	yo tú él/ella, Ud. nosotros/as vosotros/as ellos/as, Uds.	cuento cuentas cuenta contamos contáis cuentan	cuente cuentes cuente contemos contéis cuenten	— cuenta cuente contemos contad cuenten	— no cuentes no cuente no contemos no contéis no cuenten	acordarse *to remember;* acostarse *to go to bed;* almorzar *to have lunch;* colgar *to hang;* costar *to cost;* demostrar *to demonstrate, to show;* encontrar *to find;* mostrar *to show;* probar *to prove, to taste;* recordar *to remember*
-er verbs e > ie entender *to understand*	yo tú él/ella, Ud. nosotros/as vosotros/as ellos/as, Uds.	entiendo entiendes entiende entendemos entendéis entienden	entienda entiendas entienda entendamos entendáis entiendan	— entiende entienda entendamos entended entiendan	— no entiendas no entienda no entendamos no entendáis no entiendan	encender *to light, to turn on;* extender *to stretch;* perder *to lose*
-er verbs o > ue volver *to return*	yo tú él/ella, Ud. nosotros/as vosotros/as ellos/as, Uds.	vuelvo vuelves vuelve volvemos volvéis vuelven	vuelva vuelvas vuelva volvamos volváis vuelvan	— vuelve vuelva volvamos volved vuelvan	— no vuelvas no vuelva no volvamos no volváis no vuelvan	mover *to move;* torcer *to twist* Llover *to rain* is only conjugated in the third-person singular.

STEM-CHANGING VERBS: -IR VERBS

Type of change in the verb stem	Subject	Indicative		Subjunctive		Commands	
		Present	Preterite	Present	Imperfect	Affirmative	Negative
-ir verbs **e > ie or i** **Infinitive:** sentir *to feel* **Present participle:** sintiendo	yo	siento	sentí	sienta	sintiera	—	—
	tú	sientes	sentiste	sientas	sintieras	siente	no sientas
	él/ella, Ud.	siente	sintió	sienta	sintiera	sienta	no sienta
	nosotros/as	sentimos	sentimos	sintamos	sintiéramos	sintamos	no sintamos
	vosotros/as	sentís	sentisteis	sintáis	sintierais	sentid	no sintáis
	ellos/as, Uds.	sienten	sintieron	sientan	sintieran	sientan	no sientan
-ir verbs **o > ue or u** **Infinitive:** dormir *to sleep* **Present participle:** durmiendo	yo	duermo	dormí	duerma	durmiera	—	—
	tú	duermes	dormiste	duermas	durmieras	duerme	no duermas
	él/ella, Ud.	duerme	durmió	duerma	durmiera	duerma	no duerma
	nosotros/as	dormimos	dormimos	durmamos	durmiéramos	durmamos	no durmamos
	vosotros/as	dormís	dormisteis	durmáis	durmierais	dormid	no durmáis
	ellos/as, Uds.	duermen	durmieron	duerman	durmieran	duerman	no duerman

Other similar verbs: advertir *to warn*; arrepentirse *to repent*; consentir *to consent, to pamper*; convertir(se) *to turn into*; divertir(se) *to amuse (oneself)*; herir *to hurt, to wound*; mentir *to lie*; morir *to die*; preferir *to prefer*; referir *to refer*; sugerir *to suggest*

Type of change in the verb stem	Subject	Indicative		Subjunctive		Commands	
		Present	Preterite	Present	Imperfect	Affirmative	Negative
-ir verbs **e > i** **Infinitive:** pedir *to ask for; to request* **Present participle:** pidiendo	yo	pido	pedí	pida	pidiera	—	—
	tú	pides	pediste	pidas	pidieras	pide	no pidas
	él/ella, Ud.	pide	pidió	pida	pidiera	pida	no pida
	nosotros/as	pedimos	pedimos	pidamos	pidiéramos	pidamos	no pidamos
	vosotros/as	pedís	pedisteis	pidáis	pidierais	pedid	no pidáis
	ellos/as, Uds.	piden	pidieron	pidan	pidieran	pidan	no pidan

Other similar verbs: competir *to compete*; despedir(se) *to say good-bye*; elegir *to choose*; impedir *to prevent*; perseguir *to chase*; repetir *to repeat*; seguir *to follow*; servir *to serve*; vestir(se) *to dress, to get dressed*

VERBS WITH SPELLING CHANGES

	Verb type	Ending	Change	Verbs with similar spelling changes
1	buscar *to look for*	-car	• Preterite: yo busqué • Present subjunctive: busque, busques, busque, busquemos, busquéis, busquen	comunicar, explicar *to explain* indicar *to indicate*, sacar, pescar
2	conocer *to know*	*vowel* + -cer or -cir	• Present indicative: conozco, conoces, conoce, and so on • Present subjunctive: conozca, conozcas, conozca, conozcamos, conozcáis, conozcan	nacer *to be born*, obedecer, ofrecer, parecer, pertenecer *to belong*, reconocer, conducir, traducir
3	vencer *to win*	*consonant* + -cer or -cir	• Present indicative: venzo, vences, vence, and so on • Present subjunctive: venza, venzas, venza, venzamos, venzáis, venzan	convencer, torcer *to twist*
4	leer *to read*	-eer	• Preterite: leyó, leyeron • Imperfect subjunctive: leyera, leyeras, leyera, leyéramos, leyerais, leyeran • Present participle: leyendo	creer, poseer *to own*
5	llegar *to arrive*	-gar	• Preterite: yo llegué • Present subjunctive: llegue, llegues, llegue, lleguemos, lleguéis, lleguen	colgar *to hang*, navegar, negar *to negate, to deny*, pagar, rogar *to beg*, jugar
6	escoger *to choose*	-ger or -gir	• Present indicative: escojo, escoges, escoge, and so on • Present subjunctive: escoja, escojas, escoja, escojamos, escojáis, escojan	proteger, *to protect*, recoger *to collect, to gather*, corregir *to correct*, dirigir *to direct*, elegir *to elect, to choose*, exigir *to demand*
7	seguir *to follow*	-guir	• Present indicative: sigo, sigues, sigue, and so on • Present subjunctive: siga, sigas, siga, sigamos, sigáis, sigan	conseguir, distinguir, perseguir
8	huir *to flee*	-uir	• Present indicative: huyo, huyes, huye, huimos, huís, huyen • Preterite: huí, huiste, huyó, huimos, huisteis, huyeron • Present subjunctive: huya, huyas, huya, huyamos, huyáis, huyan • Imperfect subjunctive: huyera, huyeras, huyera, huyéramos, huyerais, huyeran • Present participle: huyendo • Commands: huye tú, huya usted, huyamos nosotros, huid vosotros, huyan ustedes, no huyas tú, no huya usted, no huyamos nosotros, no huyáis vosotros, no huyan ustedes	concluir, contribuir, construir, destruir, disminuir, distribuir, excluir, influir, instruir, restituir, substituir
9	abrazar *to embrace*	-zar	• Preterite: yo abracé • Present subjunctive: abrace, abraces, abrace, abracemos, abracéis, abracen	alcanzar *to achieve*, almorzar, comenzar, empezar, gozar *to enjoy*, rezar *to pray*

COMPOUND TENSES

	Indicative					Subjunctive	
	Present perfect	Past perfect	Preterite perfect	Future perfect	Conditional perfect	Present perfect	Past perfect
	he	había	hube	habré	habría	haya	hubiera
	has	habías	hubiste	habrás	habrías	hayas	hubieras
	ha	había	hubo	habrá	habría	haya	hubiera
	hemos	habíamos	hubimos	habremos	habríamos	hayamos	hubiéramos
	habéis	habíais	hubisteis	habréis	habríais	hayáis	hubierais
	han	habían	hubieron	habrán	habrían	hayan	hubieran
	cantado corrido subido	cantado corrido subido	cantado corrido subido	cantado corrido subido	cantado corrido subido	cantado corrido subido	cantado corrido subido

All verbs, both regular and irregular, follow the same formation pattern with **haber** in all compound tenses. The only thing that changes is the form of the past participle of each verb. (See the chart below for common verbs with irregular past participles.) Remember that in Spanish, no word can come between **haber** and the past participle.

COMMON IRREGULAR PAST PARTICIPLES

Infinitive	Past participle		Infinitive	Past participle	
abrir	abierto	*opened*	morir	muerto	*died*
caer	caído	*fallen*	oír	oído	*heard*
creer	creído	*believed*	poner	puesto	*put, placed*
cubrir	cubierto	*covered*	resolver	resuelto	*resolved*
decir	dicho	*said, told*	romper	roto	*broken, torn*
descubrir	descubierto	*discovered*	(son)reír	(son)reído	*(smiled) laughed*
escribir	escrito	*written*	traer	traído	*brought*
hacer	hecho	*made, done*	ver	visto	*seen*
leer	leído	*read*	volver	vuelto	*returned*

Reflexive Verbs

REGULAR AND IRREGULAR REFLEXIVE VERBS: POSITION OF THE REFLEXIVE PRONOUNS IN THE SIMPLE TENSES

Infinitive	Present participle	Reflexive pronouns	Indicative						Subjunctive	
			Present	Imperfect	Preterite	Future	Conditional		Present	Imperfect
lavarse	lavándome	me	lavo	lavaba	lavé	lavaré	lavaría		lave	lavara
to wash oneself	lavándote	te	lavas	lavabas	lavaste	lavarás	lavarías		laves	lavaras
	lavándose	se	lava	lavaba	lavó	lavará	lavaría		lave	lavara
	lavándonos	nos	lavamos	lavábamos	lavamos	lavaremos	lavaríamos		lavemos	laváramos
	lavándoos	os	laváis	lavabais	lavasteis	lavaréis	lavaríais		lavéis	lavarais
	lavándose	se	lavan	lavaban	lavaron	lavarán	lavarían		laven	lavaran

REGULAR AND IRREGULAR REFLEXIVE VERBS: POSITION OF THE REFLEXIVE PRONOUNS WITH COMMANDS

Person	Affirmative	Negative	Affirmative	Negative	Affirmative	Negative
tú	lávate	no te laves	ponte	no te pongas	vístete	no te vistas
usted	lávese	no se lave	póngase	no se ponga	vístase	no se vista
nosotros	lavémonos	no nos lavemos	pongámonos	no nos pongamos	vistámonos	no nos vistamos
vosotros	lavaos	no os lavéis	poneos	no os pongáis	vestíos	no os vistáis
ustedes	lávense	no se laven	pónganse	no se pongan	vístanse	no se vistan

REGULAR AND IRREGULAR REFLEXIVE VERBS: POSITION OF THE REFLEXIVE PRONOUNS IN COMPOUND TENSES*

Reflexive Pronoun	Indicative							Subjunctive		
	Present Perfect		Past Perfect	Preterite Perfect	Future Perfect	Conditional Perfect		Present Perfect	Past Perfect	
me	he	lavado	había	hube	habré	habría	lavado	haya	hubiera	lavado
te	has	puesto	habías	hubiste	habrás	habrías	puesto	hayas	hubieras	puesto
se	ha	vestido	había	hubo	habrá	habría	vestido	haya	hubiera	vestido
nos	hemos		habíamos	hubimos	habremos	habríamos		hayamos	hubiéramos	
os	habéis		habíais	hubisteis	habréis	habríais		hayáis	hubierais	
se	han		habían	hubieron	habrán	habrían		hayan	hubieran	

*The sequence of these three elements—the reflexive pronoun, the auxiliary verb **haber**, and the present perfect form—is invariable and no other words can come in between.

REGULAR AND IRREGULAR REFLEXIVE VERBS: POSITION OF THE REFLEXIVE PRONOUNS WITH CONJUGATED VERB + INFINITIVE**

Reflexive Pronoun	Indicative						Subjunctive		
	Present	Imperfect	Preterite	Future	Conditional		Present	Imperfect	
me	voy a	iba a	fui a	iré a	iría a	lavar	vaya a	fuera a	lavar
te	vas a	ibas a	fuiste a	irás a	irías a	poner	vayas a	fueras a	poner
se	va a	iba a	fue a	irá a	iría a	vestir	vaya a	fuera a	vestir
nos	vamos a	íbamos a	fuimos a	iremos a	iríamos a		vayamos a	fuéramos a	
os	vais a	ibais a	fuisteis a	iréis a	iríais a		vayáis a	fuerais a	
se	van a	iban a	fueron a	irán a	irían a		vayan a	fueran a	

The reflexive pronoun can also be placed after the infinitive: voy a lavarme**, voy a poner**me**, voy a vestir**me**, and so on. Use the same structure for the present and the past progressive: **me** estoy lavando / estoy lavándo**me**; **me** estaba lavando / estaba lavándo**me**.

Irregular Verbs

ANDAR, CABER, CAER

Infinitive	Past participle / Present participle	Indicative					Subjunctive	
		Present	Imperfect	Preterite	Future	Conditional	Present	Imperfect
andar *to walk;* *to go*	andado andando	ando andas anda andamos andáis andan	andaba andabas andaba andábamos andabais andaban	anduve anduviste anduvo anduvimos anduvisteis anduvieron	andaré andarás andará andaremos andaréis andarán	andaría andarías andaría andaríamos andaríais andarían	ande andes ande andemos andéis anden	anduviera anduvieras anduviera anduviéramos anduvierais anduvieran
caber *to fit; to* *have enough* *space*	cabido cabiendo	quepo cabes cabe cabemos cabéis caben	cabía cabías cabía cabíamos cabíais cabían	cupe cupiste cupo cupimos cupisteis cupieron	cabré cabrás cabrá cabremos cabréis cabrán	cabría cabrías cabría cabríamos cabríais cabrían	quepa quepas quepa quepamos quepáis quepan	cupiera cupieras cupiera cupiéramos cupierais cupieran
caer *to fall*	caído cayendo	caigo caes cae caemos caéis caen	caía caías caía caíamos caíais caían	caí caíste cayó caímos caísteis cayeron	caeré caerás caerá caeremos caeréis caerán	caería caerías caería caeríamos caeríais caerían	caiga caigas caiga caigamos caigáis caigan	cayera cayeras cayera cayéramos cayerais cayeran

Commands

Person	andar		caber		caer	
	Affirmative	Negative	Affirmative	Negative	Affirmative	Negative
tú	anda	no andes	cabe	no quepas	cae	no caigas
usted	ande	no ande	quepa	no quepa	caiga	no caiga
nosotros	andemos	no andemos	quepamos	no quepamos	caigamos	no caigamos
vosotros	andad	no andéis	cabed	no quepáis	caed	no caigáis
ustedes	anden	no anden	quepan	no quepan	caigan	no caigan

DAR, DECIR, ESTAR

Infinitive	Past participle / Present participle	Indicative					Subjunctive	
		Present	Imperfect	Preterite	Future	Conditional	Present	Imperfect
dar *to give*	dado dando	doy das da damos dais dan	daba dabas daba dábamos dabais daban	di diste dio dimos disteis dieron	daré darás dará daremos daréis darán	daría darías daría daríamos daríais darían	dé des dé demos deis den	diera dieras diera diéramos dierais dieran
decir *to say, to tell*	dicho diciendo	digo dices dice decimos decís dicen	decía decías decía decíamos decíais decían	dije dijiste dijo dijimos dijisteis dijeron	diré dirás dirá diremos diréis dirán	diría dirías diría diríamos diríais dirían	diga digas diga digamos digáis digan	dijera dijeras dijera dijéramos dijerais dijeran
estar *to be*	estado estando	estoy estás está estamos estáis están	estaba estabas estaba estábamos estabais estaban	estuve estuviste estuvo estuvimos estuvisteis estuvieron	estaré estarás estará estaremos estaréis estarán	estaría estarías estaría estaríamos estaríais estarían	esté estés esté estemos estéis estén	estuviera estuvieras estuviera estuviéramos estuvierais estuvieran

Commands

Person	dar		decir		estar	
	Affirmative	Negative	Affirmative	Negative	Affirmative	Negative
tú	da	no des	di	no digas	está	no estés
usted	dé	no dé	diga	no diga	esté	no esté
nosotros	demos	no demos	digamos	no digamos	estemos	no estemos
vosotros	dad	no deis	decid	no digáis	estad	no estéis
ustedes	den	no den	digan	no digan	estén	no estén

HABER*, HACER, IR

Infinitive	Past participle / Present participle	Indicative						Subjunctive	
		Present	Imperfect	Preterite	Future	Conditional	Present	Imperfect
haber* *to have*	habido habiendo	he has ha hemos habéis han	había habías había habíamos habíais habían	hube hubiste hubo hubimos hubisteis hubieron	habré habrás habrá habremos habréis habrán	habría habrías habría habríamos habríais habrían	haya hayas haya hayamos hayáis hayan	hubiera hubieras hubiera hubiéramos hubierais hubieran
hacer *to do*	hecho haciendo	hago haces hace hacemos hacéis hacen	hacía hacías hacía hacíamos hacíais hacían	hice hiciste hizo hicimos hicisteis hicieron	haré harás hará haremos haréis harán	haría harías haría haríamos haríais harían	haga hagas haga hagamos hagáis hagan	hiciera hicieras hiciera hiciéramos hicierais hicieran
ir *to go*	ido yendo	voy vas va vamos vais van	iba ibas iba íbamos ibais iban	fui fuiste fue fuimos fuisteis fueron	iré irás irá iremos iréis irán	iría irías iría iríamos iríais irían	vaya vayas vaya vayamos vayáis vayan	fuera fueras fuera fuéramos fuerais fueran

*Haber also has an impersonal form hay. This form is used to express "There is, There are." The imperative of haber is not used.

Commands

	hacer		ir	
Person	Affirmative	Negative	Affirmative	Negative
tú	haz	no hagas	ve	no vayas
usted	haga	no haga	vaya	no vaya
nosotros	hagamos	no hagamos	vamos	no vayamos
vosotros	haced	no hagáis	id	no vayáis
ustedes	hagan	no hagan	vayan	no vayan

JUGAR, OÍR, OLER

Infinitive	Past participle / Present participle		Indicative						Subjunctive	
		Present	Imperfect	Preterite	Future	Conditional		Present	Imperfect
jugar *to play*	jugado jugando	juego juegas juega jugamos jugáis juegan	jugaba jugabas jugaba jugábamos jugabais jugaban	jugué jugaste jugó jugamos jugasteis jugaron	jugaré jugarás jugará jugaremos jugaréis jugarán	jugaría jugarías jugaría jugaríamos jugaríais jugarían		juegue juegues juegue juguemos juguéis jueguen	jugara jugaras jugara jugáramos jugarais jugaran
oír *to hear, to listen*	oído oyendo	oigo oyes oye oímos oís oyen	oía oías oía oíamos oíais oían	oí oíste oyó oímos oísteis oyeron	oiré oirás oirá oiremos oiréis oirán	oiría oirías oiría oiríamos oiríais oirían		oiga oigas oiga oigamos oigáis oigan	oyera oyeras oyera oyéramos oyerais oyeran
oler *to smell*	olido oliendo	huelo hueles huele olemos oléis huelen	olía olías olía olíamos olíais olían	olí oliste olió olimos olisteis olieron	oleré olerás olerá oleremos oleréis olerán	olería olerías olería oleríamos oleríais olerían		huela huelas huela olamos oláis huelan	oliera olieras oliera oliéramos olierais olieran

Commands

jugar

Person	Affirmative	Negative
tú	juega	no juegues
usted	juegue	no juegue
nosotros	juguemos	no juguemos
vosotros	jugad	no juguéis
ustedes	jueguen	no jueguen

oír

	Affirmative	Negative
	oye	no oigas
	oiga	no oiga
	oigamos	no oigamos
	oíd	no oigáis
	oigan	no oigan

oler

	Affirmative	Negative
	huele	no huelas
	huela	no huela
	olamos	no olamos
	oled	no oláis
	huelan	no huelan

Infinitive	Past participle / Present participle	Present	Imperfect	Preterite	Future	Conditional	Present	Imperfect
				Indicative			**Subjunctive**	
poder *to be able to,* *can*	podido pudiendo	**puedo** **puedes** **puede** podemos podéis **pueden**	podía podías podía podíamos podíais podían	**pude** **pudiste** **pudo** **pudimos** **pudisteis** **pudieron**	**podré** **podrás** **podrá** **podremos** **podréis** **podrán**	**podría** **podrías** **podría** **podríamos** **podríais** **podrían**	**pueda** **puedas** **pueda** podamos podáis **puedan**	pudiera pudieras pudiera pudiéramos pudierais pudieran
poner* *to put*	puesto poniendo	**pongo** pones pone ponemos ponéis ponen	ponía ponías ponía poníamos poníais ponían	**puse** **pusiste** **puso** **pusimos** **pusisteis** **pusieron**	**pondré** **pondrás** **pondrá** **pondremos** **pondréis** **pondrán**	**pondría** **pondrías** **pondría** **pondríamos** **pondríais** **pondrían**	**ponga** **pongas** **ponga** **pongamos** **pongáis** **pongan**	pusiera pusieras pusiera pusiéramos pusierais pusieran
querer *to want,* *to wish;* *to love*	querido queriendo	**quiero** **quieres** **quiere** queremos queréis **quieren**	quería querías quería queríamos queríais querían	**quise** **quisiste** **quiso** **quisimos** **quisisteis** **quisieron**	**querré** **querrás** **querrá** **querremos** **querréis** **querrán**	**querría** **querrías** **querría** **querríamos** **querríais** **querrían**	**quiera** **quieras** **quiera** queramos queráis **quieran**	quisiera quisieras quisiera quisiéramos quisierais quisieran

*Similar verbs to poner: imponer, suponer.

Commands**

Person	poner		querer	
	Affirmative	**Negative**	**Affirmative**	**Negative**
tú	**pon**	no **pongas**	**quiere**	no **quieras**
usted	**ponga**	no **ponga**	**quiera**	no **quiera**
nosotros	**pongamos**	no **pongamos**	queramos	no queramos
vosotros	poned	no **pongáis**	quered	no queráis
ustedes	**pongan**	no **pongan**	**quieran**	no **quieran**

Note: The imperative of **poder is used very infrequently and is not included here.

SABER, SALIR, SER

Indicative / Subjunctive

Infinitive	Past participle / Present participle	Present	Imperfect	Preterite	Future	Conditional	Present	Imperfect
saber *to know*	sabido / sabiendo	sé / sabes / sabe / sabemos / sabéis / saben	sabía / sabías / sabía / sabíamos / sabíais / sabían	supe / supiste / supo / supimos / supisteis / supieron	sabré / sabrás / sabrá / sabremos / sabréis / sabrán	sabría / sabrías / sabría / sabríamos / sabríais / sabrían	sepa / sepas / sepa / sepamos / sepáis / sepan	supiera / supieras / supiera / supiéramos / supierais / supieran
salir *to go out, to leave*	salido / saliendo	salgo / sales / sale / salimos / salís / salen	salía / salías / salía / salíamos / salíais / salían	salí / saliste / salió / salimos / salisteis / salieron	saldré / saldrás / saldrá / saldremos / saldréis / saldrán	saldría / saldrías / saldría / saldríamos / saldríais / saldrían	salga / salgas / salga / salgamos / salgáis / salgan	saliera / salieras / saliera / saliéramos / salierais / salieran
ser *to be*	sido / siendo	soy / eres / es / somos / sois / son	era / eras / era / éramos / erais / eran	fui / fuiste / fue / fuimos / fuisteis / fueron	seré / serás / será / seremos / seréis / serán	sería / serías / sería / seríamos / seríais / serían	sea / seas / sea / seamos / seáis / sean	fuera / fueras / fuera / fuéramos / fuerais / fueran

Commands

saber

Person	Affirmative	Negative
tú	sabe	no sepas
usted	sepa	no sepa
nosotros	sepamos	no sepamos
vosotros	sabed	no sepáis
ustedes	sepan	no sepan

salir

Person	Affirmative	Negative
tú	sal	no salgas
usted	salga	no salga
nosotros	salgamos	no salgamos
vosotros	salid	no salgáis
ustedes	salgan	no salgan

ser

Person	Affirmative	Negative
tú	sé	no seas
usted	sea	no sea
nosotros	seamos	no seamos
vosotros	sed	no seáis
ustedes	sean	no sean

SONREÍR, TENER*, TRAER

Infinitive	Past participle / Present participle		Indicative					Subjunctive	
		Present	Imperfect	Preterite	Future	Conditional	Present	Imperfect
sonreír *to smile*	sonreído sonriendo	sonrío sonríes sonríe sonreímos sonreís sonríen	sonreía sonreías sonreía sonreíamos sonreíais sonreían	sonreí sonreíste sonrió sonreímos sonreísteis sonrieron	sonreiré sonreirás sonreirá sonreiremos sonreiréis sonreirán	sonreiría sonreirías sonreiría sonreiríamos sonreiríais sonreirían	sonría sonrías sonría sonriamos sonriáis sonrían	sonriera sonrieras sonriera sonriéramos sonrierais sonrieran
tener* *to have*	tenido teniendo	tengo tienes tiene tenemos tenéis tienen	tenía tenías tenía teníamos teníais tenían	tuve tuviste tuvo tuvimos tuvisteis tuvieron	tendré tendrás tendrá tendremos tendréis tendrán	tendría tendrías tendría tendríamos tendríais tendrían	tenga tengas tenga tengamos tengáis tengan	tuviera tuvieras tuviera tuviéramos tuvierais tuvieran
traer *to bring*	traído trayendo	traigo traes trae traemos traéis traen	traía traías traía traíamos traíais traían	traje trajiste trajo trajimos trajisteis trajeron	traeré traerás traerá traeremos traeréis traerán	traería traerías traería traeríamos traeríais traerían	traiga traigas traiga traigamos traigáis traigan	trajera trajeras trajera trajéramos trajerais trajeran

*Many verbs ending in **-tener** are conjugated like **tener**: contener, detener, entretener(se), mantener, obtener, retener.

Commands

Person	sonreír		tener		traer	
	Affirmative	Negative	Affirmative	Negative	Affirmative	Negative
tú	sonríe	no sonrías	ten	no tengas	trae	no traigas
usted	sonría	no sonría	tenga	no tenga	traiga	no traiga
nosotros	sonriamos	no sonriamos	tengamos	no tengamos	traigamos	no traigamos
vosotros	sonreíd	no sonriáis	tened	no tengáis	traed	no traigáis
ustedes	sonrían	no sonrían	tengan	no tengan	traigan	no traigan

VALER, VENIR*, VER

Infinitive	Past participle / Present participle	Indicative					Subjunctive	
		Present	Imperfect	Preterite	Future	Conditional	Present	Imperfect
valer *to be worth*	valido valiendo	valgo vales vale valemos valéis valen	valía valías valía valíamos valíais valían	valí valiste valió valimos valisteis valieron	valdré valdrás valdrá valdremos valdréis valdrán	valdría valdrías valdría valdríamos valdríais valdrían	valga valgas valga valgamos valgáis valgan	valiera valieras valiera valiéramos valierais valieran
venir* *to come*	venido viniendo	vengo vienes viene venimos venís vienen	venía venías venía veníamos veníais venían	vine viniste vino vinimos vinisteis vinieron	vendré vendrás vendrá vendremos vendréis vendrán	vendría vendrías vendría vendríamos vendríais vendrían	venga vengas venga vengamos vengáis vengan	viniera vinieras viniera viniéramos vinierais vinieran
ver *to see*	visto viendo	veo ves ve vemos veis ven	veía veías veía veíamos veíais veían	vi viste vio vimos visteis vieron	veré verás verá veremos veréis verán	vería verías vería veríamos veríais verían	vea veas vea veamos veáis vean	viera vieras viera viéramos vierais vieran

*Similar verb to venir: prevenir

Commands

Person	valer		venir		ver	
	Affirmative	Negative	Affirmative	Negative	Affirmative	Negative
tú	vale	no valgas	ven	no vengas	ve	no veas
usted	valga	no valga	venga	no venga	vea	no vea
nosotros	valgamos	no valgamos	vengamos	no vengamos	veamos	no veamos
vosotros	valed	no valgáis	venid	no vengáis	ved	no veáis
ustedes	valgan	no valgan	vengan	no vengan	vean	no vean

Spanish-English Glossary

The vocabulary includes the active vocabulary presented in the chapters and many receptive words. Exceptions are verb conjugations, regular past participles, adverbs ending in **-mente**, superlatives, diminutives, and proper names of individuals and most countries. Active words are followed by a number that indicates the chapter in which the word appears as an active item. **P** refers to the opening pages that precede Chapter 1.

The gender of nouns is indicated except for masculine nouns ending in **-o** and feminine nouns ending in **-a**. Stem changes and spelling changes are shown for verbs, e.g., **dormir (ue, u); buscar (qu).**

The following abbreviations are used. Note that the *adj.*, *adv.*, and *pron.* designations are used only to distinguish similar or identical words that are different parts of speech.

adj.	adjective	*fam.*	familiar	*irreg.*	irregular verb	*p.p.*	past participle
adv.	adverb	*form.*	formal	*m.*	masculine	*pron.*	pronoun
f.	feminine	*inf.*	infinitive	*pl.*	plural	*s.*	singular

A

a to; **~ cambio de** in exchange for; **~ menos que** unless, 12; **~ pesar de** in spite of; **~ pie** on foot, walking, 6; **~ través de** across, throughout

abierto (*p.p. of* **abrir**) open, 13

abogado(a) lawyer, 5

abordar to board, 14

abrelatas eléctrico (*m. s.*) electric can opener, 10

abrigo coat, 8

abril April, 1

abrir to open, 3; **Abran los libros.** Open your books. P

abuelo(a) grandfather (grandmother), 5

abundancia abundance

aburrido(a) boring, 2; bored, 4

aburrimiento boredom

acabar de (+inf.) to have just (*done something*), 3

académico(a) academic

accesorio accessory, 8

acción (*f.*) action, 5

aceite (*m.*) **de oliva** olive oil, 9

acero steel

aconsejar to advise, 10

acostarse (ue) to go to bed, 5

acrecentar (ie) to strengthen; to increase

actividad (*f.*) activity, P; **~ deportiva** sports activity, 7

activo(a) active, 2

actor (*m.*) actor, 5

actriz (*f.*) actress, 5

actualidad (*f.*): **en la ~** at the present time

acudir to go; to attend

adelantar to get ahead, to promote

adelante ahead

además besides

adinerado(a) rich, wealthy

adiós good-bye, 1

adivinar to guess; **Adivina.** Guess. P

administración (*f.*) **de empresas** business administration, 3

¿adónde? (to) where?

adquisición (*f.*) acquisition

aduana customs, 14

aeropuerto airport, 6

afán (*m.*) desire

afeitarse to shave oneself, 5

afueras (*f. pl.*) outskirts, 10

agencia de viajes travel agency, 14

agosto August, 1

agregar (gu) to add, 9

agrícola agricultural

agua (*f.*) (*but:* **el agua**) water; **~ dulce** fresh water; **~ mineral** sparkling water, 9

aguacate avocado, 9

aire (*m.*) **acondicionado** air conditioning, 14

ajedrez (*m.*) chess

ajo garlic, 9

al (a + el) to the, 3

albergar (gu) to shelter

albóndiga meatball

alcalde (alcadesa) mayor

alcanzar (c) to achieve

alegrarse de to be happy about, 11

alemán (alemana) German, 2

alemán (*m.*) German language, 3

alergia allergy, 12

alfabeto alphabet

alfombra rug, carpet, 10

algo something, 6

algodón (*m.*) cotton, 8

alguien someone, 6

algún, alguno(a)(s) some, any, 6

alistar to recruit; to enroll

allá over there, 6

allí there, 6

alma (*f.*) (*but:* **el alma**) soul

almacén (*m.*) store, 6

almeja clam, 9

almohada pillow

almuerzo lunch, 9

¿Aló? hello (*on the phone*), 1

alpinismo: hacer ~ to hike, to (mountain) climb, 7

alquilar videos to rent videos, 2

alquiler (*m.*) rent

alrededor de around

altitud (*f.*) altitude, height

altivo(a) arrogant

alto(a) tall, 2

altoparlante (*m., f.*) speaker, 4

altura height

amanecer (zc) to dawn

amante (*m., f.*) lover

amarillo(a) yellow, 4

ambiente (*m.*) atmosphere; **medio ~** (*m.*) environment

ambigüedad (*f.*) ambiguity

ambos(as) both

amenaza threat

amigo(a) friend, P

amor (*m.*) love

análisis (*m.*) **de sangre/orina** blood/urine test, 12

anaranjado(a) orange (*in color*), 4

andar (*irreg.*) to walk, 8

anexo attachment

anfitrión (*m.*) host

anillo ring, 8

anoche last night, 7

anónimo(a) anonymous

Antártida Antarctica

anteayer the day before yesterday, 7

antecesor(a) ancestor

anteojos (*m. pl.*) eyeglasses

antepasado(a) ancestor

antes before, 5; **~ (de) que** before, 12

antibiótico antibiotic, 12

anticuado(a) antiquated, old-fashioned

antipático(a) unpleasant, 2

anuncio personal personal ad

añadir to add, 9

año year, 3; **~ pasado** last year, 7; **tener** (*irreg.*) **... ~** to be . . . years old, 1

apacible mild, gentle

apagar (**gu**) to turn off, 2

aparatos electrónicos electronics, 4

aparecer (**zc**) to appear

apariencia física physical appearance

apartamento apartment, 6

apenas scarcely

apetecer (**zc**) to long for

aplicación (*f.*) application, 4

apodo nickname

apoyar to support

apreciar to appreciate

aprender to learn, 3

aprendizaje (*m.*) learning

apropiado(a) appropriate

apto(a) apt, fit; **~ para toda la familia** rated G (for general audiences), 11

apuntes (*m.*) notes, P

aquel/aquella(s) (*adj.*) those (over there), 6

aquél/aquélla(s) (*pron.*) those (over there), 6

aquí here, 6

árbol (*m.*) tree; **~ genealógico** family tree

archivar to file, 4

archivo file, 4

arena sand, 14

arete (*m.*) earring, 8

argentino(a) Argentinian, 2

arquitecto(a) architect, 5

arquitectura architecture, 3

arreglar el dormitorio to straighten up the bedroom, 10

arroz (*m.*) **con pollo** chicken with rice, 9

arrugado(a) wrinkled

arte (*m.*) art, 3; **~ y cultura** the arts, 11

artesanía handicrafts

artículo article, 1

artista (*m., f.*) artist, 5

asado(a) grilled

ascenso (job) promotion, 13

ascensor (*m.*) elevator, 14

asegurarse to make sure

asiento seat, 14; **~ de pasillo** aisle seat, 14; **~ de ventanilla** window seat, 14

asistente (*m., f.*) assistant, 5; **~ de vuelo** flight attendant, 14; **~** (*m.*) **electrónico** electronic notebook, 4

asistir a to attend, 3

aspiradora vacuum cleaner, 10

aspirina aspirin, 12

ataque (*m.*) attack

atardecer (*m.*) late afternoon

atún (*m.*) tuna, 9

audiencia audience

audífonos (*m. pl.*) earphones, 4

auditorio auditorium, 6

aumentar to increase

aumento de sueldo salary increase, 13

aun even

aún yet (*in negative contexts*); still

aunque although, even though, 12

australiano(a) Australian, 2

autobús: en ~ by bus, 6

automóvil: en ~ by car, 6

avenida avenue, 1

avergonzado(a) embarrassed

avergonzar (**ue**) (**c**) to embarrass

averiguar (**gü**) to find out; to look into, to investigate, 13

avión (*m.*) airplane, 14

aviso warning

ayer yesterday, 3

ayuda help

ayudar to help

azúcar (*m., f.*) sugar, 9; **caña de ~** sugar cane

azul blue, 4

B

bacalao codfish, 9

bailar to dance, 2

baile (*m.*) dance, 3

bajar to get down from, to get off of (*a bus, etc.*), 6

bajo(a) short (*in height*), 2

baldosa paving stone

balneario seaside resort, spa

banco (commercial) bank, 6

bañador(a) bather

bañar to swim; to give someone a bath, 5; **bañarse** to take a bath, 5

baño bathroom, 10

barco boat

barrer el suelo/el piso to sweep the floor, 10

barrio neighborhood, 1; **~ residencial** residential neighborhood, suburbs, 10; **~ comercial** business district, 10

básquetbol (*m.*) basketball, 7

bastante somewhat, rather, 4

Bastante bien. Quite well. 1

basura garbage, 10; **sacar la ~** to take out the garbage, 10

basurero wastebasket

batir to beat; to break

beber to drink, 3

bebida beverage, 9

béisbol (*m.*) baseball, 7

belleza beauty

bello(a) beautiful

beneficio benefit, 13

berro watercress

besar to kiss

bicicleta: en ~ on bicycle, 6; **montar en ~** to ride a bike, 7

bien well, 4; **~, gracias.** Fine, thank you. 1; **(no) muy ~** (not) very well, 1

bienestar (*m.*) well-being

bienvenido(a) welcome

bilingüe bilingual

billete (*m.*) ticket, 14; **~ de ida** one-way ticket, 14; **~ de ida y vuelta** round-trip ticket, 14·

biología biology, 3

bistec (*m.*) steak, 6

blanco(a) white, 4

blusa blouse, 8

boca mouth, 12

bocadillo sandwich, 9

boda wedding

bodegón (*m.*) tavern

boleto ticket, 11; **~ de ida** one-way ticket, 14; **~ de ida y vuelta** round-trip ticket, 14

bolígrafo ballpoint pen, P

boliviano(a) Bolivian, 2

bolsa purse, 8; **~ de valores** stock market, 13

bombero(a) fire fighter, 5

bondadoso(a) kind; good

bonito(a) pretty

bordado(a) embroidered, 8

borrador (*m.*) rough draft

bosque (*m.*) forest, 14; **~ tropical/ pluvial** rainforest

bosquejo outline

bota boot, 8

bote (*m.*) boat

botones (*m. s.*) bellhop, 14

boxeo boxing, 7

brazalete (*m.*) bracelet, 8

brazo arm, 12

breve brief

bróculi (*m.*) broccoli, 9

broma joke

bueno(a) good, 2; **Buenas noches.** Good night. Good evening. 1; **Buenas tardes.** Good afternoon. 1; **Buenos días.** Good morning. 1; **es bueno** it's good, 11

bufanda scarf, 8

buscador (*m.*) search engine, 4

buscar (qu) to look for, 2

buzón (*m.*) **electrónico** electronic mailbox, 4

C

caballo: montar a ~ to ride horseback, 7

cabeza head, 12; **dolor** (*m.*) **de ~** headache, 12

cable (*m.*) cable, 4; cable television, 11

cabo end

cacao chocolate

cachemira cashmere

cadena chain, 8

caer (*irreg.*) to fall

café (*m.*) coffee, 9; (*adj.*) brown, 4

cafetería cafeteria, 3

caimán (*m.*) alligator

cajero automático automated bank teller, ATM, 6

cajón (*m.*) large box; drawer

calcetín (*m.*) sock, 8

calculadora calculator, P

cálculo calculus, 3

caldo de pollo chicken soup, 9

calentar (ie) to heat, 9

calidad (*f.*) quality; **de buena (alta) ~** of good (high) quality, 8

calificación (*f.*) evaluation

calle (*f.*) street, 1

calor: Hace ~. It's hot., 7; **tener** (*irreg.*) **~** to be hot, 7

caluroso(a) warm

cama bed, 10; **guardar ~** to stay in bed , 12; **hacer la ~** to make the bed, 10

cámara: ~ digital digital camera, 4; **~ web** webcam, 4

camarero(a) waiter (waitress), 5

camarón (*m.*) shrimp, 9

cambiar: ~ dinero to exchange money, 14; **~ el canal** to change the channel, 11

cambio change; exchange rate; **a ~ de** in exchange for

caminar to walk, 2

camisa shirt, 8

camiseta t-shirt, 8

campaña campaign, 13

campestre rural

campo: ~ de estudio field of study, 3; **~ de fútbol** soccer field, 6

caña de azúcar sugar cane

canadiense (*m., f.*) Canadian, 2

canasta basket

cancha soccer field, 6; **~ de tenis** tennis court, 6

candidato(a) candidate, 13

canela cinnamon

cañón (*m.*) canyon, 14

cansado(a) tired, 4

cantante (*m., f.*) singer

cantar to sing, 2

capítulo chapter, P

característica trait; **~ de la personalidad** personality trait, 2; **~ física** physical trait, 2

Caribe (*m., f.*) Caribbean (sea)

cariño love, fondness

carne (*f.*) meat, 9

carnicería butcher shop, 6

caro: Es (demasiado) caro(a). It's (too) expensive. 8

carpintero(a) carpenter, 5

carrera career, 5

carreta wooden cart

carro: en ~ by car, 6

carta: a la ~ à la carte, 9

cartera wallet, 8

cartón (*m.*) cardboard

casa house, 6

casarse to get married, 5

casco helmet

casero(a) homemade

caso: en ~ de que in case, 12; **hacer ~** to pay attention, to obey

castaño brown, 2

catarata waterfall

catarro cold (*e.g., headcold*), 12

catorce fourteen, P

CD (*m.*) compact disc, P; **~ portátil/MP3** portable CD/MP3 player, 4

cebolla onion, 9

celebración (*f.*) celebration

celos: tener (*irreg.*) **~** to be jealous

celoso(a) jealous

cena dinner

cenar to eat dinner, 2

censo census

centavo cent

centro center; **~ comercial** mall, 6; **~ de computación** computer center, 3; **~ de comunicaciones** media center, 3; **~ de la ciudad** downtown, 10; **~ estudiantil** student center, 6

Centroamérica Central America

cepillarse el pelo to brush one's hair, 5

cepillo brush, 5; **~ de dientes** toothbrush, 5

cerca de close to, 6

cereal (*m.*) cereal, 9

cero zero, P

cerrar (ie) to close; **Cierren los libros.** Close your books. P

cerveza beer, 9

chaleco vest, 8

champú (*m.*) shampoo, 5

chaparrón (*m.*) cloudburst, downpour

chaqueta jacket (*outdoor, non-suit coat*), 8

chatear to chat online, 4

Chau. Bye, Good-bye, 1

cheque (*m.*) check; **pagar con ~ / con ~ de viajero** to pay by check / with a traveler's check, 8

chequeo médico physical, checkup, 12

chévere terrific, great (*Cuba, Puerto Rico*)

chico(a) boy (girl), P

chileno(a) Chilean, 2

chimenea fireplace, 10

chino Chinese language, 3

chino(a) Chinese, 2

chisme (*m.*) gossip

chismoso(a) gossiping

chocolate (*m.*) chocolate, 11

chuleta de puerco pork chop, 6

ciberespacio cyberspace, 4

ciclismo cycling, 7

ciego(a) blind; **cita a ciegas** blind date

cielo sky, 14

cien one hundred, P; **~ mil** one hundred thousand, 8

ciencias (*f. pl.*) science, 3; **~ políticas** political science, 3

científico(a) scientific

ciento uno one hundred and one, 8

cierto(a) certain; **no es cierto** it's not certain, 11

cinco five, P; **~ mil** five thousand, 8

cincuenta fifty, P

cine (*m.*) cinema, 6; movies, 11

cinta audiotape, P

cinturón (*m.*) belt, 8

cita appointment, 12; quotation; **~ a ciegas** blind date

ciudad (*f.*) city, 6

ciudadano(a) citizen, 13

claridad (*f.*) clarity

clase (*f.*) class, P; **~ baja** lower class; **~ de película** movie genre, 11

clasificar (qu) con cuatro estrellas to give a four-star rating, 11

clic: hacer ~/doble ~ to click/ double click, 4

cliente (*m., f.*) customer, 8

clínica clinic, 12

clóset (*m.*) closet, 10

cobre (*m.*) copper

cocer (-z) (ue) to cook, 9

coche: en ~ by car, 6

cocina kitchen, 10

cocinar to cook, 2

cocinero(a) cook, chef, 5

código code

codo elbow, 12

colectivo bus

cólera anger

collar (*m.*) necklace, 8

colombiano(a) Colombian, 2

colonia neighborhood, 1

color (*m.*) color, 4; **de un solo ~** solid (colored), 8

coma comma

comedia (romántica) (romantic) comedy, 11

comedor (*m.*) dining room, 10

comenzar (ie) (c) to begin, 4

comer to eat, 3; **~ alimentos nutritivos** to eat healthy foods, 12; **darle de ~ al perro/gato** to feed the dog/cat, 10

cómico(a) funny, 2

comida food, 6

comino cumin, 9

¿cómo? how? 3; **¿~ desea pagar?** How do you wish to pay? 8; **¿~ es?** What's he/she/it like? 2; **¿~ está (usted)?** (*s. form.*) How are you? 1; **¿~ están (ustedes)?** (*pl.*) How are you? 1; **¿~ estás (tú)?** (*s. fam.*) How are you? 1; **¿~ te/le/les va?** How's it going with you? 1; **~ no.** Of course. 6; **¿~ se dice...?** How do you say . . . ? P; **¿~ se llama?** (*s. form.*) What's your name? 1; **¿~ te llamas?** (*s. fam.*) What's your name? 1

cómoda dresser, 10

compañero(a) de cuarto room-mate, P

compañía multinacional multina-tional corporation, 13

comparación (*f.*) comparison, 8

compartir to share, 3

competencia competition, 7

competir (i, i) to compete

complicidad (*f.*) complicity

comportamiento behavior

comprar to buy, 2

compras: hacer las ~ to go shopping, 6

comprender to understand, 3

comprensión (*f.*) understanding

comprometerse to get engaged, 5

computación (*f.*) computer science, 3

computadora computer, P; **~ portátil** laptop computer, 4

común common

comunicación (*f.*) **pública** public communications, 3

con with; **~ destino a** with desti-nation to, 14; **~ tal (de) que** so that, provided that, 12

concordancia agreement

concurso contest

conducir (zc) to drive, to conduct, 5

conectar to connect, 4

conexión (*f.*) connection, 4; **~ a Internet** Internet connection, 14; **hacer una ~** to go online, 4

confección (*f.*) confection

conferencista (*m., f.*) speaker

congelado(a) frozen, 9

congestionado(a): estar ~ to be congested, 12

conmigo with me, 8

conocer (zc) to meet; to know a person, to be familiar with, 5

conocimientos: tener (*irreg.*) algunos ~ de to have some knowledge of, 13

conseguir (i, i) to get, to obtain, 8

consejo advice, 12

conserje (*m., f.*) concierge, 14

consultorio del médico doctor's office, 12

contabilidad (*f.*) accounting, 3

contado: al ~ in cash, 8

contador(a) accountant, 5

contaminación (*f.*) **(del aire)** (air) pollution, 13

contar (ue) to tell, to relate, 4; to count; **~ con** to be certain of

contento(a) happy, 4; **estar ~ de** to be pleased about, 11

contestar to answer; **Contesten.** Answer. P

contigo with you (*fam.*), 8

contracción (*f.*) contraction, 3

contrario: al ~ on the contrary

contraseña password, 4
contratar to hire, 13
contrato contract, 13; **~ prenupcial** prenuptial agreement
control (*m.*) **remoto** remote control, 11
conversación (*f.*) conversation
convertir (ie, i) to change
copa wine glass, goblet, 9
coraje (*m.*) courage
corazón (*m.*) heart, 12
cordillera mountain range
coreano(a) Korean, 2
corregir (i, i) (j) to correct
correo electrónico e-mail, 4
correr to run, 3
cortar to cut, 12; **~ el césped** to mow the lawn, 10; **~ la conexión** to go offline, 4; **cortarse** to cut oneself, 12
cortesía courtesy, 4
cortina curtain, 10
corto(a) short (*in length*)
costarricense (*m., f.*) Costa Rican, 2
costo cost, 13
cotidiano(a) daily
crear to create
creativo(a) creative
creer (en) to believe (in), 3; **no creer** to not believe, 11
crema cream, 12
crimen (*m.*) crime, 13
crítica criticism; critique, review, 11
crítico(a) critic, 11
cronología chronology
crucero cruise ship
crudo(a) raw, 9
cruzar (c) to cross, 6
cuaderno notebook, P
cuadra (city) block, 6
cuadro painting; print, 10
cuadros: a ~ plaid, 8
¿cuál? what? which one? 3; **¿~ es tu/su dirección (electrónica)?** (*s. fam./form.*) What's your (e-mail) address? 1; **¿~ es tu/su número de teléfono?** (*s. fam./ form.*) What is your phone number? 1
¿cuáles? what? which ones? 3
cuando when, 12
¿cuándo? when? 3; **¿~ es tu cumpleaños?** When is your birthday? 1

cuanto: en ~ as soon as, 12; **en ~ a** in relation to
¿cuánto(a)? how much? 3; **¿Cuánto cuesta(n)?** How much does it (do they) cost? 8
¿cuántos(as)? how many? 3
cuarenta forty, P
cuarto room, P; bedroom, 10
cuarto(a) fourth, 10
cuate(a) friend, buddy
cuatro four, P
cuatrocientos(as) four hundred, 8
cubano(a) Cuban, 2
cuchara spoon, 9
cucharada tablespoonful, 9
cucharadita teaspoonful, 9
cuchillo knife, 9
cuello neck, 12
cuenta check, bill, 9
cuento de hadas fairy tale
cuero leather, 8
cuerpo body, 12
cuestionario questionnaire
cuidado: tener (*irreg.*) **~** to be careful, 7; **¡~!** careful!
cuidadoso(a) cautious, 2
culinario(a) culinary
cultura culture
cuna cradle
cuñado(a) brother- in-law (sister-in-law), 5
curita (small) bandaid, 12
currículum vitae (*m.*) curriculum vitae, résumé, 13
curso básico basic course, 3
cuy (*m.*) guinea pig
cuyo(a) whose

D

danza dance, 11
dar (*irreg.*) to give, 5; **~ información personal** to give personal information, 1; **~ la hora** to give the time, 3; **~le de comer al perro/gato** to feed the dog/cat, 10
darse la mano to shake hands, 13
dato fact; piece of information
De nada. You're welcome. 1
debajo de below, underneath, 6
deber (*+ inf.*) should, ought to (*do something*), 3
décimo(a) tenth, 10

decir (*irreg.*) to say, to tell, 5; **~ cómo llegar** to give directions, 6; **~ la hora** to tell the time, 3; **Se dice...** It's said . . . , P
decoración (*f.*) decoration, 10
dedo finger, toe, 12
definido(a) definite, 1
dejar to leave, to stop, 2; **~ de** (*+ inf.*) to stop (*doing something*), 3
del (**de + el**) from the, of the, 3
delante de in front of, 6
delgado(a) thin, 2
demasiado(a) too much, 4
demora delay, 14
demostrar (ue) to demonstrate, to show
demostrativo(a) demonstrative, 6
dentista (*m., f.*) dentist, 5
dentro de inside of, 6; **~ la casa** inside the house, 10
dependiente (*m., f.*) salesclerk, 5
deporte (*m.*) sport, 7
derecha: a la ~ to the right, 6
derecho: (todo) ~ (straight) ahead, 6
desarrollar to develop
desarrollo development, 13
desastre (*m.*) disaster; **~ natural** natural disaster, 13
desayuno breakfast, 9; **~ incluido** breakfast included, 14
descalificar (qu) to disqualify
descalzo(a) barefoot
descansar to rest, 2
descargar to download, 4
descortés rude
describir to describe, 2
descubrir to discover, 3
descuento discount, 8
desear to want; to wish, 10
desembarcar (qu) to disembark, 14
desempeñarse to manage
desengaño disillusionment
desierto desert, 14
desigualdad (*f.*) inequality, 13
desilusión (*f.*) disappointment
desmayarse to faint, 12
desodorante (*m.*) deodorant, 5
despachar to dispatch; to wait on
despacio (*adv.*) slowly; (*adj.*) slow
despedido(a) fired (*from a job*)
despedir (i, i) to fire, 13; **despedirse (i, i)** to say good-bye, 1

despertar (ie) to wake someone up, 5; **despertarse (ie)** to wake up, 5

después after, 5; **~ (de) que** after, 12

destacar (qu) to emphasize

destino: con ~ a with destination to, 14

desventaja disadvantage, 13

detalle (*m.*) detail

detallista detail-oriented, 13

detrás de behind, 6

día (*m.*) day, 3; **~ de la semana** day of the week, 3; **~ de las Madres** Mother's Day, 3; **todos los días** every day, 3

dialecto dialect

dibujo drawing, P; **~ animado** cartoon; (*pl.*) animated film, 11

diccionario dictionary, P

dicha happiness

dicho saying; (*p.p. of* **decir**) said, 13

diciembre December, 1

diecinueve nineteen, P

dieciocho eighteen, P

dieciséis sixteen, P

diecisiete seventeen, P

diez ten, P; **~ mil** ten thousand, 8

diferencia difference

difícil difficult, 4

dinero money

dirección (*f.*) address

dirigir (j) to direct, 13

disco duro hard drive, 4

discreción: se recomienda ~ rated PG-13 (parental discretion advised), 11

discriminación (*f.*) discrimination, 13

Disculpe. Excuse me. 4

diseñador(a) gráfico(a) graphic designer, 5

diseño design; **~ gráfico** graphic design, 3

disfrutar (la vida) to enjoy (life)

disponibilidad (*f.*) availability

disponible available, 13

dispuesto(a) willing

diversidad (*f.*) diversity

diversión (*f.*) amusement

divertido(a) fun, entertaining, 2

divertirse (ie, i) to have fun, 5

divorciarse to get divorced, 5

doblado(a) dubbed, 11

doblar to turn, 6; to fold

doce twelve, P

docena dozen, 9

doctor(a) doctor

documental (*m.*) documentary, 11

dólar (*m.*) dollar

doler (ue) to hurt, 12

dolor (*m.*) pain, ache, 12; **~ de cabeza** headache, 12; **~ de estómago** stomachache, 12; **~ de garganta** sore throat, 12

domesticado(a) tame, tamed

domingo Sunday, 2

dominicano(a) Dominican, 2

don (doña) title of respect used with male (female) first name, 1

¿dónde? where? 3; **¿~ tienes la clase de… ?** Where does your . . . class meet? 3; **¿~ vives/vive?** (*s. fam./form.*) Where do you live? 1

dondequiera: por ~ everywhere

dorado(a) golden, browned, 9

dormir (ue, u) to sleep, 4; **dormirse (ue, u)** to fall asleep, 5

dormitorio bedroom, 10; **~ estudiantil** dormitory, 6

dos two, P; **~ mil** two thousand, 8

doscientos(as) two hundred, 8

drama (*m.*) drama, 11

ducharse to take a shower, 5

dudar to doubt, 11

dudoso(a) doubtful, unlikely, 11

dueño(a) owner, 5

dulce (*m.*) candy, 11; (*adj.*) sweet

duro(a) hard

E

economía economy, 3

ecuador (*m.*) equator

ecuatoriano(a) Ecuadoran, 2

edad (*f.*) age

edificio building, 6

educación (*f.*) education, 3

efectivo: en ~ in cash, 8

egoísta selfish, egotistic, 2

ejemplo example, 10; **por ~** for example, 10

ejercicio: hacer ~ to exercise, 7

ejército army, 13

el (*m.*) the, 1

él he, 1; him, 8

elección (*f.*) election, 13

electricidad (*f.*) electricity

electrodoméstico appliance, 10

elefante (*m.*) elephant

ella she, 1; her, 8

ellos(as) they, 1; them, 8

e-mail (*m.*) e-mail, 4

embajador(a) ambassador

emergencia emergency, 12

emoción (*f.*) emotion, 4

empapado(a) drenched

emparejar to match

empezar (ie) (c) to begin, 4

empleado(a) employee, 13

emplear to employ, 13

emprendedor(a) enterprising, 13

empresario(a) businessman/woman, 13

en in, on, at; **~ autobús/tren** by bus/train, 6; **~ bicicleta** on bicycle, 6; **~ carro/coche/automóvil** by car, 6; **~ caso de que** in case, 12; **~ cuanto** as soon as, 12; **~ cuanto a** in relation to; **~ línea** online, 4; **~ metro** on the subway, 6; **~ realidad** actually

enamorarse to fall in love, 5

Encantado(a). Delighted to meet you. 1

encantar to like a lot, 4; to enchant, to please, 11

encima de on top of, on, 6

encuentro encounter; meeting

encuesta survey

enero January, 1

enfatizar (c) to emphasize

enfermarse to get sick, 5

enfermedad (*f.*) sickness, illness, 12

enfermero(a) nurse, 5

enfermo(a) sick, 4

enfrente de in front of, opposite, 6

enfriarse to get cold, 9

engañar to fool

engaño hoax

enlace (*m.*) link, 4

enojado(a) angry, 4

ensalada salad, 9; **~ de fruta** fruit salad, 9; **~ de lechuga y tomate** lettuce and tomato salad, 9; **~ de papa** potato salad, 9; **~ mixta** tossed salad, 9

ensayo essay

enseñar to teach

entonces then

entrada ticket (*to a movie, concert, etc.*), 11

entre between, 6

entregar (gu) to turn in; **Entreguen la tarea.** Turn in your homework. P

entrenador(a) trainer

entrenarse to train, 7

entresemana during the week, on weekdays, 3

entretener (*like* **tener**) to entertain

entrevista interview, 13

entrevistador(a) interviewer, 11

enviar to send, 4

episodio episode, 11

equilibrio: poner en ~ to balance

equipaje (*m.*) baggage, luggage, 14; **facturar el ~** to check one's baggage, 14

equipo team, 7

erupción (*f.*) **volcánica** volcanic eruption

escala: hacer ~ en to make a stopover in, 14

escaleras (*f. pl.*) stairs, 10

esclavo(a) slave

escoger (j) to choose

esconder to hide

escribir to write, 3; **Escriban en sus cuadernos.** Write in your notebooks. P

escrito (*p.p. of* **escribir**) written, 13

escritorio desk, P

escuchar to listen; **~ música** to listen to music, 2; **Escuchen la cinta/el CD.** Listen to the tape/CD. P

escultura sculpture, 11

ese (esa) (*s. adj.*) that, 6

ése (ésa) (*s. pron.*) that one, 6

eso: por ~ so, that's why, 10

esos (esas) (*pl. adj.*) those, 6

ésos (ésas) (*pl. pron.*) those (ones), 6

espalda back, 12

España Spain

español (española) Spanish, 2

español (*m.*) Spanish language, 3

espárragos (*m.pl.*) asparagus, 9

especie (*f.*) species

espectáculo show, 11

espejo mirror, 10

esperanza wish, hope

esperar to hope, 10; to wait, 11

esposo(a) husband (wife), 5

esquí (*m.*) ski, skiing; **~ acuático** water skiing, 7; **~ alpino** downhill skiing, 7

esquiar to ski, 7

esquina corner, 6

estación (*f.*) season, 7; station, 11; **~ de autobús** bus station, 6; **~ de trenes** train station, 6

estacionamiento parking lot, 6

estadio stadium, 6

estadística statistics, 3

estado state, 5; **~ civil** marital status

Estados Unidos United States

estadounidense (*m., f.*) U. S. citizen, 2

estampado(a) print, 8

estampilla postage stamp, 14

estancia ranch

estar (*irreg.*) to be, 1; **~ congestionado(a)** to be congested, 12; **~ contento(a) de** to be pleased about, 11; **~ mareado(a)** to feel dizzy, 12

estatura height (*of a person*)

este (*m.*) east, 14

este (esta) (*s. adj.*) this, 6

éste (ésta) (*s. pron.*) this one, 6

estilo style

estos(as) (*pl. adj.*) these, 6

estómago stomach, 12; **dolor** (*m.*) **de ~** stomachache, 12

estornudar to sneeze, 12

éstos(as) (*pl. pron.*) these (ones), 6

estrategia strategy

estrella de cine movie star, 11

estudiante (*m., f.*) student, P

estudiar to study; **~ en la biblioteca (en casa)** to study at the library (at home), 2; **Estudien las páginas… a…** Study pages . . . to . . . P

estudio studio, 3

estufa stove, 10

Europa Europe

evitar to avoid

exhibir to exhibit

exigir (j) to demand

éxito success

exótico(a) exotic, strange

exposición (*f.*) **de arte** art exhibit, 11

expresar preferencias to express preferences, 2

expresión (*f.*) expression, 1

extraño(a) strange, 11

extrovertido(a) extroverted, 2

F

fábrica factory, 13

fácil easy, 4

facturar el equipaje to check one's baggage, 14

falda skirt, 8

falso(a) false

familia family; **~ nuclear** nuclear family, 5; **~ política** in-laws, 5

fantasía fantasy

fantástico(a) fantastic, 11

farmacia pharmacy, 6

fascinar to fascinate, 4

fatal terrible, awful, 1

favor: por ~ please, 1

febrero February, 1

fecha date, 3; **¿A qué ~ estamos?** What is today's date? 3

felicidad (*f.*) happiness

femenino(a) feminine

feo(a) ugly, 2

ferrocarril (*m.*) railroad

fiebre (*f.*) fever, 12

filantrópico(a) philanthropic

filosofía philosophy, 3

fin (*m.*) end; intention; **~ de semana** weekend, 2; **por ~** finally, 9

final final

financiero(a) financial

física physics, 3

físico(a) physical, 5

flan (*m.*) custard, 9

flor (*f.*) flower

florecer (zc) to flower, to flourish

flotador(a) floating

fondo background

formulario form, 13

fortaleza fortress

foto (*f.*) photo, P; **sacar fotos** to take photos, 2

fractura fracture, 12

francés (francesa) French, 2

francés (*m.*) French language, 3

frecuentemente frequently, 4

freír (i, i) to fry, 9

frente a in front of, facing, opposite, 6

fresa strawberry, 9

fresco(a) fresh, 9; **Hace fresco.** It's cool. 7

frijoles (*m.*) **(refritos)** (refried) beans, 9

frío(a) cold; **Hace frío.** It's cold. 7; **tener** (*irreg.*) **frío** to be cold, 7

frito(a) fried, 9
frontera border
fruta fruit, 6
fuego fire; **a ~ suave/lento** at low heat, 9
fuente (*f.*) source
fuera de outside of, 6; **~ de la casa** outside the house, 10
fuerte strong, filling (*e.g., a meal*), 9
fuerzas armadas armed forces, 13
funcionar to function, 4
funciones (*f.*) **de la computadora** computer functions, 4
fundador(a) founder
furioso(a) furious, 4
fútbol (*m.*) soccer, 7; **~ americano** football, 7

G

gafas (*f. pl.*) **de sol** sunglasses, 8
galleta cookie, 9
galón (*m.*) gallon, 9
ganadería cattle, livestock
ganado cattle
ganancia profit, 13
ganar to win, 7; to earn (*money*), 13
ganas: tener (*irreg.*) **~ de** to have the urge to, to feel like, 7
garaje (*m.*) garage, 10
garganta throat, 12; **dolor** (*m.*) **de ~** sore throat, 12
gato(a) cat, 2
gazpacho cold tomato soup (*Spain*), 9
general: por lo ~ generally, 9
género genre
generoso(a) generous, 2
geografía geography, 3
gerente (*m., f.*) manager, 5
gimnasio gymnasium, 3
globalización (*f.*) globalization, 13
gobernador(a) (*m.*) governor
gobierno government, 13
golf (*m.*) golf, 7
gordo(a) fat, 2
gorra cap, 8
gotas (*f. pl.*) drops, 12
gozar (c) to enjoy
grabador (*m.*) **de discos compactos/ DVD** CD/DVD recorder, 4
grabar to record, 4; to videotape, 11
gracias: Muchas ~. Thank you very much. 1

grado degree; **~ centígrado** Celsius degree, 7; **~ Fahrenheit** Fahrenheit degree, 7
gráfica graph
grande big, great, 2
grano: al ~ to the point
gripe (*f.*) flu, 12
gris gray, 4
gritar to shout, to scream
grito scream
grupo group; **~ de conversación** chat room, 4; **~ de debate** news group, 4
guagua bus (*Cuba, Puerto Rico*)
guante (*m.*) glove, 8
guapo(a) handsome, attractive, 2
guardar to store; **~ cama** to stay in bed, 12; **~ la ropa** put away the clothes, 10; to save, 4
guatemalteco(a) Guatemalan, 2
guerra war, 13
guía turística tourist guide, brochure, 14
guión (*m.*) script
guionista (*m., f.*) script writer
guisado beef stew, 9
guisante (*m.*) pea, 9
guitarra guitar, 2
gustar to like, to please, 11; **A mí/ti me/te gusta...** I/You like . . . , 2; **A... le gusta...** He/She likes . . . , 2; **A... les gusta...** They/You (*pl.*) like . . . , 2; **Me gustaría** (+ *inf.*) ... I'd like (+ *inf.*) . . . , 6
gusto taste; **al ~** to individual taste, 9; **El ~ es mío.** The pleasure is mine. 1; **Mucho ~.** My pleasure. 1; **Mucho ~ en conocerte.** A pleasure to meet you. 1

H

haba (*f.*) (*but:* **el haba**) bean
habichuela green bean, 9
habilidades necesarias necessary skills, 13
habitación (*f.*) bedroom, 10; **~ con baño/ducha** room with a bath/shower, 14; **~ de fumar/de no fumar** smoking/non-smoking room, 14; **~ doble** double room, 14; **~ sencilla** single room, 14; **~ sin baño/ducha** room without a bath/shower, 14

habitante (*m., f.*) inhabitant
hablar por teléfono to talk on the telephone, 1
hacer (*irreg.*) to make, to do, 5; **Hace buen/mal tiempo.** It's nice/bad weather. 7; **Hace calor/fresco/frío.** It's hot/cool/ cold. 7; **Hace sol/viento.** It's sunny/windy. 7; **~ alpinismo** to hike, 7; **~ caso** to pay attention, to obey; **~ clic/doble clic** to click/double click, 4; **~ ejercicio** to exercise, 7; **~ el reciclaje** to do the recycling, 10; **~ escala en** to make a stopover in, 14; **~ informes** to write reports, 13; **~ la cama** to make the bed, 10; **~ las compras** to go shopping, 6; **~ preguntas** to ask questions, 3; **~ surfing** to surf, 7; **~ un análisis de sangre/orina** to give a blood/urine test, 12; **~ un tour** to take a tour, 14; **~ una conexión** to go online, 4; **~ una radiografía** to take an X-ray, 12; **~ una reservación** to make a reservation, 14; **Hagan la tarea para mañana.** Do the homework for tomorrow. P
hambre (*f.*) (*but:* **el hambre**) hunger; **tener** (*irreg.*) **~** to be hungry, 7
hamburguesa hamburger, 9; **~ con queso** cheeseburger, 9
hardware (*m.*) hardware, 4
harina flour, 9
hasta until, 12; **~ luego.** See you later, 1; **~ mañana.** See you to- morrow. 1; **~ pronto.** See you soon. 1; **~ que** until, 12
hay there is, there are, 1
hecho fact
hecho(a) (*p. p.*) done, 13; **Está ~ de...** It's made out of . . . , 8
helado de vainilla/chocolate vanilla/chocolate ice cream, 9
herencia heritage
herida injury, wound, 12
hermanastro(a) stepbrother (stepsister), 5
hermano(a) (menor, mayor) (younger, older) brother (sister), 5
hermoso(a) handsome, beautiful

hervido(a) boiled, 9
hervir (ie, i) to boil, 9
hierba herb, 12
hierro iron
hijo(a) son (daughter), 5
hilo: al ~ stringed, 9
himno hymn
hispano(a) Hispanic
hispanohablante Spanish-speaking
historia history, 3
hockey (*m.*) **sobre hielo/hierba**
  ice/field hockey, 7
hogar (*m.*) home; **sin ~** homeless
hoja de papel sheet of paper, P
hola hello, 1
hombre (*m.*) man, P; **~ de negocios**
  businessman, 5
hombro shoulder, 12
hondureño(a) Honduran, 2
honesto(a) honest
hora hour; time; **dar** (*irreg.*) **la ~** to
  give the time, 3; **decir la ~** to tell
  the time, 3
horario schedule
horno oven; **al ~** roasted (in the
  oven), 9
horrible horrible, 11
hospital (*m.*) hospital, 6
hotel (*m.*) hotel, 14
hoy today, 3; **~ es martes treinta.**
  Today is Tuesday the 30th. 3; **¿Qué**
  día es ~? What day is today? 3
huelga strike, 13
huella footprint
huésped(a) hotel guest, 14
huevo egg, 6; **~ estrellado** egg
  sunny-side up, 9; **~ revuelto**
  scrambled egg, 9
humanidades (*f. pl.*) humanities, 3
húmedo(a) humid
humilde humble
huracán (*m.*) hurricane, 13

I

ícono del programa program icon, 4
identidad (*f.*) identity
idioma (*m.*) language, 3
iglesia church, 6
igualdad (*f.*) equality, 13
Igualmente. Likewise. 1
impaciente impatient, 2
impermeable (*m.*) raincoat, 8
importante important, 11

importar to be important, to
  matter, 4
imprescindible extremely
  important, 11
impresionante impressive
impresora printer, 4
imprimir to print, 3
improbable improbable,
  unlikely, 11
impulsivo(a) impulsive, 2
incendio forestal forest fire
increíble incredible
indefinido(a) indefinite, 1
índice (*m.*) index; **~ de audiencia**
  movie ratings, 11
indio(a) Indian, 2
indígena indigenous
industria industry, 13; **~ ganadera**
  cattle-raising industry
infección (*f.*) infection, 12
influencia influence
influir (y) to influence
informática computer science, 3
informe (*m.*) report; **hacer**
  informes to write reports, 13
ingeniería engineering, 3
ingeniero(a) engineer, 5
inglés (inglesa) English, 2
inglés (*m.*) English language, 3
ingrediente (*m.*) ingredient, 9
ingreso revenue
iniciar to initiate, 13
inmigración (*f.*) immigration
insistir to insist, 10
instalar to install, 4
instrucción (*f.*) instruction, 12
instructor(a) instructor, P
inteligente intelligent, 2
intentar to attempt
intercambiar to exchange
interesante interesting, 2
interesar to interest, to be
  interesting, 4
Internet (*m. or f.*) Internet
intérprete (*m., f.*) interpreter
íntimo(a) intimate
introvertido(a) introverted, 2
inundación (*f.*) flood, 13
invierno winter, 7
inyección (*f.*) injection, 12
ir (*irreg.*) to go, 3; **~ a** (+ *inf.*) to be
  going to (*do something*), 3; **~ de**
  compras to go shopping, 8; **irse**
  to leave, to go away, 5

irresponsable irresponsible, 2
isla island, 14
italiano(a) Italian, 2
italiano (*m.*) Italian language
itinerario itinerary, 14
izquierda: a la ~ to the left, 6

J

jabón (*m.*) soap, 5
jamás never, 6
jamón (*m.*) ham, 6
japonés (japonesa) Japanese, 2
japonés (*m.*) Japanese language, 3
jarabe (*m.*) **(para la tos)** (cough)
  syrup, 12
jardín (*m.*) garden, 10
jeans (*m. pl.*) jeans, 8
jornada laboral workday
joven young, 2
joyas (*f. pl.*) jewelry, 8
joyería jewelry store, 6
jubilarse to retire, 13
juego interactivo interactive
  game, 4
jueves (*m.*) Thursday, 3
jugar (ue) (gu) to play, 4; **~ tenis**
  (béisbol, etc.) to play tennis
  (baseball, etc.), 7
jugo de fruta fruit juice, 9
juguete (*m.*) toy, 10
juguetón (juguetona) playful
julio July, 1
junio June, 1
juntar to group
juventud (*f.*) youth

K

kilo kilo, 9; **medio ~** half a kilo, 9

L

la (*f.*) the, 1
labio lip
lado side; **al ~ de** next to, on the
  side of, 6
ladrillo brick
lago lake, 7
lámpara lamp, 10
lana wool, 8
langosta lobster, 9
lanzarse (c) to throw oneself
lápiz (*m.*) pencil, P

lástima: es una ~ it's a shame, 11
lastimarse to hurt/injure oneself, 12
lavado en seco dry cleaning, 14
lavadora washer, 10
lavandería laundry room, 10
lavaplatos (*m. s.*) dishwasher, 10
lavar to wash, 5; **~ los platos (la ropa)** to wash the dishes (the clothes), 10
lavarse to wash oneself, 5; **~ el pelo** to wash one's hair, 5; **~ los dientes** to brush one's teeth, 5
le to/for you (*form. s.*), to/for him, to/for her, 8
lección (*f.*) lesson, P
leche (*f.*) milk, 6
lector (*m.*) **de CD-ROM o DVD** DVD/CD-ROM drive, 4
leer (y) to read, 3; **Lean el Capítulo 1.** Read Chapter 1. P
lejos de far from, 6
lema (*m.*) slogan
lengua language, 3; tongue, 12; **sacar la ~** to stick out one's tongue, 12
lentes (*m. pl.*) eyeglasses
lento(a) slow, 4
les to/for you (*form. pl.*), to/for them, 8
letrero sign
levantar to raise, to lift, 5; **~ pesas** to lift weights, 2
levantarse to get up, 5
libra pound, 9
librería bookstore, 3
libro book, P
licencia de manejar driver's license
licuado de fruta fruit shake, smoothie
licuadora blender, 10
líder (*m., f.*) leader, 13
ligero(a) light, lightweight, 9
limonada lemonade, 9
limpiar el baño to clean the bathroom, 10
lindo(a) pretty, 2
línea: ~ aérea airline, 14; **en ~** online, 4
lingüístico(a) linguistic
lino linen, 8
lista de espera waiting list, 14
literatura literature, 3
litro liter, 9

llamar to call, 2; **llamarse** to name, 2; **Me llamo…** My name is . . . , 1
llano(a) flat
llanura plain
llave (*f.*) key (*to a lock*), 14
llegada arrival, 14
llegar (gu) to arrive, 2
llevar to take, to carry; **~ una vida sana** to lead a healthy life, 12; **llevarse bien con la gente** to get along well with people, 13
llover to rain; **Está lloviendo. (Llueve.)** It's raining. 7
lobo wolf
locutor(a) announcer, 11
lógico(a) logical, 11
lograr to achieve
lomo de res prime rib, 9
los (las) (*pl.*) the, 1
luchar (contra) to fight (against), 13
luego later, 5
lugar (*m.*) place; **~ de nacimiento** birthplace
lujoso(a) luxurious
lunares: de ~ polka-dotted, 8
lunes (*m.*) Monday, 3
luz (*f.*) light; **~ solar** sunlight

M

madera wood
madrastra stepmother, 5
madre (*f.*) mother, 5
maestro(a) teacher, 5
maíz (*m.*) corn
mal badly, 4
maleta suitcase, 14
maletín (*m.*) briefcase, 13
malo(a) bad, 2
mamá mother, 5
mañana morning, 3; tomorrow, 3; **de la ~** in the morning (*with precise time*), 3; **por la ~** during the morning, 3
mandar to send; to order, 10
mandato command
manejar to drive, 5
manifestación (*f.*) demonstration, 13
mano (*f.*) hand, 12; **darse la ~** to shake hands, 13
mantel (*m.*) tablecloth, 9
mantequilla butter, 9
manzana apple, 9

maquillaje (*m.*) makeup, 5
maquillarse to put on makeup, 5
máquina de afeitar electric razor, 5
mar (*m., f.*) sea, 14
maravilla wonder
marcar (qu) to mark; to point out
mareado(a): estar ~ to feel dizzy, 12
marisco shellfish, 9
marrón brown, 4
martes (*m.*) Tuesday, 3
marzo March, 1
más more; **~ que** more than, 8
masculino(a) masculine
matemáticas (*f. pl.*) mathematics, 3
mayo May, 1
mayonesa mayonnaise, 9
mayor older, greater, 8
mayoría majority
mayúsculo(a) capital (letter)
me to/for me, 8
mecánico(a) mechanic, 5
medio(a) hermano(a) half-brother (half-sister), 5
medianoche (*f.*) midnight, 3
medicina medicine, 3
médico(a) doctor, 5
medida measurement, 9
medio ambiente (*m.*) environment
mediodía (*m.*) noon, 3
medios de transporte means of transportation, 6
medir (i, i) to measure
meditación (*f.*) meditation
mejilla cheek
mejor better, 8; **es ~** it's better, 11
melón (*m.*) melon, 9
menor younger; less, 8
menos: ~ que less than, 8; **a ~ que** unless, 12; **por lo ~** at least, 10
mensajero(a) messenger
mentiroso(a) dishonest, lying, 2
menú (*m.*) menu, 9
mercadeo marketing, 3
mercado market, 6
merecer (zc) to deserve
merienda snack
mes (*m.*) month, 3; **~ pasado** last month, 7
mesa table, P; **poner la ~** to set the table, 9; **quitar la ~** to clear the table, 10
mesita de noche night table, 10
meta goal
metro: en ~ on the subway, 6

mexicano(a) Mexican, 2
mezcla mix
mezclar to mix, 9
mezclilla denim, 8
mi (*adj.*) my, 3
mí (*pron.*) me, 8
micro bus (*Chile*)
micrófono microphone, 4
microondas (*m. s.*) microwave, 10
miedo: tener (*irreg.*) **~ (a, de)** to be afraid (of), 7
mientras while, during
miércoles (*m.*) Wednesday, 3
mil (*m.*) one thousand, 8
millón (*m.*): **un ~** one million, 8; **dos millones** two million, 8
mío(a) (*adj.*) my, 10; (*pron.*) mine, 10
mirar televisión to watch television, 2
misionero(a) missionary
mismo(a) same; **lo mismo** the same (thing)
misterio mystery, 11
mitad (*f.*) half
mixto(a) mixed
mochila backpack, P; knapsack
moda fashion, 8; **(no) estar de ~** (not) to be fashionable, 8; **pasado(a) de ~** out of style, 8
modales (*m. pl.*) manners
módem (*m.*) **externo/interno** external/internal modem, 4
molestar to bother, 4
molido(a) crushed, ground, 9
monitor (*m.*) monitor, 4
mono monkey
montañoso(a) mountainous
montar to ride; **~ a caballo** to ride horseback, 7; **~ en bicicleta** to ride a bike, 7
monte (*m.*) mountain
morado(a) purple, 4
morirse (ue, u) to die, 8
mortalidad (*f.*) mortality
mostaza mustard, 9
mostrador (*m.*) counter; check-in desk, 14
mostrar (ue) to show
muchacho(a) boy (girl), P
muchedumbre (*f.*) crowd
mucho a lot, 4; **~ que hacer** a lot to do; **No ~.** Not much. 1
mudarse to move (*change residence*)
muebles (*m. pl.*) furniture, 10

muerto(a) dead, 13
mujer (*f.*) woman, P; **~ de negocios** businesswoman, 5
muleta crutch, 12
mundial: música ~ world music, 11
mundo world
muñeca doll
museo museum, 6
música music, 3; **~ clásica** classical music, 11; **~ country** country music, 11; **~ moderna** modern music, 11; **~ mundial** world music, 11; **~ pop** pop songs, 11
musical musical, 11
muy very, 2

N

nacer (zc) to be born
nacionalidad (*f.*) nationality, 2
nada nothing, 1; **De ~.** You're welcome. 1
nadar to swim, 7
nadie no one, nobody, 6
naranja orange (*fruit*), 9
nariz (*f.*) nose, 12
narrador(a) narrator
natación (*f.*) swimming, 7
naturaleza nature; **~ muerta** still life
náuseas (*f. pl.*) nausea, 12
navegación (*f.*) navegation
navegar (gu): **~ en rápidos** to go white-water rafting, 7; **~ por Internet** to surf the Internet, 2
necesario(a) necessary, 11
necesitar to need, 2
negocio business, 3
negro(a) black, 4
nervioso(a) nervous, 4
nevar to snow, 7; **Está nevando. (Nieva.)** It's snowing. 7
ni... ni neither . . . nor, 6
nicaragüense (*m., f.*) Nicaraguan, 2
nieto(a) grandson (granddaughter), 5
niñero(a) baby-sitter
ningún, ninguno(a) none, no, not any, 6
niño(a) boy (girl), P
nivel (*m.*) level
noche (*f.*) night, 3; **de la ~** in the evening (*with precise time*), 3; **por la ~** during the evening, 3

nombre (*m.*) name; **Mi ~ es...** My name is . . . , 1; **~ completo** full name
normal normal, 4
norte (*m.*) north, 14
Norteamérica North America
nos to/for us, 8
nosotros(as) we, 1; us, 8
nota grade, P
noticias (*f. pl.*) news, 11; **~ del día** current events, 13
novato(a) newbie, novice
novecientos(as) nine hundred, 8
novedoso(a) novel, new
novelista (*m., f.*) novelist
noveno(a) ninth, 10
noventa ninety, P
noviembre November, 1
novio(a) boyfriend (girlfriend)
nublado: Está ~. It's cloudy. 7
nuera daughter-in-law, 5
nuestro(a) (*adj.*) our, 3; (*pron.*) ours, 10
nueve nine, P
número number, 8; **~ ordinal** ordinal number, 10
nunca never, 5

O

o... o either . . . or, 6
obra teatral play, 11
obvio(a) obvious, 11
océano ocean, 14
ochenta eighty, P
ocho eight, P
ochocientos(as) eight hundred, 8
octavo(a) eighth, 10
octubre October, 1
ocupado(a) busy, 4
odio hatred
oeste (*m.*) west, 14
oferta especial special offer, 8
oficina office, 6; **~ de correos** post office, 6
oído inner ear, 12
oír (*irreg.*) to hear, 5
ojalá (que) I wish, I hope, 11; **¡ ~ se mejore pronto!** I hope you'll get better soon! 12
ojear to scan
ojo eye, 12
ola wave
ómnibus (*m.*) bus

once eleven, P

onda: en ~ in style

ópera opera, 11

oprimir to push

opuesto(a) opposite

oración (*f.*) sentence

ordenar to order, 9

oreja outer ear, 12

organización (*f.*) **benéfica** charity

organizador (*m.*) **electrónico** electronic organizer, 4

orgulloso(a) proud

originar to originate

orilla shore

oro gold, 8

ortografía spelling

os to/for you (*fam. pl.*), 8

otoño fall, autumn, 7

P

paciente (*m., f.*) patient, 2

padrastro stepfather, 5

padre (*m.*) father, 5; **padres** (*m. pl.*) parents, 5

pagar (gu) to pay, 9

página page, P; **~ web** web page, 4

pago: método de ~ form of payment, 8

país (*m.*) country

paisaje (*m.*) scenery

pájaro bird

palomitas (*f. pl.*) popcorn, 11

palpitar to palpitate, 12

pan (*m.*) bread, 6; **~ tostado** toast, 9

panameño(a) Panamanian, 2

pandilla gang

pantalla screen, 4

pantalones (*m. pl.*) pants, 8; **~ cortos** shorts, 8

pañuelo handkerchief

papá (*m.*) father, 5

papas fritas (*f. pl.*) French fries, 9

papel role; paper; **hoja de ~** sheet of paper, P

papelería stationery store, 6

papitas fritas (*f. pl.*) potato chips, 6

paquete (*m.*) package, 9

para for, toward, in the direction of, in order to (+ *inf.*), 10; **~ que** so that, 12

paracaídas (*m.*) parachute

parada stop

paraguayo(a) Paraguayan, 2

parar to stop

parecer (zc) to seem

pared (*f.*) wall, P

pariente (*m., f.*) family member, relative, 5

parque (*m.*) park, 6

párrafo paragraph

parrilla: a la ~ grilled, 9

participante (*m., f.*) participant, 11

participar en to participate in, 13

partido game, match, 7

pasaje (*m.*) ticket, 14

pasajero(a) passenger, 14; **~ de clase turista** coach passenger, 14; **~ de primera clase** first class passenger, 14

pasaporte (*m.*) passport, 14

pasar to pass (by), 2; **~ la aspiradora** to vacuum clean, 10

pasear: sacar a ~ al perro to take the dog for a walk, 10

pasillo hallway, 10

pasta de dientes toothpaste, 5

pastel (*m.*) cake, 9

pastilla tablet, 12

patinar to skate, 2; **~ en línea** to inline skate (rollerblade), 7; **~ sobre hielo** to ice skate, 7

patio patio, 10

patrocinador(a) sponsor

pavo turkey, 6

paz (*f.*) peace; **~ mundial** world peace, 13

pecho chest, 12

pedazo piece, slice, 9

pedir (i, i) to ask for (*something*), 1; to request, 10; **~ la hora** to ask for the time, 3

peinarse to brush/comb one's hair, 5

peine (*m.*) comb, 5

pelar to peel, 9

pelearse to have a fight, 5

película movie, film, 11; **~ de acción** action movie, 11; **~ de ciencia ficción** science fiction movie, 11; **~ de horror/terror** horror movie, 11; **~ titulada...** movie called . . . , 11

peligro danger, 7

peligroso(a) dangerous, 7

pelirrojo(a) redheaded , 2

pelo hair; **~ castaño/rubio** brown/blond hair, 2

pelota ball, 7

peluquero(a) barber/hairdresser, 5

pendiente (*m.*) earring, 8

pensar (ie) to think, 4; **~ de** to have an opinion about, 4; **~ en (de)** to think about, to consider, 4

penúltimo(a) next-to-last

peor worse, 8

pequeño(a) small, 2

perder (ie) to lose, 4; **perderse (ie)** to lose oneself, to get lost

pérdida loss, 13

Perdón. Excuse me. 4

perejil (*m.*) parsley

perezoso(a) lazy, 2

periódico newspaper

periodismo journalism, 3

periodista (*m., f.*) journalist, 5

permiso: Con ~. Pardon me. 4

permitir to permit, to allow, 10

pero but, 2

perro(a) dog, 2; **perro caliente** hot dog, 9

persiana Venetian blind, 10

personalidad (*f.*) personality

peruano(a) Peruvian, 2

pesar: a ~ de in spite of

pesas: levantar ~ to lift weights, 2

pescado fish (*caught*), 9

pescar (qu) to fish, 7

pez (*m.*) fish (*alive*)

piano piano, 2

picante spicy, 9

picar (qu) to chop, to mince, 9

pie (*m.*) foot, 12; **a ~** on foot, walking, 6

piel (*f.*) leather, 8

pierna leg, 12; **~ quebrada/rota** broken leg, 12

píldora pill, 12

pimienta pepper, 9

pingüino penguin

pintar to paint, 2

pintoresco(a) picturesque

pintura painting, 3

pirata (*m.*) pirate

pisar to step on

piscina swimming pool, 6

piso floor; **primer (segundo, etc.) ~** first (second, etc.) floor, 10

pista de atletismo athletics track, 6

pizarra chalkboard, P

pizzería pizzeria, 6

placer: Un ~. My pleasure. 1

plancha iron, 10
planchar to iron, 10
plata silver, 8
plátano banana, 9
plato plate, 9; **~ hondo** bowl, 9; **~ principal** main dish, 9
playa beach, 14
plaza plaza, 6
plomero(a) plumber, 5
poblar (ue) to populate
pobre poor
poco little, small amount, 4
poder (*m.*) power; (*irreg.*) to be able to, 4
poderoso(a) powerful
poesía poetry
poeta (poetisa) poet
policía (*m., f.*) policeman (policewoman), 5
política politics, 13
político(a) political
pollo chicken, 6; **~ asado** roasted chicken, 9; **~ frito** fried chicken, 9
polvo dust
poner (*irreg.*) to put, 5; **~ en equilibro** to balance; **~ la mesa** to set the table, 9; **~ mis juguetes en su lugar** to put my toys where they belong, 10; **~ una inyección** to give an injection, 12; **~ una vacuna** to vaccinate, 12; **ponerse (la ropa)** to put on (clothing), 5
ponerse (la ropa) to put on (clothing), 5
por for, during, in, through, along, on behalf of, by, 10; **~ avión** by plane, 6; **~ ejemplo** for example, 10; **~ eso** so, that's why, 10; **~ favor** please, 1; **~ fin** finally, 9; **~ lo menos** at least, 10; **~ satélite** by satellite dish, 11; **~ supuesto** of course, 10
¿por qué? why? 3
porcentaje (*m.*) percentage
porque because, 3
portarse to behave
portugués (portuguesa) Portuguese, 2
postre (*m.*) dessert, 9
pozo well; hole
practicar (qu) to practice; **~ alpinismo** to hike, to (mountain) climb, 7; **~ deportes** to play sports, 2; **~ surfing** to surf, 7

precio: Está a muy buen ~. It's a very good price. 8
preferencia preference
preferir (ie, i) to prefer, 4
pregunta question, 12; **hacer preguntas** to ask questions, 3
premio prize
prenda de ropa article of clothing, 8
preocupado(a) worried, 4
preocuparse to worry, 5
preparación (*f.*) preparation, 9
preparar to prepare, 2; **~ la comida** to prepare the food, 10; **prepararse** to get ready, 5
prepararse to get ready, 5
preposición (*f.*) preposition, 6
presa dam
presentador(a) host (*of a show*), 11
presentar a alguien to introduce someone, 1
préstamo loan, 8
presupuesto budget, 13
primavera spring, 7
primer(o)(a) first, 10; **primer piso** first floor, 10
primo(a) cousin, 5
principiante(a) beginner
prisa haste, hurry; **tener** (*irreg.*) **~** to be in a hurry, 7
probable probable, likely, 11
probarse (ue): Voy a probármelo/la(los/las). I'm going to try it (them) on. 8
proceso electoral election process, 13
producto electrónico electronic product, 4
profesión (*f.*) profession, 5
profesor(a) professor, P
programa (*m.*) program; **~ antivirus** anti-virus program, 4; **~ de concursos** game show, 11; **~ de entrevistas** talk show, 11; **~ de procesamiento de textos** word-processing program, 4; **~ de televisión** television program, 11
programador(a) programmer, 5
prohibido para menores rated R (minors restricted), 11
prohibir to forbid, 10
promover (ue) to promote
pronombre (*m.*) pronoun, 1

propina tip, 9
propósito purpose
proveedor (*m.*) **de acceso** Internet service provider, 4
provocador(a) provocative
próximo(a) next
psicología psychology, 3
publicidad (*f.*) public relations, 3
publicitario(a) (*adj.*) pertaining to advertising
público audience, 11
pueblo town, 6
puerta door, P; **~ (de embarque)** (departure) gate, 14
puerto de USB USB port, 4
puertorriqueño(a) Puerto Rican, 2
puesto job, position, 13
puesto (*p.p. of* **poner**) placed, 13
pulgada inch
pulmón (*m.*) lung, 12
pulsera bracelet, 8
punto de vista viewpoint
punto period
puntual punctual, 13

Q

¿qué? what? which? 3; **¿~ hay de nuevo?** What's new? 1; **¿~ hora es?** What time is it? 3; **¿~ le duele?** What hurts (you)? 12; **¿~ significa...?** What does . . . mean? P; **¿~ síntomas tiene?** What are your symptoms? 12; **¿~ tal?** How are things going? 1; **¿~ te gusta hacer?** What do you like to do? 2
quebrado(a) broken, 12
quedar to fit; **Me queda bien/mal.** It fits nicely/badly. 8; **Me queda grande/apretado.** It's too big/too tight. 8; **quedar(se)** to remain; to be
quehacer (*m.*) **doméstico** house-chore, 10
quejarse to complain, 5
querer (*irreg.*) to want, to love, 4; to wish, 10
queso cheese, 6
¿quién(es)? who? 3; **¿De ~ es?** Whose is this? 3; **¿De ~ son?** Whose are these? 3
química chemistry, 3
quince fifteen, P

quinientos(as) five hundred, 8
quinto(a) fifth, 10
quisiera (+ *inf.*) I'd like (+ *inf.*), 6
quitar to take off, to remove 5; **~ la mesa** to clear the table, 10; **quitarse (la ropa)** to take off (one's clothing), 5
quizás perhaps

R

R & B Rhythm and Blues, 11
radiografía: tomar una ~ to take an X-ray, 12
raíz (*f.*) root
rango rank
rap (*m.*) rap, 11
rápido(a) fast, 4
rasgar (gu) to tear up
rasuradora razor, 5
ratón (*m.*) mouse, 4
rayado(a) striped, 8
rayas: a ~ striped, 8
razón (*f.*) reason; **tener** (*irreg.*) **~** to be right, 7
reacción (*f.*) **crítica** critical reaction, 11
realidad: en ~ actually
realizarse (c) to take place
rebajado(a): estar ~ to be reduced (in price)/on sale, 8
recámara bedroom, 10
recepción (*f.*) reception desk, 14
receta recipe, 9; prescription, 12
recetar una medicina to prescribe a medicine, 12
recibir to receive, 3
reciclaje (*m.*) recycling, 10
recomendar (ie) to recommend, 10
reconocer (zc) to recognize
recorte (*m.*) cutting
recuerdo souvenir
recurrir to fall back on, to resort to
red (*f.*) web, Internet; **~ mundial** World Wide Web, 4
redactar to edit
reflejar to reflect
reflexión (*f.*) reflection
refresco soft drink, 6; beverage, 9; **tomar un ~** to have a soft drink, 2
refrigerador (*m.*) refrigerator, 10
regalo present, gift
regar (ie) (gu) las plantas to water the plants, 10

registrarse to register, 14
regla rule
regresar to return, 2
regular so-so, 1
reina queen
reírse (*irreg.*) to laugh, 5
relajarse to relax
reloj (*m.*) watch, 8
remar to row, 7
remero(a) rower
renombre (*m.*) renown
renovar (ue) to renovate
repente: de ~ suddenly, 9
repetir (i, i) to repeat, 4; **Repitan.** Repeat. P
reproductor (*m.*) **de discos compactos/DVD** CD/DVD recorder, 4
requerir (ie, i) to require, 10
requisito requisite, 13
reseña review, 11
reservación (*f.*) reservation, 14
resfriado cold (*e.g., headcold*), 12
resfriarse to get chilled; to catch cold, 12
residencia estudiantil dorm, 3
respirar to breathe; **Respire hondo.** Breathe deeply. 12
responder to respond, 1
responsable responsible, 2
restaurante (*m.*) restaurant, 6
resuelto (*p.p. of* **resolver**) determined
resumen: en ~ in short, to sum up
reto challenge
retraso delay, 14
reunión (*f.*) meeting
reunirse to meet, to get together, 5
revista magazine
rey (*m.*) king
ridículo(a) ridiculous, 11
riesgo risk
rima rhyme
río river, 7
riqueza wealth
rock (*m.*) rock (music), 11
rodeado(a) surrounded
rodilla knee, 12
rojo(a) red, 4
ropa clothing, 5
rosa rose, 4
rosado(a) pink, 4
roto (*p.p. of* **romper**) broken, 13
rubio(a) blond(e), 2
rueda wheel

ruina ruin, 14
ruta route

S

sábado Saturday, 2
saber (*irreg.*) to know (*a fact, information*), 5; **~** (+ *inf.*) to know how (*to do something*), 5
sabor (*m.*) flavor
sacar (qu) to take out; **~ a pasear al perro** to take the dog for a walk, 10; **~ fotos** to take photos, 2; **~ la basura** to take out the garbage, 10; **~ la lengua** to stick out one's tongue, 12
sacerdote (*m.*) priest
saco jacket, sports coat, 8
sacudir los muebles to dust the furniture, 10
sal (*f.*) salt, 9
sala living room, 10; **~ de emergencias** emergency room, 12; **~ de equipajes** baggage claim, 14; **~ de espera** waiting room, 12
salchicha sausage, 6
salida departure, 14
salir (*irreg.*) to leave, to go out, 5
salmón (*m.*) salmon, 9
salón (*m.*) **de clase** classroom, P
salud (*f.*) health, 3
saludable healthy
saludar to greet, 1
saludo greeting
salvadoreño(a) Salvadoran, 2
salvaje wild, untamed
salvavidas (*m. s.*) lifejacket
sandalia sandal, 8
sandwich (*m.*) sandwich, 9; **~ de jamón y queso con aguacate** ham and cheese sandwich with avocado, 9
sangre (*f.*) blood, 12
satisfacer (*like* **hacer**) to satisfy, 13
satisfecho (*p.p. of* **satisfacer**) satisfied, 13
secador (*m.*) **de pelo** hairdryer, 14
secadora dryer, 10
secar (qu) to dry (*something*), 5; **secarse (qu) el pelo** to dry one's hair, 5
secretario(a) secretary, 5

secreto secret

sed (*f.*) thirst; **tener** (*irreg.*) ~ to be thirsty, 7

seda silk, 8

seguido(a) continued

seguir (i, i) to continue, 6; ~ **derecho** to go straight ahead

según according to

segundo(a) second, 10

seguro(a) sure, 4; safe, 7; **no es seguro** it's not sure, 11; **no estar ~ de** to not be sure, 11; **seguro médico** medical insurance, 13

seis six, P

seiscientos(as) six hundred, 8

selva: ~ **amazónica** Amazonian jungle, 14; ~ **tropical** tropical jungle, 14

semana week, 3; ~ **pasada** last week, 7; **fin** (*m.*) **de** ~ weekend, 2; **todas las semanas** every week, 5

semejanza similarity

sencillo(a) simple; single (*room*)

sentarse (ie) to sit down, 5

sentir (ie, i) to feel, 4; to feel sorry, to regret, 11; **Lo siento.** I'm sorry. 4

señalar to point out

señor (*abbrev.* **Sr.**) Mr., Sir, 1

señora (*abbrev.* **Sra.**) Mrs., Ms., Madam, 1

señorita (*abbrev.* **Srta.**) Miss, Ms., 1

separarse to get separated, 5

septiembre September, 1

séptimo(a) seventh, 10

ser (*irreg.*) to be, 1

serio(a) serious, 2

servicio despertador wake-up call, 14

servilleta napkin, 9

servir (i, i) to serve, 4; **¿En qué puedo servirle?** How can I help you? 8

sesenta sixty, P

setecientos(as) seven hundred, 8

setenta seventy, P

sexto(a) sixth, 10

show (*m.*) show, 11

sí yes, 1

siempre always, 5

siete seven, P

siglo century

significar (qu): Significa... It means . . . , P

significado meaning

siguiente following, next

silla chair, P

sillón (*m.*) armchair, 10

símbolo symbol

simpático(a) nice, 2

sin without; ~ **embargo** nevertheless; ~ **que** without, 12

sincero(a) sincere, 2

sino but instead

síntoma (*m.*) symptom, 12

sistemático(a) systematic

sitio place; ~ **web** website, 4

soberanía sovereignty

sobre on, above, 6

sobrepasar to surpass

sobresaliente outstanding

sobrevivir to survive, to overcome, 13

sobrino(a) nephew (niece), 5

sofá (*m.*) sofa, 10

software (*m.*) software, 4

sol (*m.*) sun; **Hace ~.** It's sunny. 7

solicitar empleo to apply for a job, 13

solicitud (*f.*) application, 13

soltero(a) single (unmarried)

sombrero hat, 8

sonar (ue) to ring, to go off (*phone, alarm clock, etc.*), 4

sonido sound

sonreír (*irreg.*) to smile, 8

sonrisa smile

soñar (ue) con to dream about, 4

sopa soup, 9; ~ **de fideos** noodle soup, 9

sorprender to surprise, 11

sorpresa surprise

sorteo raffle; evasion

sortija ring

sótano basement, cellar, 10

su (*adj.*) your (*s. form., pl.*), his, her, their, 3

suave soft

subir to go up, to get on, 6

subtítulos: con ~ en inglés with subtitles in English, 11

suburbio suburb, 10

sucio(a) dirty

sudadera sweatsuit, 8

Sudamérica South America

suegro(a) father-in-law (mother-in-law), 5

sueño dream; **tener** (*irreg.*) ~ to be sleepy, 7

suéter (*m.*) sweater, 8

sufrir (las consecuencias) to suffer (the consequences), 13

sugerencia suggestion

sugerir (ie, i) to suggest, 8

superación (*f.*) overcoming

supermercado supermarket, 6

supervisar to supervise, 13

supuesto: por ~ of course, 10

sur (*m.*) south, 14

surfing: hacer/practicar (qu) ~ to surf, 7

sustantivo noun

sustituir (y) to substitute

suyo(a) (*adj.*) your (*form. s., pl.*), his, her, its, their, 10; (*pron.*) yours (*form. s., pl.*), his, hers, its, theirs, 10

T

tal vez perhaps

talla size, 8

también also, 2

tampoco neither, not either, 2

tan... como as . . . as, 8

tanto(a)(s)... como as much (many) . . . as, 8

tarde (*f.*) afternoon, 3; **de la** ~ in the afternoon (*with precise time*), 3; **por la** ~ during the afternoon, 3; (*adv.*) late, 3

tarea homework, P

tarjeta business card, 13; ~ **de crédito** credit card, 8; ~ **de débito** (bank) debit card, 8; ~ **de embarque** boarding pass, 14; ~ **postal** postcard, 14

taza cup, 9

te to/for you (*fam. s.*), 8

té hot tea, 9; ~ **helado** iced tea, 9

teatro theater, 6

tecnología technology, 4

techo roof, 10

tecla key (*on a keyboard*), 4

teclado keyboard, 4

tejer to weave

tejido weaving

tela fabric, 8

telecomedia sitcom, 11

telecomunicaciones (*f. pl.*) telecommunications, 13

teledrama (*m.*) drama series, 11

teleguía TV guide, 11

telenovela soap opera, 11

teleserie (*f.*) TV series, 11

televidente (*m., f.*)   TV viewer, 11
televisión (*f.*)   television broadcasting, 11; **~ por cable**   cable TV, 14
televisor (*m.*)   television set, 10
temer   to fear, 11
temperatura   temperature, 7; **La ~ está a 20 grados centígrados (Fahrenheit).**   It's 20 degrees Celsius (Fahrenheit). 7
temporada: ~ de lluvias   rainy season; **~ de secas**   dry season
temprano   early, 3
tenedor (*m.*)   fork, 9
tener (*irreg.*)   to have, 1; **~ 4 GB de memoria**   to have 4 GB of memory, 4; **~ ... años**   to be . . . years old, 1; **~ algunos conocimientos de...**   to have some knowledge of . . ., 13; **~ buena presencia**   to have a good presence, 13; **~ calor**   to be hot, 7; **~ cuidado**   to be careful, 7; **~ frío**   to be cold, 7; **~ ganas de**   to have the urge to, to feel like, 7; **~ las habilidades necesarias**   to have the necessary skills, 13; **~ hambre**   to be hungry, 7; **~ miedo (a, de)**   to be afraid (of), 7; **~ mucha experiencia en**   to have a lot of experience in, 13; **~ prisa**   to be in a hurry, 7; **~ que (+ inf.)**   to have to (+ verb), 1; **~ razón**   to be right, 7; **~ sed**   to be thirsty, 7; **~ sueño**   to be sleepy, 7; **~ vergüenza**   to be embarrassed, ashamed, 7
tenis (*m.*)   tennis, 7
teoría   theory
tercer(o, a)   third, 10
término   term
terremoto   earthquake, 13
terrible   terrible, awful, 1
terrorismo   terrorism, 13
tesoro   treasure
texto   text
tez (*f.*)   skin, complexion
ti   you (*fam. s.*), 8
tiburón (*m.*)   shark
tiempo   weather, 7; **a ~ completo**   full-time (*work*), 13; **a ~ parcial**   part-time (*work*), 13; **¿Qué ~ hace?**   What's the weather like? 7
tienda   store, 6; **~ de música (ropa, videos)**   music (clothing, video) store, 6

tierra   earth, ground
tímido(a)   shy, 2
tinto: vino ~   red wine, 9
tío(a)   uncle (aunt), 5
típico(a)   typical, 9
tira cómica   comic strip
tirita   (small) bandaid, 12
tiroteo   shooting
titular   to title
título   title, 1
tiza   chalk, P
toalla   towel, 5; **~ de mano**   hand-towel, 5
tobillo   ankle, 12; **~ torcido**   twisted ankle, 12
tocador (*m.*)   dresser, 10
tocar (qu) un instrumento musical   to play a musical instrument, 2
todavía   still
todo   everything
todo(a)   all, every; **todas las semanas**   every week, 9; **todos los días (años)**   every day (year), 9
tomar   to take; **~ medidas**   to take measures, 13; **~ la presión**   to take blood pressure, 12; **~ una radiografía**   to take an X-ray, 12; **~ un refresco**   to have a soft drink, 2; **~ el sol**   to sunbathe, 2; **~ la temperatura**   to take the temperature, 12
tonto(a)   silly, stupid, 2
tormenta   thunderstorm
torpe   awkward
tos (*f.*)   cough, 12; **jarabe** (*m.*) **para la ~**   cough syrup, 12
toser   to cough, 12
tostadora   toaster, 10
trabajador(a) (*adj.*)   hard-working, 2; (*noun*)   worker, 5
trabajar   to work, 2; **~ a tiempo completo**   to work full-time, 13; **~ a tiempo parcial**   to work part-time, 13
traducir (zc)   to translate, 5
traer (*irreg.*)   to bring, 5
Trague.   Swallow. 12
traje (*m.*)   suit, 8; **~ de baño**   bathing suit, 8
trama   plot
transmitir   to broadcast, 3
trapear el piso   to mop the floor, 10
tratarse de   to be a matter of; to be; **Se trata de...**   It's about . . . , 11

través: a ~ de   across, throughout
trece   thirteen, P
trecho   distance, period
treinta   thirty, P
tren: en ~   by train, 6
tres   three, P
trescientos(as)   three hundred, 8
trigo   wheat
tripulación (*f.*)   crew
triste   sad, 4
triunfar   to triumph
trompeta   trumpet, 2
trozo   chunk, 9
trucha   trout, 9
truco   trick
tu   your (*fam.*), 3
tú   you (*fam.*), 1
tuyo(a) (*adj.*)   your (*fam.*), 10; (*pron.*)   yours (*fam.*), 10

U

ubicado(a)   located
Ud. (*abbrev. of* **usted**)   you (*form. s.*), 8
Uds. (*abbrev. of* **ustedes**)   you (*fam. or form. pl.*), 8
último: lo ~   the latest (thing)
un(a)   a, 1
único(a)   only, unique
unido(a)   united
unir   to mix together, to incorporate, 9
universidad (*f.*)   university, 6
uno   one, P
unos(as)   some, 1
uruguayo(a)   Uruguayan, 2
usar   to use, 2
usted   you (*s. form.*), 1
ustedes   you (*fam. or form. pl.*), 1
usuario(a)   user, 4
útil   useful
uva   grape, 9

V

vacío(a)   empty
vacuna   vaccination, 12
valer (*irreg.*) **la pena**   to be worthwhile
valioso(a)   valuable
valle (*m.*)   valley
valor (*m.*)   value
vanidoso(a)   vain
vapor: al ~   steamed, 9
vaquero   cowboy

variedad (*f.*) variety
varios(as) various, several
varonil manly
vaso glass, 9
veces (*f. pl.*) times; **a ~** sometimes, 5; **(dos) ~ al día/por semana** (two) times a day/per week, 5
vecino(a) neighbor, 6
vegetal (*m.*) vegetable, 6
vegetariano(a) vegetarian
vehículo vehicle
veinte twenty, P
veintiuno twenty-one, P
venda de gasa gauze bandage, 12
vender to sell, 3
venezolano(a) Venezuelan, 2
venir (*irreg.*) to come, 5
venta: estar en ~ to be for sale, 8
ventaja advantage, 13
ventana window, P
ver (*irreg.*) to see, 5; **Nos vemos.** See you later. 1
verano summer, 7
veras: de ~ truly, really
verbo verb, 3
verdad true; **(no) es ~** it's (not) true, 11; **~** (*f.*) truth
verde green, 4

vergüenza: tener (*irreg.*) **~** to be embarrassed, ashamed, 7
verso libre blank verse
vestido dress, 8
vestir (i, i) to dress (*someone*), 5; **vestirse (i, i)** to get dressed, 5
veterinario(a) veterinarian, 5
vez (*f.*) time; **de ~ en cuando** sometimes; **en ~ de** instead of; **rara ~** hardly ever; **tal ~** perhaps; **una ~** once, 9
viajar to travel, 14; **~ al extranjero** to travel abroad, 14
vida life
videocámara videocamera, 4
viejo(a) old, 2
viento wind; **Hace ~.** It's windy. 7
viernes (*m.*) Friday, 2
vinagre (*m.*) vinegar, 9
vino: ~ blanco white wine, 9; **~ tinto** red wine, 9
violencia violence, 13
violín (*m.*) violin, 2
viraje (*m.*) turn
visitante (*m., f.*) visitor
visitar a amigos to visit friends, 2
visto (*p. p. of* **ver**) seen, 13
vitamina vitamin, 12

vivienda housing
vivir to live, 3
vivo: en ~ live, 11
volcán (*m.*) volcano, 14
volibol (*m.*) volleyball, 7
volver (ue) to return, 4
vomitar to throw up, 12
vosotros(as) you (*fam. pl.*), 1
votar to vote, 13
voz (*f.*) voice
vuelo flight, 14
vuelto (*p.p. of* **volver**) returned, 13
vuestro(a) (*adj.*) your (*fam. pl.*), 3; (*pron.*) yours (*fam. pl.*), 3

Y

yerno son-in-law, 5
yeso cast, 12
yo I, 1
yogur (*m.*) yogurt, 6

Z

zanahoria carrot, 9
zapato shoe, 8; **~ de tacón alto** high-heeled shoe, 8; **~ de tenis** tennis shoe, 8

English-Spanish Glossary

A

a un(a), 1
à la carte a la carta, 9
above sobre, 6
abundance abundancia
academic académico(a)
accessory accesorio, 8
according to según
accountant contador(a), 5
accounting contabilidad (f.), 3
ache dolor (m.), 12
achieve alcanzar (c), lograr
acquisition adquisición (f.)
across a través de
action acción (f.), 5
active activo(a), 2
activity actividad (f.), P
actor actor (m.), 5
actress actriz (f.), 5
actually en realidad
ad: personal ~ anuncio personal
add agregar, añadir, 9
address dirección (f.)
advantage ventaja, 13
advertising (adj.) publicitario(a)
advice consejo, 12
advise aconsejar, 10
after después, 5; después (de) que, 12
afternoon tarde (f.), 3; **during the ~** por la tarde, 3; **Good ~.** Buenas tardes. 1; **in the ~** (with precise time) de la tarde, 3; **late ~** atardecer (m.)
age edad (f.)
agreement concordancia
agricultural agrícola (m., f.)
ahead adelante
air conditioning aire (m.) acondicionado, 14
airline línea aérea, 14
airplane avión (m.), 14
airport aeropuerto, 6
all todo(a)
allergy alergia, 12
alligator caimán (m.)
along por, 10
alphabet alfabeto

also también, 2
although aunque, 12
altitude altitud (f.)
always siempre, 5
ambassador embajador(a)
ambiguity ambigüedad (f.)
amusement diversión (f.)
ancestor antecesor(a), antepasado(a)
anger cólera
angry enojado(a), 4
animated film dibujos animados, 11
ankle tobillo, 12; **twisted ~** tobillo torcido, 12
announcer locutor(a), 11
anonymous anónimo(a)
answer contestar; **Answer.** Contesten. P
Antarctica Antártida
antibiotic antibiótico, 12
antiquated anticuado(a)
any algún, alguno(a) 6
apartment apartamento, 6
appear aparecer (zc)
apple manzana, 9
appliance electrodoméstico, 10
application aplicación (f.), 4; solicitud (f.), 13
apply for a job solicitar empleo, 13
appointment cita, 12
appreciate apreciar
appropriate apropiado(a)
April abril, 1
apt apto(a)
architect arquitecto(a), 5
architecture arquitectura, 3
Argentinian argentino(a), 2
arm brazo, 12
armchair sillón (m.), 10
armed forces fuerzas armadas, 13
army ejército, 13
around alrededor de
arrival llegada, 14
arrive llegar, 2
arrogant altivo(a)
art arte (m.), 3; **~ exhibit** exposición (f.) de arte, 11; **arts** arte y cultura, 11
article artículo, 1

artist artista (m., f.), 5
as como; **~ . . . ~** tan... como, 8; **~ many . . . ~** tantos(as)... como, 8; **~ much . . . ~** tanto(a)(s)... como, 8; **~ soon ~** en cuanto, tan pronto como, 12
ask: ~ questions hacer (irreg.) preguntas, 3; **~ for something** pedir (i, i), 1; **~ for the time** pedir (i, i) la hora, 3
asparagus espárragos (m. pl.), 9
aspirin aspirina, 12
at en; **~ least** por lo menos, 10; **~ low heat** a fuego suave/lento, 9
athletics track pista de atletismo, 6
atmosphere ambiente (m.)
attachment anexo
attack ataque (m.)
attempt intentar
attend acudir; asistir a, 3
attractive guapo(a), 2
audience audiencia; público, 11
audiotape cinta, P
auditorium auditorio, 6
August agosto, 1
aunt tía, 5
Australian australiano(a), 2
automated bank teller cajero automático, 6
autumn otoño, 7
availability disponibilidad (f.)
available disponible, 13
avenue avenida, 1
avoid evitar
awful fatal, terrible, 1
awkward torpe

B

baby-sitter niñero(a)
back espalda, 12
background fondo
backpack mochila, P
bad malo(a), 2; **it's ~** es malo, 11
badly mal, 4
baggage equipaje (m.), 14; **~ claim** sala de equipajes, 14
balance poner (irreg.) en equilibro
ball pelota, 7

ballpoint pen bolígrafo, P
banana plátano, 9
bandaid curita, tirita, 12
bank (commercial) banco, 6
barber peluquero(a), 5
barefooted descalzo(a)
baseball béisbol (*m.*), 7
basement sótano, 10
basket canasta
basketball básquetbol (*m.*), 7
bather bañador(a)
bathing suit traje (*m.*) de baño, 8
bathroom baño, 10
be estar (*irreg.*), ser (*irreg.*), 1; ~ ...
  years old tener (*irreg.*)... años, 1;
  ~ **a matter of** tratarse de; ~ **able**
  to poder (*irreg.*), 4; ~ **afraid (of)**
  tener (*irreg.*) miedo (a, de), 7; ~
  ashamed tener (*irreg.*) vergüenza,
  7; ~ **born** nacer (zc); ~ **careful**
  tener (*irreg.*) cuidado, 7; ~ **certain**
  of contar (ue) con; ~ **cold** tener
  (*irreg.*) frío, 7; ~ **congested** estar
  (*irreg.*) congestionado(a), 12; ~
  embarrassed tener (*irreg.*)
  vergüenza, 7; ~ **familiar with**
  conocer (zc), 5; ~ **going to** ir a, 3;
  ~ **happy about** alegrarse de, 11; ~
  hot tener (*irreg.*) calor, 7; ~ **hun-**
  gry tener (*irreg.*) hambre, 7; ~ **im-**
  portant importar, 4; ~ **in a hurry**
  tener (*irreg.*) prisa, 7; ~ **interesting**
  interesar, 4; ~ **jealous** tener (*ir-*
  reg.) celos; ~ **pleased about** estar
  (*irreg.*) contento(a) de 11; ~ **right**
  tener (*irreg.*) razón, 7; ~ **sleepy**
  tener (*irreg.*) sueño, 7; ~ **sure** estar (*irreg.*) seguro(a) de, 11; ~
  thirsty tener (*irreg.*) sed, 7; ~
  worthwhile valer (*irreg.*) la pena
beach playa, 14
bean haba (*f. but* el haba); **(green)** ~
  habichuela, 9; **refried beans**
  frijoles refritos, 9
beat batir
beautiful bello(a), hermoso(a)
beauty belleza
because porque, 3
bed cama, 10
bedroom cuarto, dormitorio,
  habitación (*f.*), recámara, 10
beef stew guisado, 9
beer cerveza, 9
before antes, 5; antes (de) que, 12

begin comenzar (ie) (c), empezar (ie)
  (c), 4
beginner principiante
behave portarse
behavior comportamiento
behind detrás de, 6
believe (in) creer (en), 3; **not** ~ no
  creer, 11
bellhop botones (*m. s.*), 14
below debajo de, 6
belt cinturón (*m.*), 8
benefit beneficio, 13
besides además
better mejor, 8; **it's** ~ es mejor, 11
between entre, 6
beverage bebida, refresco, 9
bicycle: on ~ en bicicleta, 6
big grande, 2
bilingual bilingüe
bill cuenta, 9
biology biología, 3
bird pájaro
birthplace lugar (*m.*) de nacimiento
black negro(a), 4
blank verse verso libre
blender licuadora, 10
blind ciego(a); ~ **date** cita a ciegas
block cuadra, 6
blond(e) rubio(a), 2
blood sangre (*f.*), 12
blouse blusa, 8
blue azul, 4
board abordar, 14
boarding pass tarjeta de
  embarque, 14
boat barco, bote (*m.*)
body cuerpo, 12
boil hervir (ie, i), 9
boiled hervido(a), 9
Bolivian boliviano(a), 2
book libro, P
bookstore librería, 3
boot bota, 8
border frontera
boredom aburrimiento
bored aburrido(a), 4
boring aburrido(a), 2
both ambos(as)
bother molestar, 4
bowl plato hondo, 9
box: large ~ cajón (*m.*)
boxing boxeo, 7
boy chico, P; muchacho, P; niño, P
boyfriend novio

bracelet brazalete (*m.*), pulsera, 8
bread pan (*m.*), 6
break (a record) batir
breakfast desayuno, 9; ~ **included**
  desayuno incluido, 14
breathe respirar; ~ **deeply.**
  Respire hondo. 12
brick ladrillo
brief breve
briefcase maletín (*m.*), 13
bring traer (*irreg.*), 5
broadcast transmitir, 3
broccoli brócoli (*m.*), 9
broken quebrado(a), 12; roto(a)
  (*p.p.*), 13; ~ **leg** pierna
  quebrada/rota, 12
brother (younger, older) hermano
  (menor, mayor), 5
brother-in-law cuñado, 5
brown castaño, 2; café, marrón, 4
brush cepillo, 5; ~ **one's hair**
  cepillarse el pelo, peinarse, 5;
  ~ **one's teeth** lavarse los dientes, 5
buddy cuate(a)
budget presupuesto, 13
building edificio, 6
bus ómnibus (*m.*), colectivo, guagua
  (*Cuba, Puerto Rico*), micro (*Chile*)
business negocio, 3; ~ **administra-**
  tion administración (*f.*) de empresas, 3; ~ **card** tarjeta, 13;
  ~ **district** centro comercial, 10
businessman hombre (*m.*) de
  negocios, 5; empresario, 13
businesswoman mujer (*f.*) de
  negocios, 5; empresaria, 13
busy ocupado(a), 4
but pero, 2; ~ **instead** sino
butcher shop carnicería, 6
butter mantequilla, 9
buy comprar, 2
by por, 10; ~ **bus** en autobús, 6;
  ~ **car** en carro/coche/automóvil, 6;
  ~ **check** con cheque, 8; ~ **plane**
  por avión, 6; ~ **satellite dish** por
  satélite, 11; ~ **train** en tren, 6
Bye. Chau. 1

C

cable cable (*m.*), 4; ~ **TV** cable
  (*m.*), 11; televisión (*f.*) por cable, 14
cafeteria cafetería, 3
cake pastel (*m.*), 9

calculator calculadora, P
calculus cálculo, 3
call llamar, 2
campaign campaña, 13
can opener (electric) abrelatas (*m.*) (eléctrico), 10
Canadian canadiense (*m., f.*), 2
candidate candidato(a), 13
candy dulce (*m.*), 11
canyon cañón (*m.*), 14
cap gorra, 8
capital (letter) mayúsculo(a)
card tarjeta; **credit ~** tarjeta de crédito, 8; **debit ~** tarjeta de débito, 8
cardboard cartón (*m.*)
career carrera, 5
Careful! ¡Cuidado!
Caribbean (Sea) Caribe (*m., f.*)
carpenter carpintero(a), 5
carpet alfombra, 10
carrot zanahoria, 9
carry llevar
cartoons dibujos animados, 11
cash: in ~ en efectivo, al contado, 8
cashmere cachemira
cast yeso, 12
cat gato(a), 2
cattle ganado, ganadería
cattle-raising industry industria ganadera
cautious cuidadoso(a), 2
CD CD, P; **CD/DVD recorder** grabador (*m.*) de discos compactos/DVD, reproductor (*m.*) de discos compactos/DVD, 4
celebration celebración (*f.*)
cellar sótano, 10
Celsius degree grado centígrado, 7
census censo
cent centavo
center centro
Central America Centroamérica
century siglo
cereal cereal (*m.*), 9
certain cierto(a); **it's not ~** no es cierto, 11
chain cadena, 8
chair silla, P
chalk tiza, P
chalkboard pizarra, P
challenge reto
change cambio; convertir (ie, i); **~ the channel** cambiar el canal, 11

chapter capítulo, P
charity organización (*f.*) benéfica
chat chatear (*online*), 4; **~ room** grupo de conversación, 4
check cheque (*m.*); (*restaurant check*) cuenta, 9; **~ one's baggage** facturar el equipaje, 14
check-in desk mostrador (*m.*), 14
checkup chequeo médico, 12
cheek mejilla
cheese queso, 6
cheeseburger hamburguesa con queso, 9
chef cocinero(a), 5
chemistry química, 3
chess ajedrez (*m.*)
chest pecho, 12
chicken pollo, 6; **~ soup** caldo de pollo, 9; **~ with rice** arroz (*m.*) con pollo, 9; **fried ~** pollo frito, 9; **roasted ~** pollo asado, 9;
Chilean chileno(a), 2
Chinese chino(a), 2; **~ language** chino, 3
chocolate cacao; chocolate (*m.*), 11
choose escoger (j)
chronology cronología
chunk trozo, 9
church iglesia, 6
cinema cine (*m.*), 6
cinnamon canela
citizen ciudadano(a), 13
city ciudad (*f.*), 6
clam almeja, 9
clarity claridad (*f.*)
class clase (*f.*), P; **lower ~** clase baja
classroom salón (*m.*) de clase, P
clean the bathroom limpiar el baño, 10
clear the table quitar la mesa, 10
click hacer (*irreg.*) clic, 4; **double ~** hacer (*irreg.*) doble clic, 4
clinic clínica, 12
close cerrar (ie); **~ your books.** Cierren los libros. P
close to cerca de, 6
closet clóset (*m.*), 10
clothing ropa, 5; **article of ~** prenda de ropa, 8
cloudburst chaparrón (*m.*)
cloudy: It's ~. Está nublado. 7
coat abrigo, 8
code código
codfish bacalao, 9

coffee café (*m.*), 9
cold (*e.g., headcold*) catarro, resfriado, 12; (*adj.*) frío(a); **It's ~.** Hace frío. 7
Colombian colombiano(a), 2
color color (*m.*), 4; **solid ~** de un solo color, 8
comb peine (*m.*), 5; **~ one's hair** peinarse, 5
come venir (*irreg.*), 5
comedy comedia, 11; **romantic ~** comedia romántica, 11
comic strip tira cómica
comma coma
command mandato
compact disc CD, disco compacto (*m.*)
comparison comparación (*f.*), 8
compete competir (i, i)
competition competencia, 7
complain quejarse, 5
complexion tez (*f.*)
complicity complicidad (*f.*)
computer computadora, P; **~ center** centro de computación, 3; **~ functions** funciones (*f. pl.*) de la computadora, 4; **~ science** computación (*f.*), informática, 3
concierge conserje (*m., f.*), 14
conduct conducir (zc), 5
confection confección (*f.*)
connect conectar, 4
connection conexión (*f.*), 4
consider pensar (ie) en (de), 4
contest concurso
continue seguir (i, i), 6
continued seguido(a)
contract contrato, 13
contraction contracción (*f.*), 3
contrary: on the ~ al contrario
conversation conversación (*f.*)
cook cocinar, 2; cocer (-z) (ue), 9; cocinero(a), 5
cookie galleta, 9
cool: It's cool. Hace fresco. 7
copper cobre (*m.*)
corn maíz (*m.*)
corner esquina, 6
corporation: multinational ~ compañía multinacional, 13
correct corregir (i, i) (j)
cost costo, 13
Costa Rican costarricense (*m., f.*), 2
cotton algodón (*m.*), 8

cough toser, 12; tos (*f.*), 12; **~ syrup** jarabe (*m.*) para la tos, 12
counter mostrador (*m.*), 14
country país (*m.*)
courage coraje (*m.*)
course: basic ~ curso básico, 3
courtesy cortesía, 4
cousin primo(a), 5
cowboy vaquero
cradle cuna
cream crema, 12
create crear
creative creativo(a)
crew tripulación (*f.*)
crime crimen (*m.*), 13
critic crítico(a), 11
critical reaction reacción (*f.*) crítica, 11
criticism crítica, 11
crowd muchedumbre (*f.*)
cruise ship crucero
crushed molido(a), 9
crutch muleta, 12
Cuban cubano(a), 2
culinary culinario(a)
culture cultura
cumin comino, 9
cup taza, 9
current events noticias (*f. pl.*) del día, 13
curriculum vitae currículum vitae (*m.*), 13
curtain cortina, 10
custard flan (*m.*), 9
customer cliente (*m., f.*), 8
customs aduana, 14
cut (oneself) cortar(se), 12
cutting recorte (*m.*)
cyberspace ciberespacio, 4
cycling ciclismo, 7

D

daily cotidiano(a)
dam presa
dance bailar, 2; baile (*m.*), 3; danza, 11
danger peligro, 7
dangerous peligroso(a), 7
date fecha, 3; **blind ~** cita a ciegas
daughter hija, 5
daughter-in-law nuera, 5
dawn amanecer (zc)

day día (*m.*), 3; **~ before yesterday** anteayer, 7; **~ of the week** día de la semana, 3; **every ~** todos los días, 3
dead muerto(a), 13
December diciembre, 1
decoration decoración (*f.*), 10
definite definido(a), 1
degree grado
delay demora, retraso, 14
Delighted to meet you. Encantado(a). 1
demand exigir (j)
demonstrate demostrar (ue)
demonstration manifestación (*f.*), 13
demonstrative demostrativo(a), 6
denim mezclilla, 8
dentist dentista (*m., f.*), 5
deodorant desodorante (*m.*), 5
departure salida, 14
describe describir, 2
desert desierto, 14
deserve merecer (zc)
design diseño; **graphic ~** diseño gráfico, 3
designer: graphic ~ diseñador(a) gráfico(a), 5
desire afán (*m.*)
desk escritorio, P
dessert postre (*m.*), 9
destination: with ~ to con destino a, 14
detail detalle (*m.*)
detail-oriented detallista, 13
determined resuelto (*p.p. of* resolver)
develop desarrollar
development desarrollo, 13
dialect dialecto
dictionary diccionario, P
die morirse (ue, u), 8
difference diferencia
difficult difícil, 4
digital camera cámara digital, 4
dining room comedor (*m.*), 10
dinner cena
direct dirigir (j), 13
dirty sucio(a)
disadvantage desventaja, 13
disappointment desilusión (*f.*)
disaster desastre (*m.*); **natural ~** desastre natural, 13
discount descuento, 8

discover descubrir, 3
discrimination discriminación (*f.*), 13
disembark desembarcar (qu), 14
dish: main ~ plato principal, 9
dishonest mentiroso(a), 2
dishwasher lavaplatos (*m. s.*), 10
disillusionment desengaño
dispatch despachar
disqualify descalificar (qu)
distance trecho
diversity diversidad (*f.*)
do hacer (*irreg.*), 5; **a lot to ~** mucho que hacer; **~ the homework for tomorrow.** Hagan la tarea para mañana. P; **~ the recycling** hacer el reciclaje, 10
doctor doctor(a); médico(a), 5
doctor's office consultorio del médico, 12
documentary documental (*m.*), 11
dog perro(a), 2
doll muñeca
dollar dólar (*m.*)
Dominican dominicano(a), 2
done hecho (*p.p. of* hacer), 13
door puerta, P
dorm residencia estudiantil, 3; dormitorio estudiantil, 6
doubt dudar, 11
doubtful dudoso(a), 11
download descargar, 4
downpour chaparrón (*m.*)
downtown centro de la ciudad, 10
dozen docena, 9
drama drama (*m.*), 11; **~ series** teledrama (*m.*), 11
drawing dibujo, P
dream sueño; **~ (about)** soñar (ue) con, 4
drenched empapado(a)
dress vestido, 8; **~ (someone)** vestir (i, i), 5; **get dressed** vestirse (i, i), 5
dresser cómoda, tocador (*m.*), 10
drink beber, 3
drive manejar, conducir (zc), 5
driver's license licencia de manejar
drops gotas, 12
dry (something) secar (qu), 5; **~ cleaning** lavado en seco, 14; **~ one's hair** secarse (qu) el pelo, 5
dryer secadora, 10
dubbed doblado(a), 11

during mientras, por, 10
dust polvo; **~ the furniture** sacudir los muebles, 10
DVD/CD-ROM drive lector (*m.*) de CD-ROM o DVD, 4

E

ear (inner) oído, 12; **(outer)** oreja, 12
early temprano, 3
earn (money) ganar, 13
earphones audífonos (*m. pl.*), 4
earring arete (*m.*), pendiente (*m.*), 8
earth tierra
earthquake terremoto, 13
east este (*m.*), 14
easy fácil, 4
eat comer, 3; **~ dinner** cenar, 2; **~ healthy foods** comer alimentos nutritivos, 12
economy economía, 3
Ecuadoran ecuatoriano(a), 2
edit redactar
education educación (*f.*), 3
egg huevo, 6; **~ sunny-side up** huevo estrellado, 9; **scrambled ~** huevo revuelto, 9
egotistic egoísta, 2
eight ocho, P; **~ hundred** ochocientos(as), 8
eighteen dieciocho, P
eighth octavo(a), 10
eighty ochenta, P
either . . . or o... o, 6
elbow codo, 12
election elección (*f.*), 13; **~ process** proceso electoral, 13
electricity electricidad (*f.*)
electronic electrónico(a); **~ mailbox** buzón (*m.*) electrónico, 4; **~ notebook** asistente (*m.*) electrónico, 4; **~ organizer** organizador (*m.*) electrónico, 4; **electronics** aparatos electrónicos, 4
elephant elefante (*m.*)
elevator ascensor (*m.*), 14
eleven once, P
e-mail correo electrónico, e-mail (*m.*), 4
embarrass avergonzar (ue) (c)
embarrassed avergonzado(a)
embroidered bordado(a), 8

emergency emergencia, 12; **~ room** sala de emergencias, 12
emotion emoción (*f.*), 4
emphasize destacar (qu), enfatizar (c)
employ emplear, 13
employee empleado(a), 13
empty vacío(a)
enchant encantar, 11
encounter encuentro
end cabo; fin (*m.*)
engineer ingeniero(a), 5
engineering ingeniería, 3
English inglés (inglesa), 2; **~ language** inglés (*m.*), 3
enjoy gozar (c); **~ (life)** disfrutar (la vida)
enroll alistar
enterprising emprendedor(a), 13
entertain entretener (*like* tener)
entertaining divertido(a), 2
environment medio ambiente (*m.*)
episode episodio, 11
equality igualdad (*f.*), 13
equator ecuador (*m.*)
essay ensayo
Europe Europa
evaluation calificación (*f.*)
evasion sorteo
even aun; **~ though** aunque, 12
evening noche (*f.*); **during the ~** por la noche, 3; **Good ~.** Buenas noches. 1; **in the ~** (*with precise time*) de la noche, 3
everything todo
everywhere por dondequiera
example ejemplo, 10
exchange intercambiar; **~ money** cambiar dinero, 14; **in ~ for** a cambio de; **~ rate** cambio
Excuse me. Disculpe. Perdón. 4
exercise hacer (*irreg.*) ejercicio, 7
exhibit exhibir; **art ~** exposición (*f.*) de arte, 11
exotic exótico(a)
expensive: It's (too) ~. Es (demasiado) caro(a). 8
express preferences expresar preferencias, 2
expression expresión (*f.*), 1
extroverted extrovertido(a), 2
eye ojo, 12
eyeglasses lentes (*m. pl.*), anteojos (*m. pl.*)

F

fabric tela, 8
fact dato, hecho
factory fábrica, 13
Fahrenheit degree grado Fahrenheit, 7
faint desmayarse, 12
fairy tale cuento de hadas
fall caer (*irreg.*); (*autumn*) otoño, 7; **~ asleep** dormirse (ue, u), 5; **~ back on** recurrir; **~ in love** enamorarse, 5
false falso(a)
family familia; **~ member** pariente (*m., f.*), 5; **nuclear ~** familia nuclear, 5; **~ tree** árbol (*m.*) genealógico
fantastic fantástico(a), 11
fantasy fantasía
far from lejos de, 6
fascinate fascinar, 4
fashion moda, 8
fashionable: (not) to be ~ (no) estar de moda, 8
fast rápido(a), 4
fat gordo(a), 2
father padre (*m.*), papá (*m.*), 5
father-in-law suegro, 5
fax: external/internal ~ fax (*m.*) externo/interno, 4
fear temer, 11
February febrero, 1
feed the dog darle de comer al perro, 10
feel sentir (ie, i), 4; **~ dizzy** estar (*irreg.*) mareado(a), 12; **~ like** tener (*irreg.*) ganas de, 7; **~ sorry** sentir (ie, i), 11
feminine femenino(a)
fever fiebre (*f.*), 12
field of study campo de estudio, 3
fifteen quince, P
fifth quinto(a), 10
fifty cincuenta, P
fight (against) luchar (contra), 13
file archivar, 4; archivo, 4
film película, 11
final final
finally por fin, 9
financial financiero(a)
find out averiguar (gü)
Fine, thank you. Bien, gracias. 1
finger dedo, 12

fire (*from a job*) despedir (i, i), 13; fuego; **~ fighter** bombero(a), 5

fired despedido(a)

fireplace chimenea, 10

first primer(o)(a), 10; **~ floor** primer piso, 10

fish pescar (qu), 7; pez (*m.*) (*alive*); pescado (*caught*), 9

fit apto(a); **It fits nicely/badly.** Me queda bien/mal. 8

five cinco, P; **~ hundred** quinientos(as), 8; **~ thousand** cinco mil, 8

flat llano(a)

flavor sabor (*m.*)

flight vuelo, 14; **~ attendant** asistente (*m., f.*) de vuelo, 14

floating flotador(a)

flood inundación (*f.*), 13

floor piso; **first ~** primer piso, 10

flour harina, 9

flourish florecer (zc)

flower florecer (zc); flor (*f.*)

flu gripe (*f.*), 12

fold doblar, 6

following siguiente

fondness cariño

food comida, 6

fool engañar

foot pie (*m.*), 12; **on ~** a pie, 6

football fútbol americano, 7

footprint huella

for para, por, 10; **~ example** por ejemplo, 10

forbid prohibir, 10

forest bosque (*m.*), 14; **~ fire** incendio forestal

fork tenedor (*m.*), 9

form formulario, 13

fortress fortaleza

forty cuarenta, P

founder fundador(a)

four cuatro, P; **~ hundred** cuatrocientos(as), 8

fourteen catorce, P

fourth cuarto(a), 10

fracture fractura, 12

French francés (francesa), 2; **~ fries** papas fritas, 9; **~ language** francés (*m.*), 3

frequently frecuentemente, 4

fresh fresco(a), 9

Friday viernes (*m.*), 2

fried frito(a), 9

friend amigo(a), P; cuate(a)

from the del (de + el), 3

front: in ~ of delante de, frente a, enfrente de, 6

frozen congelado(a), 9

fruit fruta, 6; **~ juice** jugo de fruta, 9; **~ salad** ensalada de fruta, 9; **~ shake** licuado de fruta

fry freír (i, i), 9

fun divertido(a), 2

function funcionar, 4

funny cómico(a), 2

furious furioso(a), 4

furniture muebles (*m. pl.*), 10

G

G (for general audiences) apto para toda la familia, 11

gallon galón (*m.*), 9

game partido, 7; **~ show** programa (*m.*) de concursos, 11; **interactive ~** juego interactivo, 4

gang pandilla

garage garaje (*m.*), 10

garbage basura, 10

garden jardín (*m.*), 10

garlic ajo, 9

gate: (departure) ~ puerta (de embarque), 14

gauze bandage venda de gasa, 12

generally por lo general, 9

generous generoso(a), 2

genre género

gentle apacible

geography geografía, 3

German alemán (alemana), 2; **~ language** alemán (*m.*), 3

get conseguir (i, i), 8; **~ ahead** adelantar; **~ along well with people** llevarse bien con la gente, 13; **~ chilled** resfriarse, 12; **~ cold** enfriarse, 9; **~ divorced** divorciarse, 5; **~ down from** bajar, 6; **~ dressed** vestirse (i, i), 5; **~ engaged** comprometerse, 5; **~ married** casarse, 5; **~ off of** (*a bus, etc.*) bajar, 6; **~ on** subir, 6; **~ ready** prepararse, 5; **~ separated** separarse, 5; **~ sick** enfermarse, 5; **~ together** reunirse, 5; **~ up** levantarse, 5

gift regalo

girl chica, P; muchacha, P; niña, P

girlfriend novia

give dar (*irreg.*), 5; **~ a blood/urine test** hacer (*irreg.*) un análisis de sangre/orina, 12; **~ a four-star rating** clasificar (qu) con cuatro estrellas, 11; **~ an injection** poner (*irreg.*) una inyección, 12; **~ directions** decir (*irreg.*) cómo llegar, 6; **~ personal information** dar (*irreg.*) información personal, 1; **~ someone a bath** bañar, 5; **~ the time** dar (*irreg.*) la hora, 3

glass vaso, 9

globalization globalización (*f.*), 13

glove guante (*m.*), 8

go acudir; ir (*irreg.*), 3; **~ away** irse (*irreg.*), 5; **~ off** (*alarm clock, etc.*) sonar (ue), 4; **~ offline** cortar la conexión, 4; **~ online** hacer (*irreg.*) una conexión, 4; **~ out** salir (*irreg.*), 5; **~ shopping** hacer (*irreg.*) las compras, 6; ir de compras, 8; **~ straight** seguir (i, i) (g) derecho; **~ to bed** acostarse (ue), 5; **~ up** subir, 6

goal meta

gold oro, 8

golden dorado(a), 9

golf golf (*m.*), 7

good bueno(a), 2; bondadoso(a); **it's ~** es bueno, 11

good-bye adiós, 1

gossip chisme (*m.*)

gossiping chismoso(a)

government gobierno, 13

governor gobernador(a)

grade nota, P

granddaughter nieta, 5

grandfather abuelo, 5

grandmother abuela, 5

grandson nieto, 5

grape uva, 9

graph gráfica

gray gris, 4

great chévere (*Cuba, Puerto Rico*); grande, 2

greater mayor, 8

green verde, 4

greet saludar, 1

greeting saludo

grilled asado(a); a la parrilla, 9

ground molido(a), 9; tierra

group juntar

Guatemalan guatemalteco(a), 2
guess adivinar; ~. Adivina. P
guinea pig cuy (*m.*)
guitar guitarra, 2
gymnasium gimnasio, 3

H

hair: blond ~ pelo rubio, 2; **brown ~** pelo castaño, 2
hairdresser peluquero(a), 5
hairdryer secador (*m.*) de pelo, 14
half mitad (*f.*)
half-brother medio hermano, 5
half-sister media hermana, 5
hallway pasillo, 10
ham jamón (*m.*), 6
hamburger hamburguesa, 9
hand mano (*f.*), 12
handicrafts artesanía
handkerchief pañuelo
handsome hermoso(a); guapo(a), 2
handtowel toalla de mano, 5
happiness dicha; felicidad (*f.*)
happy contento(a), 4
hard duro(a); **~ drive** disco duro, 4
hardly ever rara vez
hardware hardware (*m.*), 4
hard-working trabajador(a), 2
haste prisa
hat sombrero, 8
hatred odio
have tener (*irreg.*), 1; **~ 4 GB of memory** tener (*irreg.*) 4 GB de memoria, 4; **~ a fight** pelearse, 5; **~ a good presence** tener (*irreg.*) buena presencia, 13; **~ a lot of experience in** tener (*irreg.*) mucha experiencia en, 13; **~ a soft drink** tomar un refresco, 2; **~ fun** divertirse (ie, i), 5; **~ some knowledge of** tener (*irreg.*) algunos conocimientos de, 13; **~ the necessary skills** tener (*irreg.*) las habilidades necesarias, 13; **~ the urge to** tener (*irreg.*) ganas de, 7; **~ to** (+ *inf.*) tener (*irreg.*) que (+ *inf.*), 1
he él, 1
head cabeza, 12
headache dolor (*m.*) de cabeza, 12
health salud (*f.*), 3
healthy saludable
hear oír (*irreg.*), 5

heart corazón (*m.*), 12
heat calentar (ie), 9
heavy fuerte, 9
height altitud (*f.*), altura; (*of a person*) estatura
hello hola, ¿Aló? (*on the phone*), 1
helmet casco
help ayudar; ayuda
her (*pron.*) ella, 8; (*adj.*) su, 3; suyo(a), 10; **to/for ~** le, 8
herb hierba, 12
here aquí, 6
heritage herencia
hers (*pron.*) suyo(a), 10
hide esconder
hike hacer (*irreg.*) alpinismo, practicar (qu) alpinismo, 7
him (*pron.*) él, 8; **to/for ~** le, 8
his (*adj.*) su, 3; (*adj., pron.*) suyo(a), 10
Hispanic hispano(a)
history historia, 3
hoax engaño
hockey: field ~ hockey (*m.*) sobre hierba, 7; **ice ~** hockey (*m.*) sobre hielo, 7
hole pozo
home hogar (*m.*)
homeless sin hogar
homemade casero(a)
homework tarea, P
Honduran hondureño(a), 2
honest honesto(a)
hope esperanza; esperar, 10; **I ~ (that)** ojalá (que), 11
I hope you'll get better soon! ¡Ojalá se mejore pronto! 12
horrible horrible, 11
hospital hospital (*m.*), 6
host anfitrión (*m.*); (*of a show*) presentador(a), 11
hot: be ~ tener (*irreg.*) calor, 7; **~ dog** perro caliente, 9; **It's ~.** Hace calor. 7
hotel hotel (*m.*), 14; **~ guest** huésped(a), 14
hour hora
house casa, 6
housechore quehacer (*m.*) doméstico, 10
housing vivienda
how? ¿cómo? 3; **~ are things going?** ¿Qué tal? 1; **~ are you?** (*form. s.*) ¿Cómo está (usted)? /

(*form. pl.*) ¿Cómo están (ustedes)? / (*s. fam.*) ¿Cómo estás (tú)? 1; **~ can I help you?** ¿En qué puedo servirle? 8; **~ do you say . . . ?** ¿Cómo se dice...? P; **~ do you wish to pay?** ¿Cómo desea pagar?, 8; **~ many?** ¿cuántos(as)? 3; **~ much?** ¿cuánto(a)? 3; **~ much does it cost?** ¿Cuánto cuesta? 8; **How's it going with you?** ¿Cómo te/le(s) va? 1
humanities humanidades (*f. pl.*), 3
humble humilde
humid húmedo(a)
hunger hambre (*f. but* el hambre)
hurricane huracán (*m.*), 13
hurry prisa; **be in a ~** tener (*irreg.*) prisa, 7
hurt doler (ue), 12; **~ oneself** lastimarse, 12
husband esposo, 5
hymn himno

I

I yo, 1
ice: (vanilla/chocolate) ~ cream helado (de vainilla/de chocolate), 9; **~ hockey** hockey (*m.*) sobre hielo, 7; **~ skate** patinar sobre hielo, 7
identity identidad (*f.*)
illness enfermedad (*f.*), 12
immigration inmigración (*f.*)
impatient impaciente, 2
important importante, 11; **extremely ~** imprescindible, 11
impressive impresionante
improbable improbable, 11
impulsive impulsivo(a), 2
in en; por, 10; **~ case** en caso de que, 12; **~ order to** (+ *inf.*) para, 10; **~ relation to** en cuanto a; **~ short** en resumen; **~ spite of** a pesar de; **~ the direction of** para, 10
inch pulgada
increase acrecentar (ie), aumentar
incredible increíble
indefinite indefinido(a), 1
index índice (*m.*)
Indian indio(a), 2
indigenous indígena
industry industria, 13
inequality desigualdad (*f.*), 13

infection infección (*f.*), 12
influence influir (y); influencia
ingredient ingrediente (*m.*), 9
inhabitant habitante (*m., f.*)
initiate iniciar, 13
injection inyección (*f.*), 12
injure oneself lastimarse, 12
injury herida, 12
in-laws familia política, 5
inline skate (rollerblade) patinar en línea, 7
inside of dentro de, 6; **~ the house** dentro de la casa, 10
insist insistir, 10
install instalar, 4
instead of en vez de
instruction instrucción (*f.*), 12
instructor instructor(a), P
intelligent inteligente, 2
intention fin (*m.*)
interest interesar, 4
interesting interesante, 2
Internet Internet (*m.* or *f.*), red (*f.*); **~ connection** conexión (*f.*) a Internet, 14; **~ provider** proveedor (*m.*) de acceso, 4
interpreter intérprete (*m., f.*)
interview entrevista, 13
interviewer entrevistador(a), 11
intimate íntimo(a)
introduce someone presentar a alguien, 1
introverted introvertido(a), 2
investigate averiguar (gü), 13
iron planchar, 10; (*metal*) hierro; (*appliance*) plancha, 10
irresponsible irresponsable, 2
island isla, 14
Italian italiano(a), 2; **~ language** italiano, 3
itinerary itinerario, 14
its (*adj.*) su, 3; (*pron.*) suyo(a), 10

J

jacket (*suit jacket, blazer*) saco; (*outdoor, non-suit coat*) chaqueta 8
January enero, 1
Japanese japonés (japonesa), 2; **~ language** japonés (*m.*), 3
jealous celoso(a); **be ~** tener (*irreg.*) celos
jeans jeans (*m. pl.*), 8
jewelry store joyería, 6

jewelry joyas (*f. pl.*), 8
job puesto, 13
joke broma
journalism periodismo, 3
journalist periodista (*m., f.*), 5
July julio, 1
June junio, 1
jungle: Amazonian ~ selva amazónica, 14; **tropical ~** selva tropical, 14

K

key (*on a keyboard*) tecla, 4; (*to a lock*) llave (*f.*), 14
keyboard teclado, 4
kilo kilo, 9; **half a ~** medio kilo, 9
kind bondadoso(a)
king rey (*m.*)
kiss besar
kitchen cocina, 10
knapsack mochila, P
knee rodilla, 12
knife cuchillo, 9
know: ~ a person conocer (zc), 5; **~ a fact, ~ how to** saber (*irreg.*), 5
Korean coreano(a), 2

L

lake lago, 7
lamp lámpara, 10
language idioma (*m.*), lengua, 3
laptop computer computadora portátil, 4
late tarde, 3
later luego, 5
latest: the ~ lo último
laugh reírse (*irreg.*), 5
laundry room lavandería, 10
lawn césped (*m.*), 10; **mow the ~** cortar el césped, 10
lawyer abogado(a), 5
lazy perezoso(a), 2
lead a healthy life llevar una vida sana, 12
leader líder (*m., f.*), 13
learn aprender, 3
learning aprendizaje (*m.*)
leather piel (*f.*), cuero, 8
leave dejar, 2; salir (*irreg.*), irse (*irreg.*), 5

left: to the ~ a la izquierda, 6
leg pierna, 12; **broken ~** pierna quebrada/rota, 12
lemonade limonada, 9
less menor, 8; **~ than** menos que, 8
lesson lección (*f.*), P
level nivel (*m.*)
life vida
lifejacket salvavidas (*m. s.*)
lift levantar, 5; **~ weights** levantar pesas, 2
light luz (*f.*); (*adj.*) ligero(a), 9
like gustar, 11; **~ a lot** encantar, 4; (**They/You** [*pl.*]) **~ . . .** A... les gusta... 2; **He/She likes . . .** A... le gusta... 2; **I/You ~ . . .** A mí/ti me/te gusta... 2; **I'd ~** (+ *inf.*) quisiera (+ *inf.*), 6; Me gustaría (+ *inf.*)... 6
likely probable, 11
Likewise. Igualmente. 1
linen lino, 8
linguistic lingüístico(a)
link enlace (*m.*), 4
lip labio
listen escuchar; **~ to music** escuchar música, 2; **~ to the tape/ CD.** Escuchen la cinta/el CD. P
liter litro, 9
literature literatura, 3
little poco, 4
live vivir, 3; (*adj., e.g., a live show*) en vivo, 11
livestock ganadería
living room sala, 10
loan préstamo, 8
lobster langosta, 9
located ubicado(a)
logical lógico(a), 11
long for apetecer (zc)
look: ~ for buscar (qu), 2; **~ into** averiguar (gü), 13
lose perder (ie), 4; **~ oneself** perderse (ie)
loss pérdida, 13
love querer (*irreg.*), 4; amor, cariño
lover amante (*m., f.*)
lunch almuerzo, 9
lung pulmón (*m.*), 12
luxurious lujoso(a)
lying mentiroso(a), 2

M

made: It's ~ out of . . . Está hecho(a) de... 8; **They're ~ out of . . .** Están hechos(as) de... 8
magazine revista
mailbox buzón (*m.*)
majority mayoría
make hacer (*irreg.*), 5; **~ a reservation** hacer una reservación, 14; **~ a stopover in** hacer escala en, 14; **~ sure** asegurarse; **~ the bed** hacer la cama, 10
makeup maquillaje (*m.*), 5
mall centro comercial, 6
man hombre (*m.*), P
manager gerente (*m., f.*), 5
manly varonil
manners modales (*m. pl.*)
March marzo, 1
marital status estado civil
mark marcar (qu)
market mercado, 6
marketing mercadeo, 3
masculine masculino(a)
match emparejar; (*sports*) partido, 7
mathematics matemáticas (*f. pl.*), 3
matter importar, 4
May mayo, 1
mayonnaise mayonesa, 9
mayor alcalde (alcadesa)
me mí, 8; **to/for ~** me, 8; **with ~** conmigo, 8
mean: It means . . . Significa… P
meaning significado
means of transportation medios de transporte, 6
measure medir (i, i)
measurement medida, 9
meat carne (*f.*), 9
meatball albóndiga
mechanic mecánico(a), 5
media center centro de comunicaciones, 3
medical insurance seguro médico, 13
medicine medicina, 3
meditation meditación (*f.*)
meet conocer (zc), reunirse, 5
meeting encuentro, reunión (*f.*)
melon melón (*m.*), 9
menu menú (*m.*), 9
messenger mensajero(a)
Mexican mexicano(a), 2
microphone micrófono, 4

microwave microondas (*m. s.*), 10
midnight medianoche (*f.*), 3
mild apacible
milk leche (*f.*), 6
mine (*pron.*) mío, 10
mirror espejo, 10
Miss señorita (*abbrev.* Srta.), 1
missionary misionero(a)
mix mezclar, 9; mezcla
mixed mixto(a)
modem: external/internal ~ módem (*m.*) externo/interno, 4
Monday lunes (*m.*), 3
money dinero
monitor monitor (*m.*), 4
monkey mono
month mes (*m.*), 3; **last ~** mes pasado, 7
mop the floor trapear el piso, 10
more más; **~ than** más que, 8
morning mañana, 3; **during the ~** por la mañana, 3; **Good ~.** Buenos días. 1; **in the ~** (*with precise time*) de la mañana, 3
mortality mortalidad (*f.*)
mother madre (*f.*), mamá, 5; **Mother's Day** día (*m.*) de las Madres, 3
mother-in-law suegra, 5
mountain monte (*m.*); **~ range** cordillera
mountainous montañoso(a)
mouse ratón (*m.*), 4
mouth boca, 12
move (*change residence*) mudarse
movie película, 11; **action ~** película de acción, 11; **horror ~** película de horror/terror, 11; **~ called . . .** película titulada…, 11; **~ genre** clase (*f.*) de película, 11; **~ star** estrella de cine, 11; **science fiction ~** película de ciencia ficción, 11
movies cine (*m.*), 11
mow the lawn cortar el césped, 10
Mr. señor (*abbrev.* Sr.), 1
Mrs. señora (*abbrev.* Sra.), 1
Ms. señorita (*abbrev.* Srta.), 1
much mucho, 4
museum museo, 6
music música, 3; **classical ~** música clásica, 11; **country ~** música country, 11; **modern ~** música moderna, 11; **world ~** música mundial, 11

musical musical, 11
mustard mostaza, 9
my (*adj.*) mi, 3; (*pron.*) mío(a), 10; **~ pleasure.** Mucho gusto. Un placer. 1
mystery misterio, 11

N

name llamar, 2; nombre (*m.*); **full ~** nombre (*m.*) completo; **My ~ is . . .** Me llamo…, Mi nombre es…, 1
napkin servilleta, 9
narrator narrador(a)
nationality nacionalidad (*f.*), 2
nature naturaleza
nausea náuseas (*f. pl.*), 12
navegation navegación (*f.*)
necessary necesario(a), 11
neck cuello, 12
necklace collar (*m.*), 8
need necesitar, 2
neighbor vecino(a), 6
neighborhood barrio, colonia, 1
neither tampoco, 2; **~ . . . nor** ni... ni, 6
nephew sobrino, 5
nervous nervioso(a), 4
never nunca, 5; jamás, 6
nevertheless sin embargo
new novedoso(a)
news noticias (*f. pl.*), 11; **~ group** grupo de debate, 4
newspaper periódico
next próximo(a); **~ to** al lado de, 6; **~ to last** penúltimo(a)
Nicaraguan nicaragüense (*m., f.*), 2
nice simpático(a), 2
nickname apodo
niece sobrina, 5
night noche (*f.*), 3; **Good ~.** Buenas noches. 1; **last ~** anoche, 7
nine hundred novecientos(as), 8
nine nueve, P
nineteen diecinueve, P
ninety noventa, P
ninth noveno(a), 10
no one nadie, 6
nobody nadie, 6
none ningún, ninguno(a), 6
noodle soup sopa de fideos, 9
noon mediodía (*m.*), 3
normal normal, 4
North America Norteamérica

north norte (*m.*), 14; ~ **America** Norteamérica

nose nariz (*f.*), 12

not: ~ any ningún, ninguno(a), 6; ~ **either** tampoco, 2; ~ **much** no mucho, 1

notebook cuaderno, P

notes apuntes (*m. pl.*), P

nothing nada, 1

noun sustantivo

novel novedoso(a)

novelist novelista (*m., f.*)

November noviembre, 1

novice novato(a)

number número, 8

nurse enfermero(a), 5

O

obey hacer (*irreg.*) caso

obtain conseguir (i, i), 8

obvious obvio(a), 11

ocean océano, 14

October octubre, 1

of: ~ course cómo no, 6; por supuesto, 10; ~ **the** del (de + el), 3

offer: special ~ oferta especial, 8

office oficina, 6

old viejo(a), 2; old

old-fashioned anticuado(a)

olive oil aceite (*m.*) de oliva, 9

on en, sobre, encima de, 6; ~ **behalf of** por, 10

once una vez, 9

one uno, P; ~ **hundred** cien, P; ~ **hundred and ~** ciento uno, 8; ~ **hundred thousand** cien mil, 8; ~ **million** millón (*m.*), un millón, 8; ~ **thousand** mil (*m.*), 8

one-way ticket boleto de ida, billete (*m.*) de ida, 14

onion cebolla, 9

online en línea, 4

only único(a)

open abrir, 3; abierto (*p.p. of* abrir), 13; ~ **your books.** Abran los libros. P

opera ópera, 11

opposite enfrente de, frente a, 6; opuesto(a)

orange (*color*) anaranjado(a), 4; (*fruit*) naranja, 9

order ordenar, 9; mandar, 10

ordinal number número ordinal, 10

originate originar

ought deber (+ *inf.*), 3

our (*adj.*) nuestro(a)(s), 3

ours (*pron.*) nuestro(a)(s), 10

outline bosquejo

outside of fuera de, 6; ~ **the house** fuera de la casa, 10

outskirts afueras (*f. pl.*), 10

outstanding sobresaliente

oven horno

overcome sobrevivir, 13

overcoming superación (*f.*)

owner dueño(a), 5

P

package paquete (*m.*), 9

page página, P

pain dolor (*m.*), 12

paint pintar, 2

painting pintura, 3; cuadro, 10

palpitate palpitar, 12

Panamanian panameño(a), 2

pants pantalones (*m. pl.*), 8

paper papel (*m.*), P

parachute paracaídas (*m. s.*)

paragraph párrafo

Paraguayan paraguayo(a), 2

Pardon me. Con permiso. 4

parents padres (*m. pl.*), 5

park parque (*m.*), 6

parking lot estacionamiento, 6

parsley perejil (*m.*)

participant participante (*m., f.*), 11

participate in participar en, 13

pass (by) pasar, 2

passenger pasajero(a), 14; **coach ~** pasajero de clase turista, 14; **first class ~** pasajero de primera clase, 14

passport pasaporte (*m.*), 14

password contraseña, 4

patient paciente (*m., f.*), 2

patio patio, 10

paving stone baldosa

pay pagar (gu), 9; ~ **attention** hacer (*irreg.*) caso

payment: form of ~ método de pago, 8

pea guisante (*m.*), 9

peace paz (*f.*); **world ~** paz mundial, 13

peel pelar, 9

pencil lápiz (*m.*), P

penguin pingüino

pepper pimienta, 9

percentage porcentaje (*m.*)

perhaps quizás, tal vez

period (*punctuation*) punto; trecho

permit permitir, 10

personality personalidad (*f.*); ~ **trait** característica de la personalidad, 2

Peruvian peruano(a), 2

PG-13 (*parental discretion advised*) se recomienda discreción, 11

pharmacy farmacia, 6

philanthropic filantrópico(a)

philosophy filosofía, 3

photo foto (*f.*), P

physical chequeo médico, 12; físico(a), 5; ~ **appearance** apariencia física; ~ **trait** característica física, 2

physics física, 3

piano piano, 2

picturesque pintoresco(a)

piece pedazo, 9

pill píldora, 12

pillow almohada

pink rosado(a), 4

pirate pirata (*m.*)

pizzeria pizzería, 6

place lugar (*m.*), sitio

placed puesto(a), 13

plaid a cuadros, 8

plain llanura

plate plato, 9

play jugar (ue) (gu), 4; obra teatral, 11; ~ **a musical instrument** tocar (qu) un instrumento musical, 2; ~ **sports** practicar (qu) deportes, 2; ~ **tennis (baseball, etc.)** jugar tenis (béisbol, etc), 7

playful juguetón (juguetona)

plaza plaza, 6

please encantar, gustar, 11; por favor, 1

pleasure: A ~ to meet you. Mucho gusto en conocerte. 1

plot trama

plumber plomero(a), 5

poet poeta (poetisa)

poetry poesía

point: ~ out marcar (qu), señalar; **to the ~** al grano

policeman (policewoman) policía (*m., f.*), 5

political político(a); **~ science** ciencias políticas (*f. pl.*), 3

politics política, 13

polka-dotted de lunares, 8

pollution: air ~ contaminación (*f.*) (del aire), 13

poor pobre

pop songs música pop, 11

popcorn palomitas (*f. pl.*), 11

populate poblar (ue)

pork chop chuleta de puerco, 6

portable CD/MP3 player CD portátil/MP3, 4

Portuguese portugués (portuguesa), 2

position puesto, 13

post office oficina de correos, 6

postage stamp estampilla, 14

postcard tarjeta postal, 14

potato: ~ chips papitas fritas, 6; **~ salad** ensalada de papa

pound libra, 9

power poder (*m.*)

powerful poderoso(a)

practice practicar (qu)

prefer preferir (ie, i), 4

preference preferencia

prenuptual agreement contrato prenupcial

preparation preparación (*f.*), 9

prepare preparar, 2; **~ the food** preparar la comida, 10

preposition preposición (*f.*), 6

prescribe a medicine recetar una medicina, 12

prescription receta, 12

present (*gift*) regalo; **at the ~ time** en la actualidad

presenter presentador(a), 11

pretty bonito(a); lindo(a), 2

price: It's a very good ~. Está a muy buen precio. 8

priest sacerdote (*m.*)

prime rib lomo de res, 9

print imprimir, 3; (*patterned fabric*) estampado(a), 8; (*art*) cuadro, 10

printer impresora, 4

prize premio

probable probable, 11

profession profesión (*f.*), 5

professor profesor(a), P

profit ganancia, 13

program programa (*m.*); **anti-virus ~** programa antivirus, 4; **~ icon** ícono del programa, 4

programmer programador(a), 5

promote adelantar, promover (ue)

promotion ascenso, 13

pronoun pronombre (*m.*), 1

proud orgulloso(a)

provided that con tal (de) que, 12

provocative provocador(a)

psychology psicología, 3

public: ~ communications comunicación (*f.*) pública, 3; **~ relations** publicidad (*f.*), 3

Puerto Rican puertorriqueño(a), 2

punctual puntual, 13

purple morado(a), 4

purpose propósito

purse bolsa, 8

push oprimir

put poner (*irreg.*), 5; **~ away the clothes** guardar la ropa, 10; **~ my toys where they belong** poner mis juguetes en su lugar, 10; **~ on (clothing)** ponerse (la ropa), 5; **~ on makeup** maquillarse, 5

Q

quality calidad (*f.*); **of good (high) ~** de buena (alta) calidad, 8

queen reina

question pregunta, 12

questionnaire cuestionario

quotation cita

R

R (minors restricted) prohibido para menores, 11

raffle sorteo

railroad ferrocarril (*m.*)

rain llover (ue); **~ forest** bosque (*m.*) tropical, bosque (*m.*) pluvial; **It's raining.** Está lloviendo. (Llueve.), 7

raincoat impermeable (*m.*), 8

raise levantar, 5

ranch estancia

rank rango

rap rap (*m.*), 11

rather bastante, 4

ratings índice (*m.*) de audiencia, 11

raw crudo(a), 9

razor rasuradora, 5; **electric ~** máquina de afeitar, 5

read leer (y), 3; **~ Chapter 1.** Lean el Capítulo 1. P

really de veras

reason razón (*f.*)

receive recibir, 3

reception desk recepción (*f.*), 14

recipe receta, 9

recognize reconocer (zc)

recommend recomendar (ie), 10

record grabar, 4

recruit alistar

recycling reciclaje (*m.*), 10

red rojo(a), 4

redheaded pelirrojo(a), 2

reduced: It's ~. Está rebajado(a). 8

reflect reflejar

reflection reflexión (*f.*)

refrigerator refrigerador (*m.*), 10

register registrarse, 14

regret sentir (ie, i), 11

relate contar (ue), 4

relative pariente (*m., f.*), 5

relax relajarse

remain quedar(se)

remote control control (*m.*) remoto, 11

renovate renovar (ue)

renown renombre (*m.*)

rent alquiler (*m.*); **~ videos** alquilar videos, 2

repeat repetir (i, i), 4; **~.** Repitan. P

report informe (*m.*)

request pedir (i, i), 10

require requerir (ie, i), 10

requisite requisito, 13

reservation reservación (*f.*), 14

residential neighborhood barrio residencial, 10

resort to recurrir

respond responder, 1

responsible responsable, 2

rest descansar, 2

restaurant restaurante (*m.*), 6

résumé currículum vitae (*m.*), 13

retire jubilarse, 13

return regresar, 2; volver (ue), 4

returned vuelto (*p.p. of* volver), 13

revenue ingreso

review crítica, reseña, 11

rhyme rima

Rhythm and Blues R & B (*m.*), 11
rich adinerado(a)
ride montar; **~ a bike** montar en bicicleta, 7; **~ horseback** montar a caballo, 7
ridiculous ridículo(a), 11
right: to the ~ a la derecha, 6
ring sonar (ue), 4; anillo, 8; sortija
risk riesgo
river río, 7
roasted (in the oven) al horno, 9
rock (*music*) rock (*m.*), 11
role papel (*m.*)
roof techo, 10
room cuarto, P; **double ~** habitación (*f.*) doble (*f.*), 14; **single ~** habitación (*f.*) sencilla, 14; **smoking/non-smoking ~** habitación (*f.*) de fumar/de no fumar, 14; **~ with/without bath/shower** habitación (*f.*) con/sin baño/ducha, 14
roommate compañero(a) de cuarto, P
root raíz (*f.*)
rose rosa, 4
rough draft borrador (*m.*)
round-trip ticket boleto de ida y vuelta, billete (*m.*) de ida y vuelta, 14
route ruta
row remar, 7
rower remero(a)
rude descortés
rug alfombra, 10
ruin ruina, 14
rule regla
run correr, 3
rural campestre

S

sad triste, 4
safe seguro(a), 7
said dicho(a) (*p.p. of* decir), 13; **It's said . . .** Se dice..., P
salad ensalada, 9; **lettuce and tomato ~** ensalada de lechuga y tomate, 9; **tossed ~** ensalada mixta, 9
salary increase aumento de sueldo, 13
sale: It's for ~. Está en venta. 8
salesclerk dependiente (*m., f.*), 5
salmon salmón (*m.*), 9

salt sal (*f.*), 9
Salvadoran salvadoreño(a), 2
same mismo(a); **~ (thing)** lo mismo
sand arena, 14
sandal sandalia, 8
sandwich bocadillo, sandwich (*m.*), 9; **ham and cheese ~ with avocado** sandwich de jamón y queso con aguacate, 9
satisfied satisfecho(a), 13
satisfy satisfacer (like hacer), 13
Saturday sábado, 2
sausage salchicha, 6
save guardar, 4
say decir (*irreg.*), 5; **~ good-bye** despedirse (i, i), 1
saying dicho
scan ojear
scarcely apenas
scarf bufanda, 8
scenery paisaje (*m.*)
schedule horario
science ciencia, 3
scientific científico(a)
scream gritar; grito
screen pantalla, 4
script guión (*m.*); **~ writer** guionista (*m., f.*)
sculpture escultura, 11
sea mar (*m., f.*), 14
search engine buscador (*m.*), 4
seaside resort balneario
season estación (*f.*), 7; **dry ~** temporada de secas; **rainy ~** temporada de lluvias
seat asiento, 14; **aisle ~** asiento de pasillo, 14; **window ~** asiento de ventanilla, 14
second segundo(a), 10
secret secreto
secretary secretario(a), 5
see ver (*irreg.*), 5; **~ you later.** Hasta luego. Nos vemos. 1; **~ you soon.** Hasta pronto. 1; **~ you tomorrow.** Hasta mañana. 1
seem parecer (zc)
seen visto (*p.p. of* ver), 13
selfish egoísta, 2
sell vender, 3
send enviar, 4; mandar, 10
sentence oración (*f.*)
September septiembre, 1
serious serio(a), 2

serve servir (i, i), 4
set the table poner (*irreg.*) la mesa, 9
seven siete, P; **~ hundred** setecientos(as), 8
seventeen diecisiete, P
seventh séptimo(a), 10
seventy setenta, P
several varios(as)
shake hands darse (*irreg.*) la mano, 13
shame: it's a shame es una lástima, 11
shampoo champú (*m.*), 5
share compartir, 3
shark tiburón (*m.*)
shave oneself afeitarse, 5
she ella, 1
sheet of paper hoja de papel, P
shellfish marisco, 9
shelter albergar (gu)
shirt camisa, 8
shoe zapato, 8; **high-heeled ~** zapato de tacón alto, 8; **tennis ~** zapato de tenis, 8
shooting tiroteo
shore orilla
short (*in length*) corto(a); (*in height*) bajo(a), 2
shorts pantalones (*m. pl.*) cortos, 8
should deber (+ *inf.*), 3
shoulder hombro, 12
shout gritar
show demostrar (ue), mostrar (ue); espectáculo, show (*m.*), 11
shred picar (qu), 9
shrimp camarón (*m.*), 9
shy tímido(a), 2
sick enfermo(a), 4
sickness enfermedad (*f.*), 12
side lado; **on the ~ of** al lado de, 6
sign letrero
silk seda, 8
silly tonto(a), 2
silver plata, 8
similarity semejanza
simple sencillo(a)
sincere sincero(a), 2
sing cantar, 2
singer cantante (*m., f.*)
single soltero(a)
sister (younger, older) hermana (menor, mayor), 5
sister-in-law cuñada, 5
sit down sentarse (ie), 5
sitcom telecomedia, 11

six seis, P; **~ hundred** seiscientos(as), 8

sixteen dieciséis, P

sixth sexto(a), 10

sixty sesenta, P

size talla, 8

skate patinar, 2

ski esquiar, 7; esquí (*m.*)

skiing esquí (*m.*); **downhill ~** esquí alpino, 7; **water ~** esquí acuático, 7

skin tez (*f.*)

skirt falda, 8

sky cielo, 14

slave esclavo(a)

sleep dormir (ue, u), 4

slice pedazo, 9

slogan lema (*m.*)

slow lento(a), 4

slowly despacio

small pequeño(a), 2; **a ~ amount** un poco, 4

smile sonreír (*irreg.*), 8; sonrisa

snack merienda

sneeze estornudar, 12

snow nevar (ie); **It's snowing.** Está nevando. (Nieva.), 7

so por eso, 10; **~ that** para que, con tal (de) que, 12

soap jabón (*m.*), 5; **~ opera** telenovela, 11

soccer fútbol (*m.*), 7; **~ field** cancha, campo de fútbol, 6

sock calcetín (*m.*), 8

sofa sofá (*m.*), 10

soft suave; **~ drink** refresco, 6

software software (*m.*), 4

some unos(as), 1; algún, alguno(a), 6

someone alguien, 6

something algo, 6

sometimes de vez en cuando; a veces, 5

somewhat bastante, 4

son hijo, 5

son-in-law yerno, 5

sore throat dolor de garganta, 12

sorry: I'm sorry. Lo siento. 4

So-so. Regular. 1

soul alma (*f.*) (*but* el alma)

sound sonido

soup sopa, 9; **cold ~** gazpacho (*Spain*), 9

source fuente (*f.*)

south sur (*m.*), 14; **~ America** Sudamérica

souvenir recuerdo

sovereignty soberanía

spa balneario

Spain España

Spanish español (española), 2; **~ language** español (*m.*), 3

Spanish-speaking hispanohablante

speaker conferencista (*m., f.*); altoparlante (*m., f.*), 4

species especie (*f.*)

spelling ortografía

spicy picante, 9

sponsor patrocinador(a)

spoon cuchara, 9

sport deporte (*m.*), 7; **~ activity** actividad (*f.*) deportiva, 7

sports coat saco, 8

spring primavera, 7

stadium estadio, 6

stairs escaleras (*f. pl.*), 10

state estado, 5

station estación (*f.*), 11; **bus ~** estación de autobús, 6; **train ~** estación de trenes, 6

stationery store papelería, 6

statistics estadística, 3

stay in bed guardar cama, 12

steak bistec (*m.*), 6

steamed al vapor, 9

steel acero

step on pisar

stepbrother hermanastro, 5

stepfather padrastro, 5

stepmother madrastra, 5

stepsister hermanastra, 5

Stick out your tongue. Saque la lengua. 12

still todavía; **~ life** naturaleza muerta

stock market bolsa de valores, 13

stomach estómago, 12

stomachache dolor (*m.*) de estómago, 12

stop (*e.g., bus stop*) parada ; **~ (doing something)** dejar de (+ *inf.*), 2; parar (de), 3

store guardar; almacén (*m.*), tienda, 6; **music (clothing, video) ~** tienda de música (ropa, videos), 6

stove estufa, 10

straight ahead todo derecho, 6

straighten out the bedroom arreglar el dormitorio, 10

strange exótico(a); extraño(a), 11

strategy estrategia

strawberry fresa, 9

street calle (*f.*), 1

strengthen acrecentar (ie)

strike huelga, 13

stringed al hilo, 9

striped rayado(a), a rayas, 8

strong fuerte

student estudiante (*m., f.*), P; **~ center** centro estudiantil, 6

studio estudio, 3

study estudiar; **~ at the library (at home)** estudiar en la biblioteca (en casa), 2; **~ pages . . . to . . .** Estudien las páginas… a…, P

stupid tonto(a), 2

style estilo; **in ~** en onda; **out of ~** pasado(a) de moda, 8

substitute sustituir (y)

subtitle: with subtitles in English con subtítulos en inglés, 11

suburb barrio residencial, suburbio, 10

subway: on the ~ en metro, 6

success éxito

suddenly de repente, 9

suffer (the consequences) sufrir (las consecuencias), 13

sugar azúcar (*m., f.*), 9; **~ cane** caña de azúcar

suggest sugerir (ie, i), 8

suggestion sugerencia

suit traje (*m.*), 8; **bathing ~** traje (*m.*) de baño, 8

suitcase maleta, 14

summer verano, 7

sun sol (*m.*)

sunbathe tomar el sol, 2

Sunday domingo, 2

sunglasses gafas (*f. pl.*) de sol, 8

sunlight luz (*f.*) solar

sunny: It's ~. Hace sol. 7

supermarket supermercado, 6

supervise supervisar, 13

support apoyar

sure seguro(a), 4; **it's not ~** no es seguro, 11

surf hacer (*irreg.*) surfing, practicar (qu) surfing, 7; **~ the Internet** navegar (gu) por Internet, 2

surpass sobrepasar

surprise sorprender, 11; sorpresa

surrounded rodeado(a)

survey encuesta

survive sobrevivir, 13

Swallow. Trague. 12
sweater suéter (*m.*), 8
sweatsuit sudadera, 8
sweep the floor barrer el suelo / el piso, 10
sweet dulce (*m.*); (*adj.*) dulce
swim bañar, 5; nadar, 7
swimming natación (*f.*), 7; **~ pool** piscina, 6
symbol símbolo
symptom síntoma (*m.*), 12
systematic sistemático(a)

T

table mesa, P; **night ~** mesita de noche, 10; **set the ~** poner (*irreg.*) la mesa, 9
tablecloth mantel (*m.*), 9
tablespoon cucharada, 9
tablet pastilla, 12
take tomar, llevar; **~ a bath** bañarse, 5; **~ a shower** ducharse, 5; **~ a tour** hacer (*irreg.*) un tour, 14; **~ an X-ray** tomar/hacer una radiografía, 12; **~ blood pressure** tomar la presión, 12; **~ measures** tomar medidas, 13; **~ off clothing** quitarse la ropa, 5; **~ out the garbage** sacar (qu) la basura, 10; **~ photos** sacar (qu) fotos, 2; **~ place** realizarse (c); **~ the temperature** tomar la temperatura, 12; **~ the dog for a walk** sacar (qu) a pasear al perro, 10
talk hablar; **~ on the telephone** hablar por teléfono, 1; **~ show** programa (*m.*) de entrevistas, 11
tall alto(a), 2
tamed domesticado(a)
taste gusto; **to individual ~** al gusto, 9
tavern bodegón (*m.*)
tea: hot ~ té (*m.*), 9; **iced ~** té (*m.*) helado, 9
teach enseñar
teacher maestro(a), 5
team equipo, 7
tear up rasgar (gu)
teaspoon cucharadita, 9
technology tecnología, 4
telecommunications telecomunicaciones (*f. pl.*), 13

television: ~ broadcasting televisión (*f.*), 11; **~ program** programa de televisión, 11; **~ set** televisor (*m.*), 10;
tell contar (ue), 4; decir (*irreg.*), 5; **~ the time** decir la hora, 3
temperature temperatura, 7
ten diez, P; **~ thousand** diez mil, 8
tennis tenis (*m.*), 7; **~ court** cancha de tenis, 6; **~ shoes** zapatos (*m. pl.*) de tenis, 8
tenth décimo(a), 10
term término
terrible fatal, terrible, 1
terrific chévere (*Cuba, Puerto Rico*)
terrorism terrorismo, 13
test: blood/urine ~ análisis (*m.*) de sangre/orina, 12
text texto
Thank you very much. Muchas gracias. 1
that (*adj.*) ese(a), 6; (*pron.*) ése(a), 6; **~ over there** (*adj.*) aquel (aquella), 6; (*pron.*) aquél (aquélla), 6
that's why por eso, 10
the el, la, los, las, 1
theater teatro, 6
their su, 3; suyo(a), 10
theirs (*pron.*) suyo(a), 10
them ellos(as), 8; **to/for ~** les, 8
then entonces
theory teoría
there allí, 6; **over ~** allá, 6; **~ is / ~ are** hay, 1
these (*adj.*) estos(as), 6; (*pron.*) éstos(as), 6
they ellos(as), 1
thin delgado(a), 2
think (about) pensar (ie) (en, de), 4
third tercer(o, a), 10
thirst sed (*f.*)
thirsty: be ~ tener (*irreg.*) sed, 7
thirteen trece, P
thirty treinta, P
this (*adj.*) este(a), 6; (*pron.*) éste(a), 6
those (*adj.*) esos, 6; (*pron.*) ésos(as), 6; **~ (over there)** (*adj.*) aquellos(as), 6; (*pron.*) aquéllos(as), 6
threat amenaza
three tres, P; **~ hundred** trescientos(as), 8
throat garganta, 12
through por, 10
throughout a través de

throw: ~ oneself lanzarse (c); **~ up** vomitar, 12
thunderstorm tormenta
Thursday jueves (*m.*), 3
ticket boleto, entrada, 11; billete (*m.*), pasaje (*m.*), 14; **one-way ~** boleto de ida, billete de ida, 14; **round-trip ~** boleto de ida y vuelta, billete de ida y vuelta, 14;
time hora; vez (*f.*)
times veces (*f. pl.*); **(two, three, etc.) ~ a day/per week** (dos, tres, etc.) veces al día/por semana, 5
tip propina, 9
tired cansado(a), 4
title titular; título, 1
to a; **to the** al (a + el), 3
toast pan (*m.*) tostado, 9
toaster tostadora, 10
today hoy, 3; **~ is Tuesday the 30th.** Hoy es martes treinta. 3
toe dedo, 12
tomorrow mañana, 3
tongue lengua, 12
too much demasiado, 4
toothbrush cepillo de dientes, 5
toothpaste pasta de dientes, 5
top: on ~ of encima de, 6
tourist guidebook guía turística, 14
toward para, 10
towel toalla, 5
town pueblo, 6
toy juguete (*m.*), 10
train (*for sports*) entrenarse, 7; tren, 6
trainer entrenador(a) (*m.*)
trait característica
translate traducir (zc), 5
travel (abroad) viajar (al extranjero), 14; **~ agency** agencia de viajes, 14
traveler's check cheque (*m.*) de viajero, 8
treasure tesoro
tree árbol (*m.*)
trick truco
triumph triunfar
trout trucha, 9
true verdad; **it's (not) ~** (no) es verdad, 11
truly de veras
trumpet trompeta, 2
try: I'm going to ~ it on. Voy a probármelo(la). 8
t-shirt camiseta, 8

Tuesday martes (*m.*), 3
tuna atún (*m.*), 9
turkey pavo, 6
turn cruzar (c), doblar, 6; viraje (*m.*); **~ in** entregar; **~ in your homework.** Entreguen la tarea. P; **~ off** apagar (gu), 2
TV (*see also* **television**): **~ guide** teleguía, 11; **~ series** teleserie (*f.*), 11; **~ viewer** televidente (*m., f.*), 11
twelve doce, P
twenty veinte, P
twenty-one veintiuno, P
twice dos veces, 9
two dos, P; **~ hundred** doscientos(as), 8; **~ million** dos millones, 8; **~ thousand** dos mil, 8
typical típico(a), 9

U

U. S. citizen estadounidense (*m., f.*), 2
ugly feo(a), 2
uncle tío, 5
underneath debajo de, 6
understand comprender, 3; entender (ie), 4
understanding comprensión (*f.*)
unique único(a)
unite unir, 9
united unido(a); **~ States** Estados Unidos
university universidad (*f.*), 6
unless a menos que, 12
unlikely dudoso(a), improbable, 11
unpleasant antipático(a), 2
untamed salvaje
until hasta (que), 12
Uruguayan uruguayo(a), 2
us nosotros(as), 8; **to/for ~** nos, 8
use usar, 2
useful útil
user usuario(a), 4

V

vaccinate poner (*irreg.*) una vacuna, 12
vaccination vacuna, 12
vacuum (*verb*) pasar la aspiradora, 10; **~ cleaner** aspiradora, 10
vain vanidoso(a)
valley valle (*m.*)

valuable valioso(a)
value valor (*m.*)
variety variedad (*f.*)
various varios(as)
vegetable vegetal (*m.*), 6
vegetarian vegetariano(a)
vehicle vehículo
Venetian blind persiana, 10
Venezuelan venezolano(a), 2
verb verbo, 3
very muy, 2
vest chaleco, 8
veterinarian veterinario(a), 5
videocamera videocámara, 4
videotape (*verb*) grabar, 11; (*noun*) video
viewpoint punto de vista
vinegar vinagre (*m.*), 9
violence violencia, 13
violin violín (*m.*), 2
visit friends visitar a amigos, 2
visitor visitante (*m., f.*)
vitamin vitamina, 12
voice voz (*f.*)
volcanic eruption erupción (*f.*) volcánica
volcano volcán (*m.*), 14
volleyball volibol (*m.*), 7
vote votar, 13

W

wait esperar, 11; **~ on** despachar
waiter camarero, 5
waiting: ~ list lista de espera, 14; **~ room** sala de espera, 12
waitress camarera, 5
wake up despertarse (ie), 5; **wake someone up** despertar (ie), 5
wake-up call servicio despertador, 14
walk caminar, 2; andar (*irreg.*), 8
walking a pie, 6
wall pared (*f.*), P
wallet cartera, 8
want desear, querer (*irreg.*), 10
war guerra, 13
warm caluroso(a)
warning aviso
wash lavar, 5; **~ one's hair** lavarse el pelo, 5; **~ oneself** lavarse, 5; **~ the dishes (the clothes)** lavar los platos (la ropa), 10
washer lavadora, 10
wastebasket basurero

watch reloj (*m.*), 8; **~ television** mirar televisión, 2
water agua (*f.*) (*but:* el agua); **fresh ~** agua dulce; **sparkling ~** agua mineral, 9; **~ skiing** esquí acuático, 7; **~ the plants** regar (ie) las plantas, 10
watercress berro
waterfall catarata
wave ola
we nosotros(as), 1
wealth riqueza
wealthy adinerado(a)
weather tiempo, 7; **It's nice/bad ~.** Hace buen/mal tiempo. 7
weave tejer
weaving tejido
web red (*f.*); **~ page** página web, 4
webcam cámara web, 4
website sitio web, 4
wedding boda
Wednesday miércoles (*m.*), 3
week semana, 3; **during the ~** entresemana, 3; **every ~** todas las semanas, 5; **last ~** semana pasada, 7
weekend fin (*m.*) de semana, 2
welcome bienvenido(a); **You're ~.** De nada. 1
well bien, 4; **(Not) Very ~.** (No) Muy bien. 1; **Quite ~.** Bastante bien. 1; (*for drawing water*) pozo
well-being bienestar (*m.*)
west oeste (*m.*), 14
what? ¿cuál(es)? ¿qué? 3; **~ are your symptoms?** ¿Qué síntomas tiene? 12; **~ day is today?** ¿Qué día es hoy? 3; **~ do you like to do?** ¿Qué te gusta hacer? 2; **~ does . . . mean?** ¿Qué significa…? P; **~ hurts?** ¿Qué le duele? 12; **~ is today's date?** ¿A qué fecha estamos? 3; **~ is your phone number?** ¿Cuál es tu/su número de teléfono? (*s. fam./form.*), 1; **~ time is it?** ¿Qué hora es? 3; **~'s he/she/it like?** ¿Cómo es? 2; **~'s the weather like?** ¿Qué tiempo hace? 7; **~'s your (e-mail) address?** ¿Cuál es tu/su dirección (electrónica)? (*s. fam./form.*), 1; **~'s your name?** ¿Cómo se llama (*s. form.*) / te llamas (*s. fam.*)? 1; **~ 's new?** ¿Qué hay de nuevo? 1

which? ¿qué? 3; **~ one(s)?** ¿cuál(es)? 3

wheat trigo

wheel rueda

when cuando, 12

when? ¿cuándo? 3; **~ is your birthday?** ¿Cuándo es tu cumpleaños? 1

where? ¿dónde? 3; **~ (to)?** ¿adónde?; **~ do you live?** ¿Dónde vives/vive? (*s. fam./form.*), 1; **~ does your . . . class meet?** ¿Dónde tienes la clase de… ? 3

while mientras

white blanco(a), 4

whitewater rafting: go ~ navegar en rápidos, 7

who? ¿quién(es)? 3

whose cuyo(a)(s); **~ are these?** ¿De quiénes son? 3; **~ is this?** ¿De quién es? 3

why? ¿por qué? 3

wife esposa, 5

wild salvaje

willing dispuesto(a)

win ganar, 7

wind viento

window ventana, P; **~ seat** asiento de ventanilla, 14

windy: It's ~. Hace viento. 7

wine: red ~ vino tinto, 9; **white ~** vino blanco, 9

wineglass copa, 9

winter invierno, 7

wish desear, querer (*irreg.*), 10; esperanza

with con

without sin (que), 12

wolf lobo

woman mujer (*f.*), P

wonder maravilla

wood madera

wooden cart carreta

wool lana, 8

word-processing program programa (*m.*) de procesamiento de textos, 4

work trabajar, 2; **~ full-time** trabajar a tiempo completo, 13; **~ part-time** trabajar a tiempo parcial, 13

workday jornada laboral

worker trabajador(a), 5

world mundo; **~ Wide Web** red (*f.*) mundial, 4

worried preocupado(a), 4

worry preocuparse, 5

worse peor, 8

wound herida, 12

wrinkled arrugado(a)

write escribir, 3; **~ in your notebooks.** Escriban en sus cuadernos. P; **~ reports** hacer (*irreg.*) informes, 13

written escrito (*p.p. of* escribir), 13

Y

year año, 3; **every ~** todos los años, 9; **last ~** año pasado, 7

yellow amarillo(a), 4

yes sí, 1

yesterday ayer, 3

yogurt yogur (*m.*), 6

you vosotros(as) (*fam. pl.*), tú (*fam. s.*), usted (Ud.) (*form. s.*), ustedes (Uds.) (*fam. or form. pl.*), 1; ti (*fam. s.*), Ud(s). (*form.*), 8; **to/for ~** os (*fam. pl.*), te (*fam. s.*), le (*form. s.*), les (*form, pl.*), 8; **with ~** contigo (*fam.*), 8

young joven, 2

younger menor, 8

your (*adj.*) tu (*fam.*), su (*s. form. pl.*), vuestro(a) (*fam.*), 3; suyo(a) (*form. s., pl.*), tuyo(a) (*fam.*), 10

yours (*pron.*) vuestro(a) (*fam. pl.*), suyo(a) (*form. s., pl.*), tuyo(a) (*fam. s.*), 10

youth juventud (*f.*)

Z

zero cero, P

Credits

The authors and editors wish to thank the following persons and publishers for permission to include the works or excerpts mentioned.

Text

Chapter 3
p. 98: Adapted from "Escuela Plena y Bomba Rafael Cepeda," from Diálogo, Marzo 2000, Año 13, Núm. 127, pg. 37.

Chapter 4
p. 114: From *Newsweek en Español*, January 12, 2000, pg. 9. Reprinted with permission.

Chapter 5
p. 167: Reprinted by permission of the Organization of American States.

Chapter 6
p. 196: Map, "Mexican Cultural Zones," from Guía Turística, México, Guatemala y Belice, Second Edition, © 2000, pp. 46–47.
p. 200: From El Universal online.

Chapter 7
p. 234: From *Aboard*, In-Flight, January/February 1998, pp. 52–60. Reprinted with permission.

Chapter 8
p. 268: Adapted from "El jean impone su encanto," from *El Comercial*, Familia Magazine, Número 643, February 8 1998, Año XII, pg. 27.

Chapter 9
p. 278: From www.bolivian.com.
p. 299: Reprinted with permission from Tierra Lejana, from the column by Hernán Maldonado.

Chapter 10
p. 314: Reprinted with permission of the publisher, Children's Book Press, San Francisco, CA www.childrensbookpress.org. Poem copyright © 1997 by Francisco X. Alarcón. From the book, *Laughing Tomatoes and Other Spring Poems*.
p. 335: "Dos canciones de amor para el otoño," I and II by José Coronel Urtecho. Reprinted with permission.

Chapter 12
p. 393: Ana Laura Pérez, "El reposo de la guerrera," from *Revista Viva*, La revista de Clarín, 09/24/06. Reprinted courtesy of the author.

Chapter 13
p. 417: Adapted from www.diariolarepublica.com/foro/netiquettes.html.

Chapter 14
pp. 454–455: From Juan Balboa Boneke, "El reencuentro," in *Literatura de Guinea Ecuatorial* (Antología), Donato Ndongo-Bidyogo y Mbaré Ngom (eds.), Casa de África, SIAL ediciones, Madrid 2000.

Photos and realia

Chapter 1
p. 6: Ian Shaw/Alamy
p. 10: David Hall/Alamy
p. 17: Jeff Greenberg/Alamy
p. 19: Revista Ecuador

Chapter 2
p. 38: Royalty Free/Alamy
p. 49: Courtesy of Isabel Valdéz
p. 58: QUO Magazine
p. 64 (top left): Schwartz Shaul/Sygma/Corbis
p. 64 (center): Jeff Greenberg/Alamy
p. 64 (bottom left): AP Wide World Photos
p. 64 (bottom right): Jeff Greenberg/Alamy
p. 67: People en español, mayo de 1999, p. 114
p. 67 (top left): Luz Montero
p. 67 (top middle): Andy Lyon/Allsport/Getty
p. 67 (top right): Courtesy of Chef Pepín
p. 67 (bottom left): Brian Smith/Outline/Corbis
p. 67 (bottom right): Univision
p. 69: Christies Images

Chapter 3
p. 72: Kevin Dodge/Corbis
p. 76: Beryl Goldberg
p. 81: Courtesy of María Carreira
p. 92: Porvenir Chile
p. 98 (top): Getty Images
p. 98 (bottom): AP/Wide World Photos
p. 99: John McLean/Alamy
p. 101 (top): Courtesy of David Sanchez
p. 101 (left): Courtesy of Altos de Chavon/Alex Otero
p. 101 (right): Paul Bennett/Corbis

Chapter 4
p. 106 (top): Jose Fusta Raza/Corbis
p. 106 (bottom): Drawing courtesy of Frank O'Gehry
p. 114: Newsweek en español
p. 117: PRN Images
p. 121: Peter Von Felbert/Alamy
p. 132: Multiservicio Informático
p. 134 (top left): Jose Fusta Raza/Corbis

Illustrations and Maps

Fian Arroyo: pp. 4 (middle), 5, 27, 40, 41 (both), 43, 44 (all), 47, 56, 77 (all), 90, 94 (all), 95, 108, 126, 149 (top all), 158 (all), 162 (all), 163, 175 (all), 177 (all), 178 (both), 183 (top), 189, 195, 207 (both), 226, 241 (both), 263, 275 (small insert illustrations), 295, 313 (bottom all), 322, 343 (reality show only), 355, 383, 401 (all), 411 (all), 417, 436, 448

Carlos Castellanos: pp. 4 (bottom), 9, 12, 21, 33, 61 (all), 78 (all), 125, 144 (both), 148, 174, 183 (bottom), 208 (all), 212 (all), 240, 247, 278 (small insert illustration), 279, 298, 309, 311 (all), 312 (all), 313 (top), 370 (both), 371, 376 (both), 402, 430 (both), 431 (both), 434

Rick Morgan: pp. 4 (top), 14, 68, 143, 210, 218 (bottom), 251, 262, 340 (all), 341 (all), 343 (all except reality show)

Rossi Illustration & Design: pp. 7, 31, 34, 39 (both), 73, 103, 107 (both), 109, 110, 141 (all), 149 (bottom), 173 (all), 187 (all), 205 (bottom), 213 (all), 218 (top), 230, 239 (both), 273, 275 (El menú box), 278 (Picadillo box), 285 (AIE annotation), 307, 330, 339, 369, 399, 403 (both), 405 (all), 419, 421, 425, 429, 451 (all)

Anna Veltfort: pp. 205 (both cards; see also Photo credit lines); 424, 454

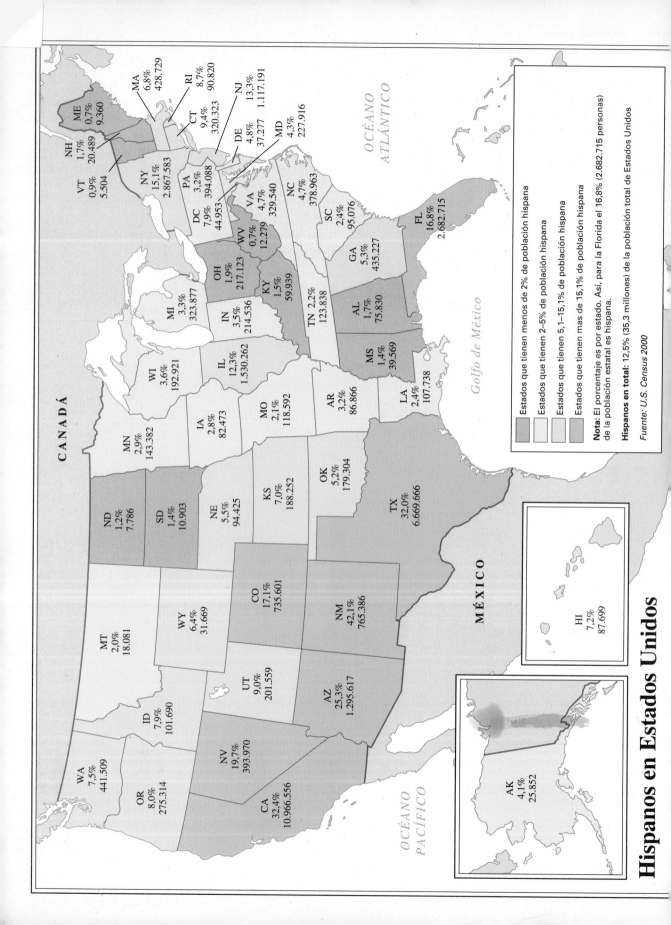

Hispanos en Estados Unidos

CANADÁ

MÉXICO

OCÉANO PACÍFICO

OCÉANO ATLÁNTICO

Golfo de México

WA 7,5% 441.509
OR 8,0% 275.314
CA 32,4% 10.966.556
NV 19,7% 393.970
ID 7,9% 101.690
MT 2,0% 18.081
WY 6,4% 31.669
UT 9,0% 201.559
AZ 25,3% 1.295.617
NM 42,1% 765.386
CO 17,1% 735.601
ND 1,2% 7.786
SD 1,4% 10.903
NE 5,5% 94.425
KS 7,0% 188.252
OK 5,2% 179.304
TX 32,0% 6.669.666
MN 2,9% 143.382
IA 2,8% 82.473
MO 2,1% 118.592
AR 3,2% 86.866
LA 2,4% 107.738
WI 3,6% 192.921
IL 12,3% 1.530.262
MI 3,3% 323.877
IN 3,5% 214.536
OH 1,9% 217.123
KY 1,5% 59.939
TN 2,2% 123.838
MS 1,4% 39.569
AL 1,7% 75.830
GA 5,3% 435.227
WV 0,7% 12.279
VA 4,7% 329.540
NC 4,7% 378.963
SC 2,4% 95.076
FL 16,8% 2.682.715
DC 7,9% 44.953
PA 3,2% 394.088
NY 15,1% 2.867.583
VT 0,9% 5.504
NH 1,7% 20.489
ME 0,7% 9.360
MA 6,8% 428.729
RI 8,7% 90.820
CT 9,4% 320.323
NJ 13,3% 1.117.191
DE 4,8% 37.277
MD 4,3% 227.916

AK 4,1% 25.852

HI 7,2% 87.699

Estados que tienen menos de 2% de población hispana

Estados que tienen 2–5% de población hispana

Estados que tienen 5,1–15,1% de población hispana

Estados que tienen mas de 15,1% de población hispana

Nota: El porcentaje es por estado. Así, para la Florida el 16,8% (2.682.715 personas) de la población estatal es hispana.

Hispanos en total: 12,5% (35,3 millones) de la población total de Estados Unidos

Fuente: U.S. Census 2000